U0115389

廖中和———著

辣手篇章
照初心。續編

一名獨立思考者的海外觀察

觀念思想，不肯從俗，絕不鄉愿；評點臺灣、中國和歐美，剖析社會、文化與政治，殊無顧忌；辣手篇章照初心。

目次

值得欣賞的人生旅程

謙恭寧靜的光輝
　　——伯納定主教留給後世的典範 002

美麗轉眼成悲劇
　　——悼念黛安娜的清純與早逝青春 005

純樸最深邃
　　——敬輓聖徒德蕾莎修女 008

但開風氣不為君
　　——高華德參議員的風範與影響 011

英雄未必民族 014

一位簡單而偉大的總統
　　——評《雷根傳》所引起的爭議 017

解惑專欄巨人辭世 021

敬悼姜逸樵博士 025

達賴喇嘛魅力何在？ 028

理解女性談何容易

只要性高潮？ 032

真愛可以等待 035

相妒何太急 038

總統緋聞纏身，夫人神采奕奕 041

婦女組織的立場問題 044

女性身體自主權論 047

大學教職的女性歧視 050

從結婚到結合 053

運動必須運腦

曲終人散話奧運 058

飛人喬丹的母教 061

教練乃是球隊的靈魂 064

球迷騷亂背後的思維陷阱 067

棒球冠軍都是錢堆起來的嗎？ 070

閒話足球 073

美國浮世繪

黑人歷史月有感 078

隱士殺手隨想錄 081

以規定殺人 084

芝加哥大學的轉型之痛 087

亞裔融入主流社會的特色 090

世家子弟與美國政治 094

恐怖暴行絕非正當手段，應嚴予譴責並唾棄之 097

受難補償宜知止 100

在中不在共

何不正名為中國社會黨？ 104

中國的孤兒棄嬰也是人吧！ 107

在中不在共 110

將軍乎？經理乎？ 113

站在歷史的錯誤一邊 116

「國家」太多了！ 119

誠實地對待過去 122

通緝中共政權 125

何時才能擺脫流氓治國的陰魂？ 128

慶祝什麼？ 132

代表中共向全人類致歉 136

國家機密七百磅 140

中國僅是世界上許多獨立邦國之一！ 144

中共建黨八十年之反省 148

豈有國情特殊到必須以假當真？ 151

中共政權正步上法西斯主義的後塵 155

臺灣人的定位

再見萬歲 160

為什麼臺灣人當然不能擔任中華人民共和國的國家主席？ 163

紅裝勝武裝..166

統計數字與政治解讀..169

走向民意謹守憲法..173

希望與前途能否共存？.......................................176

是怎麼樣的國民選出這樣的總統？......................179

聖·路西亞在哪裡？
　　——北京與臺北外交戰之荒謬性...................182

總統曾經是外國人
　　——為李登輝辯解.......................................185

人的定位
　　——從李登輝總統的談話說起......................188

統一最忌強求，愛國就怕幫腔.............................191

國際援助的心理糾結
　　——淺談臺灣援助柯索伏案風波...................195

和平是統一的唯一方式.......................................198

當權者的神經過敏症..201

不快樂的歐吉桑..205

僑胞僑胞，誰在呼喚你？

為殘障華人說話..210

僑胞不勝被宣慰..213

香蕉還是荷包蛋？..216

美國華裔受惠於黑人民權運動 219

華人的形象 222

媒體不會消失

一輩子的新聞記者 226

以總統夫人為師 229

雜誌的命運 232

印刷媒體的轉型 235

社論卡通易惹事 238

看完電影有話說

《麥迪生之橋》的情與慾 244

花木蘭是日本人？ 247

終生成就獎的爭議 250

從還珠格格到妹力四射 254

一一道盡人生 257

江湖上　臥虎藏龍 260

奧斯卡獎肯定華語影片 264

歧異多變與表達自由 267

莫讓公安長住心頭 270

愛情電影永不過時 273

「英雄」無用武之地
　　——電影《英雄》觀後感 276

文學擦邊球

看張
　　——懷想張愛玲女士 282

繼承未來 285

哈利・波特旋風 288

「包裝」的難題 291

語文的糾纏 294

隨想巴金 298

生死皆有力

人生無常，慧命永在 304

冷與文化 307

死亡即成長
　　——讀《星期二與摩利談人生》有感 310

人類的探索精神不死 314

生命的強韌 317

值得欣賞的人生旅程

謙恭寧靜的光輝
—— 伯納定主教留給後世的典範

　　一九八二年盛夏，芝加哥市中心葛蘭特公園內，人頭攢動，大家熱切地注目著芝加哥天主教區新任主教就職大典。五十四歲的約瑟夫‧伯納定，以平和寧靜的語調，虔誠謙恭的神態，向整個教區和大芝加哥社區介紹自己：

　　「我是約瑟夫，你們的兄弟。」並且以非常簡短有力的句子聲稱：「I am one of you. I am among you. I am with you.（我是你們之中的一員，與大家同在，當和各位共甘苦。）」

　　當時，年邁的柯迪主教甫去世。柯迪任期長達十八年，最後幾年，整個芝加哥天主教區危機顯現，並有傳聞直指主教浪費公款，用之於親友及具有深厚交情的教友身上，兼以教區的財務制度落伍，不僅造成教區的財務危機，而且使得大多數神職工作人員士氣低落。羅馬梵蒂岡教宗若望‧保祿二世任命伯納定接任芝加哥區主教。

　　伯納定是義大利裔移民的第二代，其父業石匠，家境寒微。一九二八年四月二日生，高中畢業後先入南卡羅萊納大學就讀，因立志從事神職，改入聖瑪麗神學院，一九四八年畢業，得哲學學士學位；一九四八至一九五二年間，在天主教大學神學院攻讀，得教育碩士學位。畢業後任職各教區。一九六八年，為了因應時代的變遷與需要，成立了全國天主教主教會議，伯納定擔任首屆總幹事，這個會議後來成為頗具影響力的宗教會議，對迫切的社會問題及國際和平與戰爭問題的發言，甚受各界重視；一九七二年，教宗保祿六世任命他為辛辛那堤教區主教；十年後，接任芝加哥教區主教；今年（一九九六）九

月九日，伯納定主教榮獲總統自由獎章，這是美國平民百姓所能獲得的最高榮譽；十一月十四日凌晨，在芝加哥任所辭世。

伯納定主持教區的十四年間，極受各界敬重，但也並非全無爭論，尤其為了挽救教區的財政危機，不得不關閉許多教區所轄天主教中小學，引起教友及學生家長的爭議與不滿，但在他耐心的說明解釋和勸誘下，終使風波歸於平靜，度過了嚴重的財政危機。同時，伯納定以身作則，用人格的潛移默化，逐步提升神父修女及教區工作人員的士氣，最後，他甚至成了全美國天主教的最高精神領袖。

但是，伯納定主教卻絕對不是那種權大名高的「偉大領袖」。在他身前死後，絕大多數讚美他的人及言論，都認為他的平和寧靜、人格感召，才是他的特性。雖然也有人稱他是「激烈的中間派」，那是因為現代社會變化劇烈，天主教會為了適應時代潮流和一般人的價值取向，但又要謹慎地維護天主教的傳統精神，因此對許多頗具爭議性的社會問題，比如墮胎、生育控制、死刑存廢、安樂死等問題，如何本著天主教義，並爭取屢為類似問題困擾的現代人之宗教歸依，立場的拿捏便不是那麼容易了。當立場相互對立時，採取任何一邊的極端立場，相對而言是遠較輕鬆而簡單的，伯納定不此之圖，反而竭力想覓得某個方式，使不同的觀念和不同立場的人得到共識。

雖然早已貴為大主教，但他的風格一貫是牧教式的平易，而不是堂皇富麗有如君王；他總是尋找機會來教育世人，而不是用災難的詛咒以威嚇大家；伯納定用他的謙虛來自我超脫。《芝加哥論壇報》在他去世後感歎道，在羅馬天主教兩千年的歷史中，眼光大多著重在天使和教會高階精英身上，伯納定則把他的信息朝不同方向遞送──直接迴向普通信徒。他的感召力見之於其寧靜與熱忱，而不是高談闊論和光彩炫目。在美國這種凡事皆求「新」的國家，他卻去攀摘永恆；在當今物質至上的時代，他竟想提供某種近乎超脫的境界。

然而，即使像他那麼單純而高潔的人格，仍然不能免於無妄的污衊。一九九三年十一月，一名曾在辛辛那堤教區神學院就學的青年愛滋病患，竟然控告伯納定主教及另一名教士性虐待，引起全球媒體注意。這大概是他一生中最不愉快的事件了。但他既不憤怒反擊，也不設法彌補，反而以「寬宥」對方為重點，次年二月，這位青年終於撤回他子虛烏有的控訴。

以身作則教世人如何「活」，已是聖賢事業，伯納定非僅如此，他還進一步示範如何「死」。死前三週，在他向蒙得雷恩神學院學生的演講中，說明了對於病痛與死亡，他的反應是：接受死亡有如「朋友」，像是通往新生命的一道門檻，有人問何以能夠如此心平氣和？怎麼解釋？伯納定表示主要有三點：第一是必須真正信賴天主；第二是如果你的確信賴天主，你應該能夠看出，死亡是朋友，不是敵人；如果第一、第二都對的話，那麼第三自然是：放開一切。

伯納定主教是一個單純而處處為人設想的人，他的講話和文字都很直接簡要，心胸寬大，願意包容不同信仰的人群。對天主教數百年來之歧視猶太人與猶太教，有勇氣致歉；死前一週，還在致美國最高法院的見證信中，堅持天主教義，反對垂死病人有選擇醫師助其自殺的權利。伯納定主教一生所煥發出來的謙恭寧靜的光輝，正好體現了聖芳濟震鑠古今的禱告辭的最後一句：

在死亡中，我們得到永生。

——《美中新聞》，一九九六年十一月廿二日

美麗轉眼成悲劇
—— 悼念黛安娜的清純與早逝青春

　　上星期六（八月卅日）晚間十一點左右，扭開電視，愕然聞知英國王位繼承人查爾斯王子已離婚之王妃黛安娜，在巴黎發生嚴重車禍，不幸身亡。消息傳出，英國人自表震驚哀傷，美國方面的反應也很類似。可以想見，隨後幾日各種媒體必將以黛安娜王妃的猝逝為報導主題。黛安娜卅六年短暫的生命，彷彿一道璀燦亮麗的流星，在人類歷史的天空中滑過，稍縱即逝，後人的追思，以及事後添加的想像，卻很可能綿長而無盡期。

　　有人提到，黛安娜可能是有史以來被搶拍相片最多的人。一九八一年，才十九歲青春年華，只受過中學教育，當時是幼稚園教員的她，嫁給英國王位繼承人查爾斯王子，婚前即已成為新聞界追蹤的對象，而婚禮之隆重，全球觀賞人數之多，真不愧為「世紀婚禮」。從此以後，黛安娜變成了世界各地攝影機最愛獵取的對象，清純的少女，在稍顯豐腴的臉龐上，頂著一頭削短但形式簡潔的髮型，這個形象曾經風靡全球，有一段時間，「黛安娜髮型」成為各國婦女最流行的髮式。初期，這一場「世紀婚禮」有如童話故事，然而現實的人間世，童話故事根本不可能長期扮演下去。黛安娜為英國王室生了兩個小王子，但她與查爾斯之間的關係，顯然漸行漸遠，彼此之間失和的傳聞，有關婚外情的種種流言，成為小道新聞最熱門的題材。利之所在，攝影師們於是紛紛搶拍王妃的一舉一動，尤其涉及男女關係者，即使只是朦朧的輪廓或模糊的背影，照樣賣得上好價錢。

　　這次巴黎塞納河隧道內致命的車禍，真正肇事的原因與經過，也

許還要一段時間才能調查得比較清楚，但法國警方事發後，立即扣留七名騎摩托車緊追王妃座車的攝影師，使人以為這些攝影師似與車禍相關。（最新的報導指出，巴黎警方對司機遺體驗血，發現血液中酒精含量過高。）也使得最近幾年日趨盛行的自由攝影人Paparazzi，一時成為眾矢之的，大家紛紛予以譴責。柯林頓總統於得知黛妃死訊後，在度假地發佈簡短悼念聲明，記者問的唯一問題就是有關這方面的問題，柯林頓精於運用媒體，當即以四兩撥千金的手法，把問題擋掉，認為此時此際應以追悼為主，不宜旁及其他。

柯林頓總統的反應，固然表現了聰明的政治人物的機警，但也可以說明這方面的問題牽涉頗廣，一時的情緒衝動未必允當。最激烈的反應來自黛安娜的哥哥查爾斯·史賓舍，針對妹妹的死亡，他在南非發表聲明，指出他老早認為黛安娜終將死於新聞界的追逐，如今不幸而言中，他嚴厲指斥類此行為極其不當。史賓舍並不明言係自由攝影師，而泛指新聞界，未盡恰當，可能激憤異常無法克制。不過，《紐約時報》也在九月一日的社論中，鄭重呼籲主流媒體，應與無所不用其極的自由攝影師劃清界線。倒是《芝加哥論壇報》直截了當地點出，自由攝影師之所以存在，乃是因為他們的作品有市場，而且深究起來，最後的市場不在小道新聞雜誌，而是購買這些雜誌的消費者。（見該報九月二日社論）

名流、巨星、政要與自由攝影人之間的關係，實在是愛恨交加。當攝影師不擇任何手段，企圖拍得高價的新聞照片，名流們感到隱私權被侵犯，行動自由受到不合理的限制，面對一群蜂湧而上不守秩序的攝影師，有時連人身安全都受到威脅，這是恨的一面。然而，名流、巨星、政要之所以成為名流、巨星、政要，「吸引力」、「魅力」、「名氣」之所以能長期保持不墜，永遠有一大群凡夫俗人對他們的言行感到興趣，小道新聞雜誌功不可沒，而自由攝影人提供的相片，正

是這類報刊的源頭活水，更何況其發行量之大，的確很難予以忽視。一位有分量的明星，如果長期沒有消息在這類報刊出現，不但一般人對他或她會產生異樣的感覺，恐怕連明星本人都會渾身不自在，懷疑自己的地位陷入危機。

黛安娜王妃誠然使古老封閉的英國皇家走向群眾，同也參與了不少有價值的國際公益活動，例如愛滋病、乳癌研究、清除地雷等，但正如《紐約時報》所感歎的，她受的教育稍嫌少了一些，與她的名聲不相符，因此她所擁抱的公益慈善活動，都是在協助他人的工作，提高其知名度。也就是說，她憑恃的乃是她的形象及姿態。去年夏天，黛安娜應西北大學癌症研究基金之邀，成功地訪問了芝加哥，人們花大錢參與這項募款活動，難道是想聽她對最近癌症研究的新發展提出報告嗎？絕大部分人當然主要是想一睹她的「風采」。而黛安娜的風采，當然是來自她那不失清純的美麗。著名的電視記者芭芭拉‧華特絲，在黛妃去世後接受訪問，雖亦提及她的幽默、人情味、平易近人等優點，但追根究柢，她的美麗才是終極的吸引力。

黛安娜王妃出身平民而非貴族，但卻生長於豪門，一生過的是上流社會的奢華生活方式，成長後竟又能擁抱有利弱勢群族的慈善公益事業，畢竟難能可貴。她的猝逝，把她的生命和她的清純與美麗凍結在卅六歲，同時也把後世對她的想像凍結於其清純與美麗。這樣的卅六歲是值得活的。

——《美中新聞》，一九九七年九月五日

純樸最深邃

── 敬輓聖徒德蕾莎修女

在不到一個星期的時間內，我們這個世界目擊了兩位知名女性的逝世。先是法國時間八月卅一日凌晨，英國黛安娜王妃在巴黎因車禍而凋謝，她的猝逝，在英、美等國引起群眾性的「追悼流行」現象。正當人潮與花海不斷呈現於報紙和電視畫面之際，竟又傳來另一個不幸消息，名聞全球的天主教德蕾莎修女，於九月五日在印度加爾各答市因心臟衰竭去世。就在同一天，對音樂界和芝加哥本地的人而言，大指揮家喬治‧蕭提在法國辭世，同樣是令人震撼的新聞。蕭提領導芝加哥交響樂團廿二年（1969-1991），得過不計其數的音樂獎，使芝加哥交響樂團多次被評為世界第一，稱之為音樂界的巨人，當之無愧，他以八十四高齡謝世，乃是國際音樂界的一大損失。

當然德蕾莎修女去世的消息傳出以後，不論是印刷媒體或電子媒體，特別是廣播界的叩應節目，大家不免把她拿來與黛安娜兩相比較，有時甚至引起相當熱烈的辯論。一位是穿著入時、青春尚在的王妃，面容姣好，身材高䠆，身上穿戴的服裝或鑽戒，動輒以數十萬美元計；一位是滿臉皺紋，身材佝僂，步履不穩，穿的是白色藍條的粗布修女制服，美金一、兩塊錢一件；更何況黛安娜故世時才卅六歲，德蕾莎修女則已高達八十七歲，足可當前者的祖母，兩者在外形和生活方式上的確不易對比，但真正值得論辯者，應是對世間的貢獻多寡及生命價值的衡量。就此而言，筆者完全不願追逐時髦，明知悼念黛安娜的人潮與花海遠較熱鬧而大規模，但卻寧可馨香禱祝德蕾莎修女安息天國，對她給予這個世界的奉獻與勞苦，自內心升起一股崇敬。

一九一〇年八月廿六日，德蕾莎修女生於目前的馬奇頓尼亞（原南斯拉夫境內），父母係阿爾巴尼亞人，家道富裕。她在十二歲時，便向父母透露想當修女的願望。十七歲，隻身前往愛爾蘭羅瑞朵修女會修道，一年後被派赴印度傳道，先當教員，十六年後成為校長。這時她的人生起了重大的變化，據她自述，神呼召她應該向人間最貧最苦最髒最臭的地方去服事，德蕾莎修女選擇了印度加爾各答的貧民窟，於一九四九年創辦了慈善濟助會。從此，這位身高僅約五英尺，體重不到一百英磅的弱女子，便領導著令人動容的救苦救難的慈善事業，直到今年（一九九七）三月為止，慈善濟助會選出一位新的領導人，接替健康日益退化的德蕾莎修女。

在資訊傳播當道的廿世紀，慈善濟助會之所以取得國際間的認識及讚揚，多少應歸功於一九六九年英國傳播公司製作了有關德蕾莎修女的電視紀錄片，稱她為「貧民窟的聖徒」（the saint of the gutters）。此後，她不斷穿梭往來於國際間，為其慈善事業奔波，目前該會屬下有三千多名修女，於全球一〇五國（有的報導則說一二〇國）設有各類「中心」。一九七九年，榮獲諾貝爾和平獎（德蕾莎修女的反應是：受之有愧！）。其後，雷根總統頒獎給她時，特別指出：「絕少有人夠資格被稱為世界公民，德蕾莎修女是名符其實的一位！」

在林林總總有關德蕾莎修女的報導中，個人印象較深的是臺灣靜宜大學李家同校長幾年前的記述。李校長曾經前往加爾各答慈善濟助會當義工，有機會親自體驗德蕾莎修女的人格風範與感召。她似乎不怎麼理解及運用現代的企業管理觀念，幾乎全無「領導人」的身段與威嚴，晨禱時並不率領他人禱告，而是隨機坐在教堂的後座祈禱。她的生活刻苦簡樸，根本沒有任何世俗的財物。當時讀後第一個感想便是：她是人間的聖徒。同時認為，比起臺灣知名宗教領袖，德蕾莎修女在境界上猶高一層！臺灣的宗教領袖，「做事業」的心態未免太強，

在徒眾簇擁下，不自覺地養成了「領導人」的身段，離純樸已遠。

認真講起來，德蕾莎修女是一個重行勝過思的人。她並未創立什麼宗教理論或學說，她的所行所為即是她人格的精粹。同時，她不介入政治，甚至排斥政治，「不管生活於民主政治或極權專制，窮人就是窮人，他們都需要愛與照顧。」基本上，她是天主教傳統教義的發揚者，所以她反對生育控制、墮胎、同性戀等。她甚至強烈地表示過，母親若可以將自己體內的生命殺死，則我們有什麼理由去教導大家不可殺人？這一類的話，在現代社會，自然不免招來許多批評攻訐。倒是她在一九九五年北京聯合國婦女大會發表的觀點，可能比較容易被接受：她認為男女有別乃是上帝賦予人類何其美好的區分，否定這點的人應嚴予譴責。「女性的愛是上帝之愛的一面，男性的愛是另一面，兩者皆是創造來愛的，不過以不同方式而已。男女互相補足，他們結合在一道可以更充分地貫徹上帝的愛，猶勝於單方面自行其是。」

德蕾莎修女並沒有為世間的苦難指示解決之道，而是減輕人們苦難的重擔，直到生命的終點，這不正是宗教的本色嗎？社會問題的解決，主要繫乎政治經濟社會等方面的措施。她的一生，說明了純樸是何等地有力而深邃！德蕾莎修女彰顯的並非只是形體的美，而是整個生命從幼至老的美——充實而有光輝。

——《美中新聞》，一九九七年九月十二日

但開風氣不爲君
── 高華德參議員的風範與影響

　　知名的政治活動家菲利絲・雪拉茀莉女士表示：「我很懷疑，人間還有什麼人像巴瑞・高華德一樣，雖然輸掉了一場總統選舉，但他的影響力卻如此之大。」五月廿九日以八十九歲高齡去世的美國參議員高華德（他於一九〇九年元月一日在亞利桑那州鳳凰城出生），各界在追念及評述他的功業時，大都指出這點，雪拉茀莉的觀察，幾乎可以說是對這位為人敬重的政治家之蓋棺論定。

　　的確，一九六四年的美國總統大選，民主黨的詹森總統以絕對優勢大敗共和黨的高華德，乃是政治史上的大事，具有多重意義。然而，依高華德自述，「當甘乃迪去世以後，我完全失掉競選總統的興趣。我們的國家，哪能承受在三年半內，更換三位總統！」甘乃迪與高華德，雖然屬於不同的政黨，具有相當不同的政治理念，但二人英雄惜英雄，相處甚得，當甘乃迪為古巴危機而煩心時，還曾經對高華德開玩笑說：「老兄，你現在還要總統這個撈什子職位嗎？」兩人之間甚至有過暫時協議，他們要重新恢復過去的總統競選方式，即兩名候選人共同旅行全國各地，一起出現講臺上抒發政見。甘乃迪不幸被暗殺去世，高華德完全失掉競選興趣，其實是對甘氏表達敬意。

　　後來，高華德之所以重新踏上競選征途，主要著眼點乃是有意釐正共和黨的方向，進而扭轉整個國家大政的取向。當時的情勢，加上詹森總統方面抹黑式手法──比如暗示高華德如當選會引起核子大戰浩劫，事先高氏已知道大局不可為，正因如此，慘敗後反而能夠處之泰然，事後反省，高華德透露心曲：「你以六與四之比慘敗，餘生便

不需老去回想當時應該怎樣做。唯有當你以百分之一比數被打敗時，才會每個晚上都睡不著覺。」胸襟何等豁達！他甚至這麼反省道：「當你選敗到如此之多，這可不是哪一場演講失誤或打錯領帶的問題，而是時機不對。」換個方式講，高華德所扮演的正是先知先覺者的角色。

一九六四年的總統選舉固然失敗，但卻是共和黨內保守勢力的一次大團結，象徵了美國保守派的初步興起。過去由東部既得利益階層掌控共和黨的時代告一段落，同時在政治地理上，美國南部與西部所謂「陽光帶」的影響力，從此開始遞增，民主黨牢牢掌握南部各州的形勢，出現了很大的變化。至於高華德本人，總統選舉失敗後，重新當上聯邦參議員，雖然他的議事出席率不高——只對自己感興趣的法案才出席，但影響力始終不衰，直到一九八七年退出政壇。尼克森之所以能東山再起，高氏的支持幫助甚大，但尼克森陷入水門案時，高氏的勸退又成了尼氏辭職的關鍵。雷根在一九八〇年當選總統，大家普遍認為正是高氏點燃的保守派革命的具體成果。

至於政治理念方面，高華德並非創新的思想家，他跟雷根類似，都是擅長於把觀念予以濃縮，用簡明語句表達出來的「結晶者」（crystallizer）。他最常被人引用的名言，就是一九六四年共和黨大會接受提名演說所講的：「為了捍衛自由而走極端，並非罪惡；為了追求公道而多所節制，並非道德。」（出自時為俄亥俄州立大學政治學教授哈利‧約華之筆）大會代表對這段話反應異常熱烈，掌聲不斷。嚴格講，高華德的保守思想是出自對人性的理解，尊重人類智慧所累積而成的常識，其根本精神則為個人主義。他在一九六一年宣稱：「我的整個論點，奠基於這一歷史概念，即個人最會照料自己，當人無法照料自己時，唯有在這種情形下，政府才應該介入並替他代勞。」

最能代表高華德的理念及政策構想者，自係一九六〇年三月出版的《一個保守派的良心》這本小書。（全書僅一二七頁，據保守派主

流刊物《國家評論》創辦人威廉・巴克萊所述，此書捉刀人爲Brent
Bozell，兩星期寫就）書成以後，翻印多次，據估計，四年內賣出三
百五十萬本。這部書一如作者本人的個性和說話方式，既坦率又直
言，而且敢言。一開頭便揭示他所深信的保守派三大信條，即重視個
人的獨特性，個體比集體重要，集體不能代個體做決定，政治自由與
經濟自由互爲表裡，保守派的終極關切在於是否保存和擴展了自由。
中間論及權力的危險性、州（地方）的權利、民權、農民與勞工問題、
教育等，最後談共產蘇聯的威脅，具體列出戰勝共產主義的十點建
議，甚至公開鼓動共產集團的人民起而反抗統治者，宣稱全球共產主
義運動爲非法活動，撤回對所有共產國家的外交承認。他的言論和政
策方向，可稱激烈。但經卅年的時間推移，他的一些觀念不但影響了
尼克森、雷根，也影響了目前的柯林頓總統，強化人民弱化政府、權
力歸屬地方、社會安全系統私有化，不都是現今的政治傾向嗎？

記得一九七五年四月四日深夜，蔣中正總統去世，美方原擬只派
農業部長前來弔唁，幾經折衝，終於由當時的副總統洛克菲勒率團赴
臺北，一向支持臺灣的高華德則是自動參加。美國代表團抵達以後，
官方與新聞界全都蜂湧而上包圍著洛克菲勒，冷落了長期友人高華
德，只見他泰然自若地提著皮箱孤獨走向旅館房間，目睹這一幕的
人，心中不無感慨。然而，正就是這一位不怕孤獨的個人，這一位勇
於且坦率說出自己見解的個人，改變了美國歷史甚至於人類文明的方
向。一時的成功與失敗，短暫的熱門或冷落，又何足以論英雄勛業！

——《美中新聞》，一九九八年六月五日

英雄未必民族

　　六月十二日，得有機緣與前輩學人吳相湘教授晤談，敬聆教益。印象頗深的一點是：針對最近張學良先生百歲壽辰，國民政府僑務委員會的委員長焦仁和，於所贈祝詞中，曰：

　　民族英雄，心如日月；堅貞節概，壽比岡陵。

稱張氏為「民族英雄」，吳教授認為殊屬未當，而有微言。吳教授於中國近代現代史領域的研究與講授，貢獻良多，著述宏富，給後輩學者不少啟發，特立獨行如名作家李敖，也曾對「良善吾師」（吳教授字良善）有所致意。雖已年高，吳教授仍時時關心國事，此次秉其史識，不肯輕易以「民族英雄」予人，不才如在下，甚感戚戚焉。

　　張學良是現代史上充滿神秘性的人物，其父張作霖人稱東北王，父子兩人左右東北政局甚久。老帥於皇姑屯被日軍陰謀炸死於列車上，時為一九二八年六月三日，經過一段機警的佈置，少帥潛回瀋陽，繼承父業。一九三一年九一八事變發生，以及其後的熱河失守，張少帥的「不抵抗主義」，頗被時賢詬病，甚至引致當時行政院長汪兆銘（精衛）一九三二年八月六日的辭職五電，痛責張「去歲放棄瀋陽，再失錦州，致三千萬人民，數千萬里土地，陷於敵手……惟有引咎辭職，以謝兄一人，並以明無他。惟望兄亦以辭職謝四萬萬國人……」云云，最高行政首長以辭職逼地方大員辭職，也是國史上的怪事。

　　至於一九三六年十二月間發生的西安事變，尤其是歷史大事，扭

轉了歷史發展的走向。有關這一事變的學術研究為數不少。但國民黨與共產黨對這一重大事變的解釋不同，立場有別。大體上講，共產黨方面在周恩來的高明協商下，一方面聽從蘇聯史達林的指示，釋放蔣介石回南京，另一方面更重要的是中共終獲轉機，成為日後取得政權的張本，中共方面多年來視張學良為「恩人」。而張學良本人「赴荊請罪」，戲劇性地結束了西安事變，張被軍法判刑十年，遞奪公權五年，但蔣委員長隨即呈請國府予以特赦，特赦令很快頒下，但仍附「嚴加管束」之文。張學良從此失去自由，從南京而重慶而臺灣。

張氏父子與日本、蘇聯、國民黨、共產黨之間，關係複雜。張老帥曾入蘇聯駐華大使館拘捕中共創始人之一李大釗等人，並予以槍斃，與中共有仇；但張少帥聯同楊虎城發動西安事變，於中共則有再造之功。張少帥東北易幟歸順中央，有助於國民黨統一中國，但西安事變卻使先安內後攘外的政策為之失效。張學良本人則長期被嚴加管束，成為悲劇英雄。多年來，新聞界對這位神秘人物興趣不減，一有蛛絲馬跡，立即成為熱門消息。民國五十三年（一九六四）七月臺北《希望》雜誌創刊號，登載張學良的〈西安事變懺悔錄〉（題目可能不為張氏所同意，據說他原題〈反省錄〉，何懺悔之有？）轟動一時，但該期雜誌馬上遭查禁。《聯合報》名記者于衡乘住醫院之便，於民國七十年（一九八一）九月十六日在《聯合報》刊出〈張學良訪問記〉，成為當時的獨家新聞！他與紅粉知己趙四小姐（一荻）晚年正式結婚，也成了大消息。

長年以來，張氏避見記者，而新聞界的通例則是：越是避免見報，記者越有挖新聞的興趣，偶得吉光片羽，往往視若珍寶。張氏在一些重要歷史演展上的關鍵地位，益增其神秘色彩。晚年重獲自由以後，尤其前幾年移居夏威夷，有關張氏是否返回故鄉東北的傳聞，始終不斷，張氏基於各種考慮，加上老年人行動或健康上的不便，也許

僅只是老人無法下定決心的通病，似乎反而使得大陸東北人士更形熱心促成此事！就在這種氣氛下，他的神秘性與重要性，彷彿滾雪球一樣，越來越膨脹，而近年來也出了一些近乎內幕報導的書冊，結果便是：影子比本人還大得多！

張學良遷居臺灣初期，在贈東北大老莫德惠的詩中說：「餘生烽火後，惟一願讀書。」有段時間，傳言他非常努力研究明朝歷史，但迄無任何著述面世。據他自稱亦曾潛心學佛，但在蔣夫人宋美齡的點撥下，最後找到真正的信仰——基督教。坊間又不時指出，蔣夫人歎氣曰：「我們對不起漢卿！」於未能及早釋放張學良，感慨不已。最近又有文章指出，張曾寫「東山再起」四個字，贈送原東北軍高級將領，致使釋放張的意見未蒙蔣介石同意。這些說法只能姑存其說，但也說明了大家對張學良的興趣始終不減。

平心而論，世人對張學良的關愛，包含了某種對「落難英雄」的同情。嚴格論起他的功業，似乎還沒有那麼偉大。在東北歸順中央後不久，張以卅出頭的年紀，就當上了中華民國陸、海、空軍副總司令，名位不可謂不高，但在實戰上未見具體成果，有人或以格於形勢為他解說，但張氏自己也有某種自知之明，自稱平生誤我是聰明。綜觀各種資料，張學良的個性自少及老變化不多，帶點鹵莽味，勇多於智，氣勝乎理。據說蔣介石去世後，張曾輓以「政見之爭，宛若寇讎；關愛之情，形同父子」（原文已忘，大意如此）。張氏一生恩怨分明的英雄氣概，率皆如此，但其器識格局也侷限於此。

英雄當然也是有缺陷的，但若不具備政治家的智慧，恐怕還不足以成為「民族英雄」。

——《美中新聞》，一九九九年六月十八日

一位簡單而偉大的總統
——評《雷根傳》所引起的爭議

艾德蒙・莫里斯的《雷根傳》（英文書名*Dutch: A Memoir of Ronald Reagan* by Edmund Morris。雷根幼年頭髮剪成蓋蓋頭Dutch boy，他父親於是叫他為the Dutchman，後來雷根自己把它縮短為Dutch，此一暱稱一直伴隨他），自九月卅日正式問市以後，引起頗大的爭議。

莫里斯生於非洲肯亞奈羅比市，現年五十九歲。他曾在南非讀過兩間大學，均未畢業。莫里斯於一九六八年抵美，而於一九七九年出版《西奧多・羅斯福的興起》，這部傳記贏得次年普立茲傳記獎，聲名鵲起。雷根的主要助手推薦他擔任正式傳記的撰寫人，莫里斯幾經猶豫，因為他當時正著手《羅斯福傳》的第二部，計劃完成三部曲，不過白宮方面給他許多接近總統的機會，使他享有「駐白宮歷史家」的特權，終於在一九八五年與藍登書屋簽下著書合同，出版商給他的前金高達三百萬美元，在同類書籍中罕有其例。

這部費時十四年的傳記作品，可謂未上市已轟動。《紐約時報》在九月十八日頭版頭頁以長文談此書。《新聞週刊》取得選載權，而於十月四日這一期以之為封面，用了將近廿頁的篇幅刊出部分精要，並談到這本書的成書經過。其他綜合性新聞刊物，無不談它。當然，嚴肅的書評則見之於期刊：《紐約客週刊》十月十一日這一期有長文評它，《紐約書評週刊》十一月四日頭篇長文以這部傳記為主題，保守派的《國家評論》十月廿五日共有四篇專文評此書。

作者的語文與寫作能力，事實上遍受讚賞，引起爭議的乃是他的作傳手法，即書中虛構了一名主要敘述者，敘述者的兒子——一位對

雷根尖銳批評的左派學生激進分子，另加一位次要角色，共有三名虛擬人物。而一九六八年以後的部分，則莫里斯本人變成主要敘述者。這種虛實相間的設計，引起學院派歷史學家和批評家的大力抨擊。不少人對莫里斯的學格表示懷疑，具體講，就是認為他的研究有問題，連歷史事實的認定都未能達到精確的地步。在政治界追隨過雷根的人，也對此傳寫法頗有微詞。

傳主本人雷根總統自一九九三年診斷已患上老人癡呆症，當時曾向全國民眾發表一封文情並茂的「道別信」，此後據說病況日益惡化，雷根夫人南茜忙著照顧他，最近不慎又在自宅地下室跌倒摔斷肋骨，迄今未聞她有任何反應。倒是雷根大女兒摩琳，於電視訪談中，對此傳不滿之情，溢於言表。但是小兒子朗納在《紐約客》十月十八日這期撰有短文一篇表達意見，朗納自稱因為與莫里斯相熟，由他來評述這部書實不相宜。但他指出：過去有關雷根的傳記，大體不出兩類，一是把他父親當做是牛仔英雄，一是把他看成幸運的笨蛋。而在艾德蒙・莫里斯的這部傳記中，雖有種種虛擬之處，「我終於在白紙黑字中，見到了這位我所認識的充滿矛盾的人。」顯然對莫里斯的新嘗試給予正面的肯定。

其實，對莫里斯而言，雷根始終是個謎樣的人物，他在撰寫過程中，尤其是一九九二年，面臨絕大的瓶頸，幾乎無以為繼，因為他覺得無法透入傳主本人的個性。《出版家週刊》十月十一日那期曾專訪莫里斯（比《新聞週刊》專訪為佳），透露了不少他的心曲，以及為什麼這樣佈局的原因。他當然知道引起爭議勢所難免，「我根本不在乎，傳記這門藝術需要新思維與新技巧，爭議是我所歡迎的。」在他看來，過去傳記多採單一觀點，但對雷根總統這種大人物，多元觀點是可能的。莫里斯初抵美國時，美國凡事均有解體的跡象，而雷根一旦當上總統，「幾乎事實上在一夜之間，全國的氣象（national mood）

為之一變，他把我們從險惡的時局中解救出來，我認為這份歷史功績理應歸他。這就是為什麼救生員乃是全書中最大的一個象徵。」（按：雷根青年時期做過多年救生員，解救過七十幾條人命）莫里斯鄭重地提到「我個人是很欣賞書中的敘述者，他慢慢地、逐步地欽仰雷根，到了最後則是全心全意地欽仰他。」怪不得出書以後，作者接受主要電視臺訪問時，結語一律是：他就是一位偉大的總統（He simply is a great president.）。

個人向來認為：富蘭克林・羅斯福總統與朗納・雷根總統，乃是廿世紀改變美國政治甚至歷史方向的領袖人物。《時代週刊》一九九八年四月十三日這一期，選出本世紀最有影響力的領袖與革命家廿人，上述兩人皆在名單上，當時曾經起過短暫的虛榮，而有「所見略同」的欣慰感。雷根其實是一個「簡單」的人，由於體力極健，從而在主觀上「不知恐懼為何物」，他不是哲學思考型的人物，理念簡單明晰，但信念堅強，他是觀念的「結晶者」，而非締造觀念的人。

這次因《雷根傳》所引起的爭議中，個人讀了許多批評文章，其中以Peter Robinson所述一件事最為動人。（見《國家評論》十月廿五日頁四十～四十四。按：作者在雷根入主白宮時，擔任總統演講撰稿人達六年），茲略述如下：

一九八九年某日，作者順道去雷根退休後在洛杉磯的辦公室拜望他。寒暄一陣後，雷根皺眉問他：看到今天的報紙沒？啟程前用早餐時，作者讀過《洛杉磯時報》，頭版與雷根有關。「米斯說雷根曾有被彈劾之虞」（米斯為其親信，曾任司法部長）、「星際戰爭言過其實──錢尼表示」（錢尼曾任國防部長）。「我真是不懂，」雷根說道。「我也不懂，總統先生。」當時，我想會有機會聽到有關伊朗─尼加拉瓜游擊隊非法轉售武器醜聞或星際大戰最內幕的消息。「法官如何能夠就一件運動競賽來加以判決？」雷根這麼說。我花了一分鐘之久才會過意來，

原來雷根談的不是他當政時的事，他是針對美國盃帆船賽在提出評論。紐約有位法官剛下判決把獎盃頒給紐西蘭，雖則美國隊時間更快。新聞標題寫著：「聖地牙哥失去美國盃」。這時雷根眼中一亮，「至少這位法官不是我任命的。」那時候，我甚表失望。直到駕車上了聖塔・莫尼卡高速公路以後，我才瞭解到，雷根為我樹立了一項很珍貴的表率，讓我知道什麼是智慧，什麼是心靈的單純，而這向來是我認為雷根最可貴的地方。有八年之久，他是全世界最有權力的人，他實現了他誓志完成的功業，或者說他已克盡所能。然後他便盡其可能的由總統恢復為一名普普通通的美國人。雷根現在讀報時，他讀的是運動版。他似乎使得莫里斯幾乎要發瘋，主要是因為他是這樣的正常。

　　前面這一則已由筆者稍予節略的插曲，彷彿是中國禪宗史上的偉大公案一樣，含蘊勝義，發人深省。雷根出身凡庸人家，以運動廣播員為入世之始，發跡於影劇界，由擔任好萊塢演員工會主席來磨練他的領導才能，兩任加州州長、兩任美國總統。在內政上，終結政府擴大管制的傾向，讓市場發揮效能，使工會發展重新反省，經濟政策促成社會繁榮，直到如今受其賜，當然他也受到不同政治理念者的長期仇視。在國際間，他是使冷戰結束而獲勝、讓共產主義陣營趨向解體的關鍵人物。雷根秉其基本信念，言其所當言，行其所當行，他化繁為簡的能力，常被誤會為「淺薄」、「空洞」，但他不因這類譏評而動搖，勇往直前，擔得起，放得下。雷根顯然並不自視為「偉人」，曾經掌握人世間最高的權力，但一旦步下政治舞臺，立刻還其平民本色，並不眷戀權力的餘威。

　　一位簡單的人，也可以成就偉大的事功，這就是雷根傳奇的本質。艾德蒙・莫里斯的《雷根傳》，以及從而激起的種種爭議，將使這一傳奇更增漣漪。

——《美中新聞》，一九九九年十月廿九日

解惑專欄巨人辭世

　　雄踞美國報界解惑專欄將近四十八年的安‧蘭德絲，於二○○二年六月廿二日病逝，享年八十三歲。

　　四十八年來，Ann Landers與雙胞胎妹妹Dear Abby這兩個專欄，幾乎瓜分了美國報界解惑專欄，她們兩位一九一八年七月四日國慶日出生於愛荷華州蘇城（Sioux City），姊姊早於妹妹十七分鐘，父親是來自俄國的猶太裔移民，後來事業相當成功。姊姊叫Esther Pauline Friedman，妹妹是Pauline Esther Friedman。兩人自小功課甚佳，一道進入當地的大學讀書，到了四年級下半年，卻拋棄學位而於同月同日同時結婚，只是姊姊結婚的對象不是原來已經訂婚的男士，她看中了一位年輕有為的推銷員Jules Lederer，先生後來創辦Budget Rent-A-Car，成為租車業的大亨，累積了極多的財富。安‧蘭德絲晚年接受訪問時戲稱：她大學主修「釣男生」，事實上是主修心理學與新聞學，跟她後來揚名立萬的事業還是頗有連帶關係的。

　　安‧蘭德絲出身富裕，丈夫又是億萬富翁，根本不愁衣食，早年非常熱衷於民主黨的活動，並因此結交了許多權貴名流，還把本身交遊的要人列檔存參。一九五五年，自威斯康辛州遷居芝加哥，起先她有意再替民主黨效勞，但當地民主黨高層表示，並不缺募款女士。恰在這個時候，《芝加哥太陽時報》安‧蘭德絲專欄主持人去世（一位出身護士的女士），她認得該報編輯，於是參加甄選。報社給了五道模擬問題，憑她豐沛的人脈，分別請教最高法院大法官威廉‧道格拉斯（大法官親自囑咐手下作答）、聞名全國的醫學專家等，回答上交後，編輯大皺眉頭說：妳不可以隨意編造名人權威的話……而她回應

稱：我哪有編造。如此一來，她便擊敗其他廿八位角逐者。

由她主持的安·蘭德絲專欄，於一九五五年十月於十六日正式在《芝加哥太陽時報》出現，原來有廿六家報紙連載，經過一年半以後，增為一百家。在為《太陽時報》寫了卅二年後，一九八七年轉移陣地到《芝加哥論壇報》。安·蘭德絲專欄目前被全球一千兩百家報紙採用，據估計讀者高達九千萬人。一開始時，安·蘭德絲不時就讀者來函所提問題與妹妹商榷，妹妹頗有一針見血的功力，於是自己把樣本專欄寄去《舊金山紀事報》，而於一九五五年十一月成為該報解惑專欄作家。這對雙胞胎姊妹，居然連事業也是如影隨形，而且同樣姊先妹後，差距甚近。後來，因為競爭關係，兩人交惡，彼此互不交談、斷絕往來達五年之久。當然，後來還是和解了。

報社一天約收到兩千封信，先交兩名員工拆開加以分類，然後由四位助理（均女性）挑出二百至五百封信，交司機送往安·蘭德絲（這本是專欄名，後來她取得法律專屬權，人欄合一，且表示她死後欄名隨之俱逝）住所，她親自閱讀及回覆。不論是《太陽時報》或《論壇報》，辦公室離她所住的極高級豪華公寓大約只有一英里，沿著名的密西根街北行，到了街尾右轉即到。如逢外出旅行，則透過快遞郵包交到她手上。每星期七天，一年三百六十五天，天天有專欄，這種堅持的毅力，直到生病去世前兩星期，依然數十年如一日奉行如故，實在令人佩服。

至於影響力之大，可能全美新聞界與政治界都普遍公認。密蘇里州堪薩斯市的布洛克癌症基金會，安·蘭德絲在專欄中大事推薦，三天之內有八十七萬六千人打電話到基金會，線路為之阻塞。個人印象至深的是：某年（已忘記確實年分）談女性看重愛撫更勝於實際性行為的專欄，讀者迴響的投書多達九萬餘封。羅伯·甘乃迪在參加民主黨總統初選前，親自徵詢她的意見（其答覆為「時機未到。」〔It's not your turn.〕）。雷根總統深知她專欄的重要性，曾親自致函表達不同意見。安‧蘭德絲登高一呼，全美各地讀者紛紛致電所在地國會議員，國會加速通過撥款進行癌症研究的法案，尼克森總統簽署生效。癌症研究機構頒給她最高榮譽，視之為最有力的友人，甚至影響政策。

　　當然，爭論也在所難免。她本是猶太人，但讀者並不知道，因此當她說自己是「非基督徒」時，大家一陣嘩然。她用族裔輕蔑語「波蘭佬」稱呼現任教宗若望保祿二世，惹起強烈抗議，逼得她只好公開道歉。最尷尬的是：一九七五年，丈夫另結新歡，夫婦離婚，不得不在專欄中公開此事，她慨歎萬分地寫道：「這般美好這般持久的良緣，何以不能永遠保持下去？到底是怎麼回事？凡事皆有答案的本女士，不知如何回答這一問題。」她特別交代在版面上留下一段空白，以資悼念「相當美好但卻未能抵達終點線的一場婚姻。」她去世後，繼承她衣鉢的獨生女 Margo Howard（於著名網路雜誌 Slate 闢有 Mrs. Prudence 專欄），在《芝加哥論壇報》六月廿四日紀念專輯中，師法母親，在〈女兒的告別〉文中，也刻意留白。

　　依個人看，安‧蘭德絲專欄的特點在於「直截了當」。某次有位讀者提問，其心理醫師屢屢向這位讀者發動性挑逗，而她又頗為倚賴這名醫師，如何自處方為良策？安‧蘭德絲的答覆只有一句話：該看心理醫師的是這名醫師本人。讀後為之拍案叫絕。一九九三年，愛滋病蔓延嚴重，有投書談唯一安全的性行為，就是除非已經堅決認定只有一名性交對象，否則應戒絕任何性行為。她卻認為飲食男女係自然的人之大欲，戒絕並不可行，因此公開提倡手淫，並認為這是她寫過最有用的一篇專欄。晚年她向好友透露專欄成功的訣竅：「我把自己當作一名聽眾。讓人家願意把問題寫下來寄給你，就已經部分地解決問題了。他們有能力思考問題，然後便可以用比較客觀的方式予以處理。」她的答覆，往往比來信還短，良有以也。

　　安‧蘭德絲的一生，榮華富貴、名氣影響力兼而有之。平生獲獎無數，得過卅三個榮譽學位，一九七九年的*World Almanac*把她列為全美最有影響力的女性。其實，她不太重視這些榮譽。她始終保持好奇心努力求知，去世前的幾年，還向新聞界的晚輩垂詢吸食毒品的實際情況。受她提攜過的名專欄作家鮑柏‧格林，在悼文中結語謂：何等的一位新聞女性、何等成功的故事、何等的一名良友。《芝加哥論壇報》的社論說：她最偉大的榮譽，乃是「大家把她的文章貼在冰箱上」（She was refrigerator material.）。這合乎她的自許，安‧蘭德絲認為：她的工作帶來了比所有榮譽名聲更大的滿足，因為她助人。

——《美中新聞》，二〇〇二年七月十九日

敬悼姜逸樵博士

　　讀到《世界日報》今年（二〇〇三）六月十一日（頁B3）的一則
消息，得知姜逸樵博士已於六月七日病逝印第安納州南灣，享年九十
二歲，不禁勾起記憶猶新的一些片段往事，從書架上取出姜博士及其
夫人名作家楊弘農（俊）贈送的多冊書籍，重新瀏覽，以資悼念這位
值得敬重的前輩學人。

　　筆者有幸，得以認識姜氏夫婦，雖然談不上深交，也少往來，但
至少見過好幾次面，言論風采，仍有印象。一九七〇年代末八〇年代
中，芝加哥區政治大學校友會聚會時，楊女士係校友，偶亦不辭路途
遙遠，偕同夫婿駕車與會。當時便已獲贈弘農女士所著《異國情深》、
《海外故國情》散文集，以及姜博士手著《海闊天高》文集。書中對
他們在美國的奮鬥歷程、照顧後輩留學生、積極從事國民外交、生活
情調與人生理想，均有鮮活而且動人的描述。八〇年代初，名作家王
文漪女士在芝城科學工業博物館舉行畫展，基於濃郁的友情，他們也
曾親來現場共襄盛舉。一九八〇年代初，筆者公出印州聖母大學，曾
赴姜家自宅拜訪，見識了女主人除了寫文作畫、庭院整修之外，還精
於烹飪的廚藝。

　　承辦校友會會務時，曾多次邀請姜博士、楊女士參加活動，當時
他們年事漸增，已很少開長途車子遠赴外地，但在輯印校友會刊紀念
文集時，楊女士熱心協助，準時惠賜鴻文一篇，使薄薄的會刊生色不
少。隔不多久，又收到姜博士平生志業所繫的英文大著One World by
John Kiang，連同《早期天下一家運動》、《我們的世界》兩部中文譯
本（均係臺北風雲時代出版公司刊印，係姜逸樵英文原著中譯）。在

英文巨構的內頁，姜博士親筆寫下幾句話「送作紀念」，時間為一九
九五年七月八日。前輩厚愛，令人感佩，想望行誼，懷念不已。

　　印象中，姜博士慣常笑臉迎人，彬彬有禮，甚富紳士風範，而跟
大多數中年以上的夫婦一樣，在社交場合，往往太太話多，先生寡
言，姜氏夫婦亦不例外。他們成婚較晚，並無親生子女，但他們把愛
心擴散到在當地留學的青年學子身上，生活上照顧有加，遇困難時竭
力設法代為解決，甚至以家長的身分，主持留學生的婚禮，他們長期
的服務貢獻，成為流傳的佳話，有時在報紙副刊上還偶爾見到。弘農
女士多才多藝，又富正義感，頗為敢言。記得有次她親口道及，學生
時代她聽過周恩來夫人鄧穎超向她們講話，滿口民主進步，弘農女士
表示，如有機會見到鄧本人，一定問她：你們承諾的自由民主進步，
都到哪兒去了？

　　姜逸樵祖籍湖南邵陽，一九一一年生。十一歲時，由哥哥把他從
荒僻的鄉下帶進城裡，才開始入小學，接受現代的學校教育，他在
《天下一家》大著扉頁上，特別感念此事，而把該書獻給哥哥。其後
考進湖南大學，主修政治經濟，學士論文以「大同引論」為題，這是
他一生思考的重點。一九四九年九月底赴美留學，入內布拉斯加大
學，七年間，先後取得碩士與博士學位。除此之外，他又曾到密西根
大學攻讀圖書管理。這段經驗，對他影響很大，使他精通現代的圖書
分類與管理，且養成隨時收集資訊的良好技術及習慣。更重要的，讓
他瞭解並發現到圖書館業的一些技術問題，使他發明了圖書館用的小
型複印機，並取得專利。（詳見《海闊天高》書中〈小複印機〉一文）

　　小複印機的發明、製造和推銷，十餘年間發展成獲利頗豐的小企
業，據姜博士自述，其利潤解決了他此後一生的生活問題。但是他念
念不忘的仍是「世界大同」的平生志業，惟恐心思放在商業利益上，
反而有礙出國研究大同的初衷，終於在一九七五年把苦心創辦的事

業，賣給美國最大的圖書設備公司之一的Gaylord Bros。這是他企業家人生的終結，卻是他「國際知識人」志業的落實。歷經多年的沉思寫作，終於在一九八四年自行刊佈長達六百餘頁的《天下一家》大作。

也許是謙虛，據姜博士自述，「讀學位，作論文，都是敷衍了事。」其實，這可能是因為他真正的心志還是放在世界大同問題上面。而依現代過度精細的學術分工，大同未免太過抽象而空泛，說句笑話，在當代的學術界，研究孔子得過幾次感冒（如果能研究的話）、同性戀傾向對視覺藝術認知有無偏離等，可能還比較容易得學位。迫於現實，他的碩、博士論文只好以「基督教的戰爭觀」、「聯邦的先決條件」為題目，雖非與大同全無關聯，但畢竟是遷就學術界的行規所致，在他主觀看來，就不免有「敷衍」之嫌。

《天下一家》是一部很特殊的著作，本文與註釋成一與四之比，本文短而精要，註釋則豐贍詳密，歎為觀止。這種體例，讀起來當然頗不輕鬆，甚至相當辛苦。但書中勝義甚多，雖則觀點未必人人贊同，並且對國人而言，有些地方目前還不太可能被人接受，例如他對「國家主權」的說法及主張，就非常前進，但衡諸歐洲聯盟成立以來，實質上主權至高無上論即有所修正，則不能不說姜博士或有先見之明。評估全書，超出筆者能力範圍，應以少言為上。由於本書係自印，未透過商業出版公司的製作程序，因此書中微有小疵，偶有疏失之處，如將「too」誤印成「two」。

來美國的留學生和學者為數多矣，姜逸樵博士不可及之處，不在廣交天下士（他與多位諾貝爾獎得主有書信往來，《天下一家》引言者即為化學暨和平雙料得主Linus Pauling），而在敢於捨利而就一生懸念的理想，終生追求，一以貫之。姜逸樵博士以高齡辭世，其人雖逝，典型常在。個人於悼念之餘，益增敬重。

——《美中新聞》，二〇〇三年六月廿日

達賴喇嘛魅力何在？

　　政治大學校友會的有心人士，透過電腦網路，把達賴喇嘛最近訪問美國的兩篇談話摘要，傳給會員參閱。雖然只是摘要，但篇幅也相當長。一是二〇〇三年九月十四日在波士頓的演講，二是九月廿五日在紐約中央公園向群眾所做的隨緣開示。讀後多有感觸，爰略述精義，旁及其他。

　　無庸置疑，在當今佛教界宗教領袖中，達賴具有最高的國際聲望。固然，這跟他的身世及經歷不無關係，更與西藏文明的興廢備受世人關懷有關。一九八九年，達賴榮獲諾貝爾和平獎。過去幾年，他與人合撰談人生幸福和修養的著作，至少有兩部躍上英文暢銷書榜，使他於宗教領袖之外，復又添上通俗精神導師的光環。達賴的英文書籍以Tenzin Gyatso與合撰者具名發表，大多數社區圖書館均借得到。

　　純就英文能力及素養而論，達賴喇嘛雖然自少年時代即有接觸，但不論口說或寫作，其程度都沒有臻達足可獨自撰寫的水準，此地如此評斷，絕無不敬之意。拿前面提到的兩篇談話做基準，依個人推測，頭一篇大概事先備有講稿，文字顯得比較通順，不過達賴時或脫稿演出，這些地方便往往支離破碎。第二篇近乎隨緣說法，完整的英文句子不多見。本身無法表達之處，則需借重現場譯員。其實，達賴早年接受的佛學教育極其精深，等同現代教育體系下的博士學位，可是一旦運用起不是母語的文字，自又另當別論。他本人也常常承認並自嘲，他說的乃是broken English。話雖如此，他對關鍵字眼，倒是掌握得很好。

　　這種情形，個人不免想到古代中國的一位佛教大師，即禪宗六祖

惠能。在佛教傳揚史上，對佛教中國化最有貢獻的，除了來自印度的達摩祖師外，毫無疑問的應屬惠能。一九八〇年代初期，臺灣《中國時報》副刊主編高上秦，編成青少年版《中國歷代經典寶庫》一大套，由任教臺大哲學系的楊惠南編撰，介紹《六祖壇經》的一冊，稱為「佛學的革命」。依手頭有的《六祖壇經》，於〈自序品第一〉內，賣柴郎惠能即坦承，「惠能不識字，請上人為讀」，對當時五祖門下神秀上座教授師作的偈，須央人讀出，而他取得傳承衣鉢的著名偈語，「菩提本無樹，明鏡亦非臺，本來無一物，何處惹塵埃」，亦由旁人代書。

很多人學生時代研習英文，為了訓練聽力，常常找機會去聽外國人講英語，筆者亦不例外。當時印象甚深的是，聽美國名佈道家葛里翰牧師傳道，最是明白易懂，無需透過翻譯，也能領悟八、九成，聽的享受遂多過語言的磨練，自信心也增加不少。或許，全球各地往聽達賴說法開示的民眾，人同此心，並不計較他的零碎英語，而能從他口說與肢體語言中，有所會通。事實上，宗教大師無不具備這種境界，筆者敬聆星雲、證嚴、聖嚴等法師說法，莫不皆然。

達賴於紐約的開示，自然隨緣提及九一一事件。他誠懇指出：人類的慈悲，不單是宗教性的東西，實在乃是人類存亡所繫的問題。在他看來，戰爭實際上僅係合法化的暴力，並進一步提示，針對暴力特別是恐怖暴行，其抗衡措施主要在於減少仇恨，大家必須正視人類的負面情緒，而思如何來減少它。老實說，這些話豈有什麼高深的理論，無非是尋常話頭罷了，但確實語語中的，直指問題核心。一般人靜心思量後當不難理解，而偉大宗教家的作用，無非是時時督促提醒眾生，回歸最根本的道理。

波士頓的演講，比較有結構，寓含更多佛理。首先他談到，今天大家會遇，無非是人與人的會遇。生理上、心理上、情緒上，互相同此一體。而每個人皆具擁有幸福人生的權利，幸福、成功的人生，有

賴於本身內在力量者甚夥。因此含帶理性的自信心便相當重要，正見慈悲則為內在力量發展的基礎，進而促成正面的自信。達賴呼籲聽眾，要想到別人，拓寬心胸。依他看，愛、慈悲、寬恕、知足，乃是所有宗教都教導的價值，在這種情況下，不同（宗教）傳統彼此間的和諧，便非常非常重要。光是一個哲學、一個傳統是不夠的，世人需要種種不同傳統，但最要緊的是大家俱皆帶著相同的信息，如此一來，所有傳統皆具有發展為善良人類的潛力，這是造成和諧的真正基礎。用目前臺灣佛教界流行的詞語來說，達賴闡發的正是「同體大悲」的精神。

達賴喇嘛向來不以超凡入聖自居，而是徹徹底底把自己當作凡俗眾生之一。他否認他有任何特異功能，而且對宗教的奇蹟治療不無懷疑。弘法時，生理上要打噴嚏就老老實實地打噴嚏，全無遮掩。講到高興的地方，源出肺腑的朗朗大笑聲，橫掃全場，而許多到現場參加法會的聽眾，事後往往認為這樣的開懷大笑，極富感染力，使人發自內心充滿法喜。世界上這麼多人，能夠多少跨越文化與國界的隔閡，不在意語言的阻礙，有些法會甚至要交入場費，而長期受達賴魅力吸引，體現的固然是佛法的光輝，也是他的人格召喚使其然。

極高明而道中庸，個人於十四世達賴喇嘛身上見之。

——《美中新聞》，二○○三年十月十日

理解女性談何容易

只要性高潮？

　　臺灣中央大學英美文學系何春蕤副教授，繼出版《豪爽女人》等書之後，最近為當前的婦女運動，提出了名噪一時的口號：

　　不要性騷擾　　只要性高潮

簡潔扼要、詞意鮮明，自然是口號的基本原則，但以一位女性而提出這樣堅決且打破禁忌的主張，宣傳效應之大，不難想像。作家李敖以破題的方式反諷說：「要有三分姿色才會被騷擾，要有七分姿色才會性高潮。」話雖俏皮，但大男人主義的殘餘太多，更且與事實不符。女性之被性騷擾或侵犯，反而歸罪於女性身體過度暴露或誘人，乃封建體制男權觀念下的不當推理，何況面貌身材平庸，絕非不會被騷擾的保證。至於說要相當姿色才會性高潮，尤其欠缺平等精神，姿色平平的女性同樣具有享受性高潮的權利和能力，道理淺白，不需多言。

　　這兩句口號，爭議出在第二句。茲以不同而對等的男性立場來談，或可澄清部分誤會。

　　女性由於生理結構有別，必須經過一番醞釀和愛撫（用「造勢」一詞代替，也頗傳神），才會產生比較強烈的性衝動。男性的性衝動遠較直接而短暫，來得快也去得快。嘗聞風姿綽約的女士誇言，只要她用勾魂的眼神向男士注目，該男士即刻達致性高潮，這種情形確有其事，並非虛構。相形之下，人間有那一位男士能做到這個「境界」？妓女一天可以應付的男客人數，妓男如何能要求「以平等待我」？某位才貌雙全的女明星，曾在華文報紙上公開諷刺男性愛炫耀性技巧與

能耐，其實女性只需下身稍事扭動，男士無不棄甲曳兵。不少人批評此話有損女星的形象，筆者倒是認為快人快語，直指本相。就性行為的能耐而論，女性勝過男性。

女人對性慾的需求，一般而言，不像男性這般強烈。好幾年前，美國報界最著名的疑難專欄作家安・蘭德絲，刊出一位女士文情並茂的投書，認為女人只要有溫馨的擁抱、輕柔的細語和適度的溫存，即已足夠，寬衣解帶的性行為，實在沒有那麼重要。女性讀者反應之熱烈，創下報業史上的紀錄，短期內總共收到九萬餘封信。當然有一部分人持異議，特別醒目的是一位五十多歲的女士，用極其鮮活的文字表達說，只要她丈夫在床上仍能撼山動地，則對他的勇猛她是喜不自勝的。但經過統計，絕大多數來信表示贊同的態度，亦即對女性而言，性行為並不那麼重要。最近《新聞週刊》（一九九五年三月廿七日）在「人腦新科學──男女思考有別」專題報導中，也提到一項實驗，參與者被要求「不要想任何東西」時，男士老在性上打轉，女性則多在編綴文字。性在人潛意識中所佔比例，男女有別。

而女性心理的複雜，使男女關係益形弔詭。女作家楊小雲不久前才為文表示，時代女性所想望的愛情，屬於「不在乎天長地久，只在乎曾經擁有的激烈。」男人必須學會「有點壞，又不會太壞。」鼓勵男士做些「似有若無的挑逗，不時給對方一些驚喜，偶爾表現一下專橫。」這種說法，恐怕會使得別有用心的男士誤以為：如無性騷擾，何來性高潮？

去年，俄亥俄州歐柏林學院的學生會，為防止校園性騷擾事件，對男女學生的交往，訂下極為詳細的規則，其基本原則為：男方應先問過女方，經同意後始能訴諸行動。接吻之前先問「我可以吻你嗎？」愛撫之先得請示「我可以摸妳的乳房嗎？」這套辦法，有違人情之常。男女之間感情與愛慾的相互摸索、默默契合以及瞬間爆發的歡愉，豈

不消失無蹤？類此方式如嚴格執行，性騷擾案件固然消除了，後遺症可能卻是：大家是否全患上性冷感？

不論是受到傳統文化的制約，或出自女性防衛心理的投射，對男性的性暗示與公然要求，即使結婚多年的女性，仍不無若立刻接受是否使男方覺得自己「太隨便」的顧慮，未婚女性這種顧慮更是強烈，但若一味拒絕，又擔心是否失去愛情和性愛的樂趣。自男性立場言，對女性的迎拒態度如何解讀？「挑逗」到什麼程度，「專橫」到何種地步，才屬合宜而不至於變成騷擾？

事實上，男女的確有別，但不應有高下優劣之分，如能進一步構成互補而對等的關係，或許是比較合乎人性的安排。準此，則婦女運動追求女性權益與地位的提升保護，似以達致人的平等而非與男性齊頭式的平等為原則，可能更切實際。僅以淺顯的實例闡明此義：凡參加過大型宴會者定會發現，休息時排長龍的大都是女用洗手間。由於男女各半，洗手間的單位數目也依對半的比例而設置。但事實上由於生理結構不同和生活習慣使然，女性使用洗手間的過程與時間，平均比男士為長，如考慮到人的立場之平等，公共場所男女洗手間比例宜調整為男四女六，才合乎對等的精神。

如果不知變通，硬把「只要性高潮」當作非此不可的目標，肯定有相當比例的男士無法合乎預期，反而造成「怨婦滿街走」的局面。屆時，人間可並不怎麼美好。

——《美中新聞》，一九九五年四月七日至十三日

真愛可以等待

　　居住美國的華人家庭，如果育有青春年華的女兒，父母心頭多少會有一絲憂慮，置身於性觀念越來越開放的大環境下，加上青少年彼此間所形成的「同儕壓力」，自己的女兒會不會過早失去童貞？一旦失去，是否對她們的身心造成不良的影響？各種社交場合中，中年夫婦之間的談話，總是不免提到養兒育女的甘苦和經驗，當然也會聽到形形色色的閒話，諸如某某太太在女兒約會之前，偷偷塞個保險套到女兒皮包內，或者是怎樣以迂迴的方式讓女兒服用避孕藥等等，大家聽後內心暗自警惕。

　　今天華人子弟所置身的環境，確實與他們父母輩的青年時代頗有不同，尤其父母若在美國以外的地區出生成長，差距更大。第二代的青少年，逐漸對異性與性愛產生好奇心以後，有時會大膽向爸爸媽媽發問，例如問說他們婚前有無性經驗？這一生有多少性伴侶？當子女發現父母輩大多數在結婚之後才發生性行為時，後生小子的反應竟然大都表示難以想像或是大惑不解，這時滋生「文化震盪」之感的，恐怕還是以父母本身更較強烈。臺灣婦女運動領袖李元貞副教授，曾經出過一部暢銷書《愛情私語》，書中描述女留學生頭次與美國男友發生性關係時有落紅，美國男友的反應竟是近乎嘲諷地歎道：「廿六歲的處女？」（見該書頁四十五）傳統的貞操觀念，在當前的社會上正承受著嚴酷的考驗。

　　比起有些國家，美國社會的「性開放」程度，並不怎麼「前進」，宗教價值與教會對一般人的言行，仍然有一定的約束與影響。然而，多年來「少女未婚懷孕」的現象，一直是教育與社會工作上的絕大挑

戰，也是越來越沉重的社會負擔，政府官員、民意代表、專家學者、教育界、社會工作者、各門派的教會組織，甚至為數不少的民間社團，莫不針對這個現象和難題亟思設法改善。最近四年來，異軍突起聲勢浩大的乃是「真愛可以等待」運動（TRUE・LOVE・WAITS）。

一九九三年四月，任職於田納西州納許維爾市的浸信會牧師理查・羅斯，親自聽到兩位十四歲的少女認真地告訴他，她們是學校裡頭最後兩名處女，羅斯牧師覺得非做點事不可，於是首先發起「真愛可以等待」運動，希望藉此能夠喚醒青少年男女之重視與珍惜貞操。幾年之間規模漸大，目前至少已有四十三個基督教的組織加入這個運動。對許多自由派的人而言，這根本就是宗教右派搞出來的名堂，但其結果卻對當道幾十年的自由派性教育形成極大的威脅，也許還可能取而代之。

代表美國當代婦女運動的主流刊物《Ms.雜誌》，今年（一九九七）三、四月份，以「處女和娼妓」為主題，對「真愛可以等待」有所批判。自由派的觀點可以稱之為「世俗的性教育」，重點是在向青少年解說什麼是性，提供他們有關的資訊，同時冀望透過這樣的教育程序，進一步要求青少年做出負責任的行為，這等於是讓青少年自己來做選擇或決定。相對而言，「真愛可以等待」近乎是實施「禁慾教育」，它已經先給青少年一個既定的選擇，那就是：不要發生性行為。

說穿了，「真愛可以等待」運動的推展方式，其實就是聚集人數眾多的青少年，特別是少女，簽署一張設計精美的卡片，卡片上方用大字體印著「True・Love・Waits」，其下則是一段誓詞，大意為：「本人深信真正的愛是可以等待的，謹向上帝以及我自己、我的家人、我的朋友、我未來的伴侶連同未來的子女鄭重承諾，從今天起，直到我進入《聖經》許可的婚姻關係的那一天為止，我將克制性的行為。」然後簽上本身的姓名和日期。一九九四年七月在首府華盛頓，聚集兩

萬五千名青少年，事後收集了高達廿萬張簽名卡。再如一九九六年二月，於喬治亞州亞特蘭大市集合了一萬八千名處女，舉行簽署宣誓大會。為了吸引青少年參加，當然是以辦理熱門音樂會的方式出之，也就以最世俗的手法如利用MTV傳達訊息，會場上隨處可見寫滿相關標語的鈕扣徽章和套頭衫等。《Ms.雜誌》主題文章之一的作者艾瑞卡・華納諷刺說，這不啻是「把滿足往後延遲從而強化情慾的張力──性彷彿是聖誕禮物，你不想太早打開它。」甚至把這類活動視之為「崇拜處女的邪教。」

主事者當然瞭解到許多青少年已非處子的事實，他們配合現實環境，竟創出一個新概念，是即「二度處女」或「回收處女」的說法，這對業已失去童貞的青少年而言，secondary or recycled virgin不失為一項補救之道，可以重獲信心。當然，具有懷疑精神的人可能會問：貞操究竟可以回收幾次呢？不過，主事者的解釋則是認為，貞操概念側重的是心智狀態，更勝乎身體的狀態。這倒是合乎情理、值得尊重的卓見。

當今婦女運動的主將那奧咪・沃芙則對處女或貞操觀念至表不滿，她認為：我輩女性是不會過得泰然自若的，除非有一天我們說，你們（按：大意係指男性）再也不能（以處女非處女）離間我們。「我們全都是『壞女孩』。」（We are all "bad girls".）此地只想輕柔到幾乎不敢發出聲地問一下：如果換成「我們都是好女孩」，明天──如果還有明天──是否會更好？

──《美中新聞》，一九九七年四月十八日

相妒何太急

　　大作家也會有劣作。遠例且不提它，近來常常想到的則是臺灣相當著名的作家張大春和李昂。

　　張大春才氣縱橫，思考關懷的領域既深且廣，平日所下的功夫，可由他的閱讀量每週以多少公斤來計算而得知，而且涉獵的範圍包羅萬象，更可貴的是吃入的養料固然多，經消化後所產生的作品質量俱有可觀。比較例外的是《撒謊的信徒》，這部小說在《聯合文學》月刊連載時，筆者曾仔細研讀，由於故事的主人翁李政男（日據時代皇民化的日文姓名為岩里政男，這也是李登輝廿二歲以前有一段時間的正式姓名），誰都知道指的是當前臺灣的主政者李登輝總統，連「影射」這一道手續都免了，文學上的「隔」自然用不上。小說刊登時，相信有不少人為作者和聯合文學的「勇氣」喝采，爭議隨之而來，在「批判李登輝」的文化事業上，又添了一份業績。然而，月旦褒貶一位刻正掌握國家命運的歷史人物，完全沒有經過時間的澄清滌洗，功業的沉澱累積，就好像一齣戲還未落幕，劇評家竟跑上舞臺插進一腳，說三道四，文學家和他的作品變成了新聞事件的一部分，這究竟是文學之幸或是不幸，實在難說！

　　最近，李昂的〈北港香爐人人插〉短篇小說，所引起的爭論和相關報導之多，比起張大春的《撒謊的信徒》，更是有過之而無不及。與男女關係有關的閒言閒語，一般人不僅愛聽，而且喜歡添上自己的詮釋加以傳播，因此不同的版本短期間便可流通散佈，重視收視率的電子媒體節目製作單位，近乎本能地馬上便想趁火打劫，於是作者不但上了新聞版面，而且上了影劇版。

　　不管李昂如何以小說的「創作自由」來辯解，甚至在記者訪問時，指責民主進步黨文宣部主任陳文茜何苦急著「跳出來」，似乎認為人們不需就小說情節「對號入座」，然而只要一讀〈北港香爐人人插〉這篇小說，以陳文茜近年來在臺灣風頭之健，知名度之高，讀者唸到小說談「二二八紀念會」，形容女主角以一個扭肩晃臀的動作轉過來白肉裸背，宣稱：「看透明化的歷史。」對居住臺灣以及旅居海外關心國事的人而言，女主角「林麗姿」指的是誰，實在是最明白不過了！作者若認為大家不必「對號入座」，未免低估一般人的見識；作者若硬是表示這乃是小說中的虛構，坦白講，那就太不誠實了。

　　小說裡頭的影射，當然也是古已有之的事。曠世傑作《紅樓夢》，不是也有不少學者專家研究《紅樓夢》裡的人物影射某某，甚至鑽研家世譜系以資佐證。晚近的小說中也不乏其例，平路一九八七年發表的〈在巨星的年代裡〉，文中的主角之一「赫醫師」，關心美國僑界者——尤其所謂臺灣新僑，對「赫醫師」以誰為描摹範本，應該不難心知肚明，讀畢並可發出會心的微笑。然而，類似這樣的情況，比較容易被人接受，因為小說人物屬於「組合體」，利用文學技巧與想像予以再創造。至於中國大陸文革期間的「影射文學與史學」，根本是政治鬥爭的工具，另當別論。「歷史小說」則又自成一體，它盡量根據史實為基礎，在某些情節安排上添入作者的想像，與「影射」有別。

　　〈北港香爐人人插〉這篇小說的標題，瞭解臺語的人，尤其能夠理解到其「性的貶義」，直言之，就是罵人家為妓女，而且這句話多少帶有男性中心主義的味道。作者是女性（在施明德擔任民進黨主席時，曾被傳言為「主席夫人」云云），平日似亦認同現代女性主義的論點，何以針對同是女性的一方，又祭起男性中心主義的手法？這一發問，倒是令人想及日常得知的某些觀察：女性對同性的批評指責，有時是非常殘酷甚至有點下流的。隨手舉個例，一群現代文化人女性

聚會，其間有教授、作家、記者等，話題談到某高官夫人的美容手術時，這些現代女性用辭之刻薄，把對方容貌（其實是出名的美人）詆毀輕蔑之激切，令身為男性之筆者瞠目結舌，暗中（也只能暗中）低歎一聲：相妒何太急。

其實，不論是《撒謊的信徒》，或是〈北港香爐人人插〉，作者創作時，總都含有某種「道德的義憤」，然而，一般人也可以同樣自道德的立場，來予以指責。以「香爐」為例，作者明知讀者的聯想必然會以某人為對象，卻將對方描述成如此難堪，即使不合事實，就當事人而言，對其人格與名譽已形成難以估計的傷害，怪不得陳文茜會怒而宣稱她「一生的敵人都是女人」，雖然她以相當自信的姿態強調她寧可站起來反擊而不願被打倒。但女性遭受類似的流言打擊，即使在最現代化的社會，其實是很不容易恢復的，然而，李昂與電視劇製作人的回應竟是：把這篇小說改編成電視劇。這是唯恐天下不周知，非常不道德。

大陸上的知名作家王蒙提過：若是文章能救國，世界上的事也就太好辦了。文學承擔了過重的使命感與任務感，反而使文學不能成為文學，使命不能成為使命。……希望我們的文學多一點遊戲性，少一點情緒性或者表態性。

這真是歷經一番寒徹骨的梅花香，即使是已有成就的大作家，也應該不時以此自惕。救國之不足，何苦讓小說淪為自瀆呢？

——《美中新聞》，一九九七年八月廿二日

總統緋聞纏身，夫人神采奕奕

　　美國總統柯林頓這次又爆發了性緋聞，第一夫人希拉蕊不僅強力為她丈夫辯護，而且顯然是白宮方面反擊策略的主要設計人，除了令大家印象深刻外，許多人或者不無好奇：總統與第一夫人之間存在著怎麼樣的關係？彼此感情如何？

　　依常理來說，柯林頓這麼花心，類似「登徒子」的行為再三發生，希拉蕊難道會全無感受！夫妻之間的感情和關係難道不會遭受損害！是否曾經有過要求離婚另謀出路的打算？沉埋於內心深處的真實感受及想法，除非當事人主動披露，否則外界的種種說法頂多只是善意或惡意的臆測而已。然而，表現在外的舉措，卻與一般人依常理所做的推想距離頗遠。一九九二年柯林頓首度競選總統，當時前女友珍妮莉·佛勞爾公開揭穿柯林頓州長與她的長期婚外情，希拉蕊立即站在柯林頓身旁，嚴正聲稱不容許這一無聊女子破壞家庭，更不願意這個「不實」指控摧毀她丈夫的美好前程，柯林頓夫婦接受哥倫比亞電視網「六十分鐘」節目的專訪，對贏得選民的信任甚有助力，後來被認為是如何控制「政治傷害」的一個佳例。這次柯林頓與前白宮見習生陸文斯基有染的傳聞見諸媒體，希拉蕊重披戰袍，傾全力護衛柯林頓總統。

　　希拉蕊乃是一位相當獨特的第一夫人，她所受的教育非常完整而良好，大學部就讀著名的女子大學史密斯學院，後入耶魯大學法學院攻讀，結識同在耶魯法學院的柯林頓，離校後兩人成婚。柯林頓本人出身喬治城大學，且因學業傑出，獲選為羅德學者而有機會赴英國牛津大學深造。夫婦兩人都是出身名校，但依筆者的觀察：論及政治手法的機伶與彈性，柯林頓的確比較高明；但談到知識力，恐怕希拉蕊

更勝一籌。年輕時代，希拉蕊不太注重外貌，後來當上第一夫人，經過專人形象設計，穿著、打扮與品味自然大為提升，何況希拉蕊自己原來的容貌本就相當不錯。結婚後，希拉蕊一反傳統，並未冠上夫姓，這在美國社會並不常見，後來為了避免柯林頓從事競選時變成政敵攻擊的口實，才冠上夫姓。由於柯林頓離校後除了短期擔任教職外，其餘時間完全投入公職，即使貴為州長，但阿肯色州州長薪水微薄，希拉蕊一向是他們家庭經濟的主要來源，在遷入白宮以前，她曾經被列為全美前一百名的大律師。

以希拉蕊這等教育、工作經驗和見識，何以竟能夠或願意長期忍受柯林頓的婚外情？當前最富影響力的保守派廣播節目主持人魯希·林柏——他也是自由派心目中「極右派」的代表之一，便在節目中多次表示，希拉蕊長年為柯林頓辯護，就像是母親替不斷犯錯的兒子說情一樣，在母親的心目中，兒子的錯誤總是可以原諒的。這個說法把夫妻比做母子，不太值得採信。美國新聞界有所謂「總統觀察家」，前此有在《時代週刊》經常撰文品評總統的休·席迪，近年來喬·克雷恩也受到不少人注目。一九九六年，克雷恩用「無名氏」化名，寫了《主要色彩：一部政治小說》，對柯林頓婚外情及白宮秘辛多所著墨，引起一陣風波，圈內人隨即猜出這篇作品出自他筆下。最近，《紐約客雜誌》刊出克雷恩一文（見一九九八年二月九日頁卅四～卅七），對柯林頓夫婦的婚姻有既生動又深入的剖析，此君能把生動和深入融為一體，筆下功夫自是不凡。

「在任何婚姻中，唯一入局的就是互相結合的那兩個人。」「我們對彼此的底細知道得一清二楚，我們相互理解、相互接受而且彼此相愛。」希拉蕊向來使用這個基調形容她與柯林頓的婚姻，過去如此，現在亦然。不過，親近他們的友人和僚屬卻也觀察到，總統夫婦還具有朋友關係及政治合夥人的關係，頗為突出。一九九七年十二月初，希拉蕊密友來訪，不久柯林頓進來，兩人當著這位密友的面爭執起

來，這位密友回憶：「這是一場白熱化的爭吵，對絕大多數人而言，肯定不是一幅相愛的畫面，他們真的、真的是火氣大得不得了。突然，總統雙手環抱著她，開始吻遍她的臉龐，然後說：『老天哪，如果沒有你，我該怎麼辦？』我夾在中間尷尬異常，真想離開那個房間，不過我認為這種事是裝不出來的。」引起爭執的是地球熱效應不易為一般人瞭解，政策上該如何使美國人接受柯林頓政府的立場！僚屬們印象深刻，一九九二年七月柯林頓忙著潤飾民主黨全國大會接受提名的重要演說，全篇最後一句話：「我仍然相信一個名叫希望的地方」（他的故鄉小鎮名叫「希望」），正是希拉蕊的點子，當時柯林頓看她的神情叫人永生難忘，彷彿是說「你永遠知道什麼是對的。」

克雷恩還指出，每次遇到性醜聞，希拉蕊總是看來神采煥發，髮型優雅，穿著恰如其分，應付得體，讓屬下工作人員士氣為之一振。有一種解釋認為，此時此際，她精神奕奕，因為丈夫迫切需要她，要辯護要反擊，非靠她不可。另外一種比較不友善的解釋是出於權力的追求，總統欠她越多，她越能夠追求她的政策目標。事實上，除了一九九四年希拉蕊主持的健康保險改革法案失敗，短期間成為總統政治上的包袱外，柯林頓大半視她在政治上有點鐵成金的神奇！希拉蕊在政策上涉入甚深，柯林頓早已有言在先，他在競選期間不是得意地宣稱：你們投我一票，不祇是把我送進白宮，同時也把能幹的第一夫人送進來！

接近柯林頓夫婦的友人也發現到，有關總統「花心」的事，希拉蕊絕口不提，她下定決心相信他，而把所有的憤怒貫注於外來的威脅，目標設定在刻意拉他下馬的敵人身上。貴為總統卻惹來這麼多緋聞，柯林頓在這方面自然是不足為訓的，但他們的婚姻卻顯得相當特出，或許可以帶來不同的思考。

——《美中新聞》，一九九八年二月十三日

婦女組織的立場問題

　　在柯林頓總統的緋聞案鬧得舉國風風雨雨之際，尤其是九月十一日獨立檢察官史達的正式報告，經眾議院同意將內容植入電子網路以後，更成為全球皆可一睹的熱門文件。有關總統與前白宮實習生陸文斯基間的性接觸，這份報告詳加披露，猥褻的憶述所在多見，使家有青少年的父母，內心不無躊躇，不知應否讓子女閱讀。（不僅網路刊載，《芝加哥論壇報》九月十三日星期天第四部分，以全版四十頁的篇幅，登出史達報告及白宮的兩次反駁全文，很容易取來一讀）對撐起半邊天的婦女而言，總統緋聞案，的確是一個極為敏感的問題。

　　柯林頓總統與美國婦女界的關係，英文主流媒體偶有報導，華文報章則在這方面著墨不多，本文擬稍事彌補此一空缺。

　　一九九二年的總統大選，柯林頓以南方一個小州阿肯色的州長，竟能擊敗現任的布希總統，各方面的分析皆指出，婦女選票的支持甚具關鍵性。從一開頭，柯林頓便頗受美國婦女的青睞，全國婦女組織（National Organization for Women，簡稱NOW）支持柯林頓尤其不遺餘力，即使後來爆發了一連串有性騷擾之嫌的案件如寶拉・瓊斯、凱薩琳・威利，婦女界依然「死忠」如昔，甚至到最後總統逼不得已只好在八月十七日發表電視演說，就陸文斯基緋聞事件向全國表達某種歉意，還是有許多婦女界代表替他辯護，電臺、電視上的訪談如此，民意調查也如此，這個現象實在相當突出，值得重視。以下針對女性主義者與全國婦女組織的觀點，略加評析。

　　要怎麼樣才算是性騷擾的行為呢？全國婦女組織所屬司法辯護與教育基金會主任凱茜・羅吉士曾公開聲稱，構成性騷擾的最主要因素

為：就行為對象言，該行為「不受歡迎」（The behavior must have been unwelcome to its target.）。如果某一行為雙方均表歡迎，而且並未濫用權力以強迫造成此一結果，則該行為便不是性騷擾。準此，則黑人大法官柯拉侖斯‧湯瑪士和共和黨支持女權甚力的參議員羅伯‧派克伍德的舉止，由於不受對方歡迎，遂足以稱為性騷擾。但事實上，他們均未真正發生性行為，以派克伍德為例，頂多只是強吻或撫摸而已。個人以為「不受歡迎」的標準雖然簡單，但主觀認定的成分太高，假定原本是兩情相悅——換言之就是事發當時「受歡迎」，其後由於第三者介入或其他原因，有一方事後反悔，改為認定當時「不受歡迎」，又當如何裁決？況且事實上就寶拉‧瓊斯案來說，全國婦女組織和許多知名的女性主義者，根本沒有站在女性一邊，反而嘲笑寶拉的出身，痛罵她受到保守派的操縱，完全站在有權有勢又擅於掌控媒體的總統一邊！

照常理，女性主義者，應該為聲稱遭受有權有勢者性騷擾的女性而辯護，為什麼她們不出面反對柯林頓總統？依前段標準，以柯陸緋聞案為例，表面上當然是陸文斯基雖則年紀不及總統之半，但她已成年，而且從來沒有表示受到柯林頓的任何脅迫。比較深入的論點，則是「顧全大局」說。喬治華盛頓大學歷史與婦女研究副教授辛茜亞‧哈里遜為文指出，有人透過其公共政策反對女性，有人透過其私人行為傷害女性，若要就這兩個人選擇其一，則女性主義者必須選擇傷害比較少數女性的那一位。具體講，從女性主義者的眼光看，雷根、布希就是在政策上反對女性的總統，柯林頓私生活雖欠檢點，但他的政策有利於女性，哈里遜副教授因而結語謂：「揹負我們標竿的人確實深有缺陷，我們固然可以希望他不該如此，但對許許多多的女性言，所涉利害如此之多，女性主義者無法簡簡單單地棄他而去。」顧全大局的說法，當然比較站得住，但是筆者還是要問，要顧的大局當屬政

045

策尚非個人,難道現代的女性主義者不敢讚揚他的政策,但嚴辭譴責柯林頓的所謂「不當私行為」嗎?何況一國政治領袖的「私行為」,不能否認總會產生「表率作用」,透過傳播與聯想,對女性的傷害(包括其妻子、女兒)還算少嗎?

事實上,女性主義者在這方面的立場,業已引起婦女界的非議,也使部分州級全國婦女組織對華府中央產生離心。《浮華世界》月刊早於今年(一九九八)五月份,即刊有長達七頁的專文〈柯林頓與女性〉,作者瑪喬麗・威廉斯自稱係民主黨人,兩度投票支持柯林頓。該文對女性主義者「眼不見邪惡、耳不聞邪惡、口不提邪惡」的作法,大加諷刺。認為彼等之繼續支持柯林頓,主要是因為他係「自己人」,而如湯瑪士等,則為敵人。在如山如海的證據下,美國婦女領袖竟也無法得出最最常識性的結論,反而以法律上的細節來推拖逃遁,令人失望之至。顯然,這些領袖已然成為美國既得利益精英階層的一部分。文中甚至引述某位相當活躍的女性主義者,於談及柯陸緋聞時尖叫說:「喔,想想看,嘴巴吞下總統出的精!」這種囂張狂妄,失態已極,實在噁心。

全國婦女組織及許多女性主義者的立場,對婦女運動已經取得的成果,實已有所傷害;同時,這種黨同伐異不敢正視事實的態度,必將妨礙它未來的發展。

——《美中新聞》,一九九八年九月廿五日

女性身體自主權論

　　女性觀點，顯已成為觀察美國社會的一項主要因素。同時，婦女組織和女性主義者，在各種政治論辯上，也都積極參與，無意缺席。

　　以最近九個月來甚囂塵上的柯林頓總統與陸文斯基緋聞案為例，女性觀點便極為突出，關心社會變遷的人，實在無法加以忽視。最近，曾獲諾貝爾文學獎的湯妮‧莫里遜，打破沉默為文指出：「畢竟，柯林頓展現了幾乎所有代表黑人的象徵；自小由單親父母養育，出身貧困，玩的樂器是薩克斯風，他是一位來自阿肯色州愛吃麥當勞等廉價食物的男孩。」（見《紐約客週刊》十月五日「市談」欄首篇評論）似乎認為除了膚色以外，柯林頓與黑人無異。她對柯林頓歷經諸種艱難，終能身居高位，竟也與一些功成名就的傑出黑人一樣，不論多麼有成，仍然不免飽受打擊而有被拉下馬之虞，深致同情。

　　有關柯陸緋聞案的評論，筆者曾盡力搜羅閱讀，在雖屬有限的閱讀經驗中，莫里遜的觀點還是令人耳目一新。莫里遜自己是黑人，把柯林頓的際遇拿來跟黑人的命運對比聯想，雖說是很自然的一回事，但黑人男性專欄作家卻很少人提出類似的觀察，從這個角度看，莫里遜此論，非僅由於她是黑人，更可能係因為她是女性。事實上，柯林頓出身喬治城大學、牛津大學及耶魯大學法學院等名校，除了短期擔任阿肯色大學法學教授外，大半生不是當州長就是當一國元首，一般男性即使知道他母親早年喪夫，再嫁遇人不淑等情，仍然絕少傾向於把他列入「貧困」一類。雷根總統出身凡庸人家，家庭經濟頗為拮据，就讀鄉下不怎麼出名的小學院，但罕有人以「貧困」來定義他。略事分析莫里遜所言，女性觀點的色彩便很濃烈了。

　　對習於以男性觀點為輿論主流的讀者而言,有些女性主義者的見解,尤其顯得奇突。再以《紐約客週刊》為例,瑞貝卡・米德女士在評論中,頗為憤怒地控訴,陸文斯基「被一位年紀大得多而更有權勢的男士逼到牆角,遭受無情的性剝削」(見該刊九月廿八日「市談」欄頭篇評論),但各位看官切莫誤會,她指的可不是柯林頓,而是獨立檢查官史達。依米德女士,白宮內偷偷摸摸的性行為廣為世人周知,固然是一項羞辱;但把陸文斯基這位年輕女士的幻想、私生活一五一十毫髮畢露地裸裎在世人面前,則是更大的羞辱。使之裸裎出來的,不是柯林頓,而是史達。這個觀點,其實已經演變成女性主義者的多數見解。

　　更能代表女性主義觀點者,可舉《芝加哥論壇報》九月十五日的一則投書為例,作者為瑞貝卡・韓斯勒女士。茲轉述主要內容如下:

　　身為女性及女性主義者,針對大眾要求柯林頓總統應該請求陸文斯基原諒一節,至表駭異。從史達報告中可知,柯陸之間的性接觸,全然是兩相情願的,在彼此的性行為中,女方處於平等而且熱切的角色。陸文斯基業已成年,她選擇與一位已婚男士產生性關係,既非被迫亦無任何陞遷許諾。男方為什麼要道歉?建議柯林頓應向陸文斯基道歉,乃是對她本人以及所有女性的侮辱。再者,把彼此同意的性接觸,視同性攻擊或性騷擾行為,勢將削弱我們的此一認識——即未經同意的性行為是錯的。女性有權選擇如何處置她的身體——採信一位女性的話語然後又向她道歉,不啻是否定她的權利。

　　最重要的基本觀念當是:「女性有權選擇如何處置她的身體。」其實這就是女性主義者近年來宣揚不遺餘力的「女性身體自主權論」。

　　對居住美國的華人家庭而言,如果有女兒就讀大學或已從大學畢業,女兒在未婚前若已有性經驗,有可能會遭遇類似這樣的場景(或聽說別家已有此例):父母——特別是母親——怒氣衝衝地責罵女兒

不該與男友發生性關係，認為男方佔了女兒便宜，女兒「吃虧了！」女兒卻不屑地用英語或不太流利的華語回嘴道：「我沒有吃虧，我也有佔便宜，我有享受。」兩代之間當然有代溝，中華文化、傳統觀念與美國社會的現實也確實有差異，但不容否認的是：在年輕一代的婦女認知中，女性對自己身體的運用擁有自主的權利，已經越來越普遍。其實，臺灣婦女也不遑多讓。《世界日報》十月十三日報導一則趣聞，臺灣某卅餘歲的寡婦，與新交男友論婚嫁，因前夫健康不佳而早逝，在婚約中要求對方一年性行為次數不得少於五百次！（老天，對男性壓力多大！即使性慾旺盛的好色之徒，恐怕也是「不可能的夢想」）後經醫療社工人員解釋，性慾次數與男性健康並無正相關，這位女士才釋然。雖屬趣聞，可也是女性對自己身體享有自主權的一項有力旁證。

多少個世紀以還，透過種種複雜的社會機制，以及觀念上的灌輸，男性用「保護女性」為由，建立了許許多多對女性加以限制的成規，隨著時間的遞變，轉成為壓迫女性之無所不在的網羅。廿世紀乃是女性意識衝破羅網的一個世紀，女性身體自主權的論說，就是這個時代的產物。然而，就像任何自由權利一樣，不能不思考到「侵犯他人」的界限。當女性身體自主權論者與已婚男士性往來時，該男士的女性配偶的權利是否已經受到「侵犯」呢？同理，男士也應自問：我是否「侵犯」了配偶的權利？除非完全否定婚姻與家庭制度，否則必將面臨此一問題。

──《美中新聞》，一九九八年十月十六日

大學教職的女性歧視

麻州理工學院，於三月廿二日公佈一項有關女性教授被歧視的報告，經過主要媒體的傳播以後，引起很大的回響，美國全國各地大學女性教員反應熱烈，刻正引起漣漪陣陣。

麻州理工學院在美國的高等科技工程學府中，具有龍頭地位。該校在一九九四年夏天，經知名女科學家南茜‧霍普金斯的倡議下，針對本校理學院的男女教職分佈狀況，成立一個調查委員會，由瑪麗‧吉布遜教授主持，以發掘事實為先，進而就所知事實加以探討，歷時幾近五年正式報告才出爐，可謂相當慎重。調查重點包括女性教職的雇用、陞遷、實驗室空間、研究經費等比較具體的事項，但對諸如工作環境的氣氛、重要學術委員會缺乏女性等微妙而難言的情況，也有所探究。事實上，該校的歧視情形並不比其他大學和研究機構更惡劣，可貴的是敢於面對問題而正視之，相信這恰是麻州理工學院之所以具備領導地位的一大關鍵。

以調查剛開始的一九九四年為例，該校理學院計有長俸教授男性一九四人，女性十五人——僅佔百分之八，報告指出，女性百分比最近廿年來幾無改變。當年生物系大學部有女學生一四七人，男學生一四二人，男女比率相當，但教授男性四十二人，女性僅七人。數學系大學部女學生五十三人，男學生一二三人，但男教授高達四十七人，女教授僅僅只有一名。（筆者尚無機會直接閱讀該報告，以上統計取自《紐約時報》三月廿三日頁A1、A16）

另據美國大學教授聯誼會今年（一九九九）二月提出的報告，一九七五年時，美國大學女性教授佔百分之廿三，到了一九九八年，則

增為百分之卅四，可見十三年來，女教授的比率的確是在成長，但這份報告卻又指出，不幸的是男女教授在薪水方面的差距，不僅沒有縮小，在這段期間反而擴大了。再以伊利諾大學爾巴那・香檳校區為旁證（伊大工學院、史丹佛大學工學院、密西根大學工學院與麻州理工學院，可稱美國的主要工學院，加州理工學院地位相當），一九八五年伊大工程教授計為三七九名，女性只有十人，到了一九九八年，在三四八名工程教授中，女性為廿三人，略有成長。（取材自《芝加哥論壇報》三月廿九日第二部分頁一、四）但男女教授比率過於不平衡，尤其是在科學與工程領域，則屬明顯可見。

學門不同，當然也是因素之一。在科學與技術方面，不進則退是非常現實而迫切的難題。學術界有過這種解釋：對必須請長假以便生育子女的女性教員而言，科學領域比人文學科更嚴峻無情。伊利諾大學芝加哥校區主管學務的副校長布蘭達・羅素舉例說明如下：如果你是研究莎士比亞的專家，請過長假後返校，這段期間很可能並沒有人寫出相關的新著作；但如果你是專門研究生物科技的人才，等你生兒育女回來，不知道有多少基因業已被他人研究而仿製成功了！當然，年齡亦是因素。友人中在大學講授電腦科技者，曾經於年過五十後大發牢騷，認為上了歲數在高等學府任教這麼日新月異的學科，心理壓力實在太大，層出不窮的科技新資訊叫人難以應付，而年輕學生的吸收能力卻往往超過老師！

一般說來，剛入行的女性教員比較不會感受到被歧視的現象，但越資深則感受越深。同時，在比較不那麼重視研究的高等教育機構任教者，性別歧視的狀況會稍較輕微。事實上，許多歧視並不是如此明目張膽，而是無意間相當「順乎自然」地便產生了。美國企業界有所謂「老友記俱樂部（old boy club）」，學術界也有這種情形。多年來科技領域以男性教授為主力，大家相熟相知譜成一張網路，跟同一性別

的男士往來輕鬆自在得多多，有了好處自自然然想到同類，「肥水不落外人田」，女性教授吃這種暗虧的，恐怕為數不少。

倒是麻州理工學院校方行政當局對這項調查報告的反應，甚受主持調查委員會的女性教授之稱道和讚揚。唯恐天下不亂的人，若是抱著看好戲的心理，以為麻州理工學院就要爆發一場「男女大戰」，可能要失望了。該校理學院院長羅伯·伯吉諾表示：「我相信這種歧視沒有一件是自覺的或是存心如此。的確，歧視往往是出於根本不自覺和不知道有這回事。然而，歧視造成的效應則是實實在在的。」麻州理工學院校長查爾斯·韋士德講得尤其坦誠，他說：「我一直深信，目前大學校園裡頭的歧視現象，部分是事實，部分只是認知。但現在我才理解到，事實這一部分遠比其他部分大得多。」

個人向來認為，女性地位的提升，不論其法律地位的保障，或是在各行各業的機會增加，乃是廿世紀對人類文明的重大貢獻之一。但是在世紀末，看到蘇聯共產體制解體後，俄國國內女性政治人物竟然受到極大的歧視，遭遇慘烈，確實值得反省。如今又看到美國高等學術教育機構中，女性被歧視的現象，依舊頗為廣泛且普遍，足證尚待改善。若說有什麼教訓的話，那該當是：最難破解的，其實正就是不自覺的、平日視為理所當然的歧視。

——《美中新聞》，一九九九年四月二日

從結婚到結合

　　一九九九年十月，法國國會通過《公民結合約法》。這一法案規定：「《公民結合約法》，乃係一項契約，可由異性或同性之兩人簽訂，以便組織其共同生活。」當然，關鍵的地方在於「同性之兩人」，依此法可以結合。該法在立法過程中，雖然於社會上引起頗大的爭議，同年元月由保守派天主教徒所組織的示威抗議，人數便高達十萬人，部分保守派政客亦不表贊同，但在國會表決時，阻力並不太大，相當順利地便通過了。十一月間，法國憲政會議裁定，該法合乎憲法並隨即生效。對於有意結合成家共同生活的兩個人，不管是屬於同一性別或不同性別，只要二人尚未結婚，也不是同一個家庭的成員，而願共同居住，提供了一個新的選擇。該法本屬新創，可謂相當雛型，還有許多不夠周全之處，比如同性戀的一對人士，能不能收養子女，就無規定。再如依該法而結合者，必須簽約三年以後，才可以共同報稅，而傳統婚姻下的男女，成婚後立刻可以共同報稅。不過此法的好處是：使得結合者可以享受法國全民健康服務；伴侶之一死亡時，得以保有其共同住所，也有權繼承對方留下的財產。最重要的，恐怕還是這代表了同性戀者的關係，終於獲得了社會的正式承認。對異性戀者而言，「結合」的約束力低於「結婚」，分手時可以免去找律師的麻煩。（參見*Ms. Magazine*，二〇〇〇年二、三月份，頁卅四）

　　人類的婚姻制度，顯然在現代社會受到種種衝擊。除了上述同性戀的關係外，離婚比率的急速成長，幾乎也可算是世界性的現象。以臺灣為例，依《世界日報》元月廿四日A5版的報導：臺灣的離婚率高達四分之一，照晚晴協會創辦人施寄青的說法，離婚年齡已呈兩極化

的趨勢，卅歲到四十歲是第一個高峰；一是老年人鬧離婚——有的案例是老太太下定決心不再伺候「暴君」，要在人生的最後階段做「快樂女郎」；有的是男士臨老入花叢，甚至是壯陽劑威而鋼發明上市的後遺症，令老先生重振雄風，一有外來的吸引，便想休妻享受「人生黃昏」的歡樂。

婚姻事實上是一個永遠的話題。傳播媒體上的諮詢專欄，以談婚姻問題尤其出軌現象佔大多數。習見的諺語如「因誤會而結合，因瞭解而分開」，成年人很少沒聽過。「圍城」的比喻，外頭的人想進去，裡頭的人想出來，許多人都知道。至於為婚姻制度所做的辯護和攻擊，也不時出現。清末民初特立獨行的大學者辜鴻銘，曾經為中國傳統式的妻妾制，非常形象地提出一個比喻：一只茶壺可以配好幾隻杯子，哪有一口杯子配幾把茶壺的？林語堂雖然至為佩服辜氏的英文功力，認為他寫英國大文評家馬修・阿諾（Matthew Arnold）式的英文，精妙到家無人能及，但也忍不住反駁辜氏曰：兩把湯匙放在一隻杯子裡，哪有不牴觸衝撞叮噹作響的呢？林氏的喻示，不但比較現代也比較合乎人性。

以兩個人為主體的婚姻制度，已經成為近代社會的定規，雖然偶爾還見到極少數例外，甚至美國偏僻地區仍有採行一夫多妻的教徒，但一夫一妻的觀念幾已牢不可破，即使是推動承認同性戀婚姻的激進人士，他們心目中的婚姻也是以兩名伴侶為限。然而，平心靜氣的細想一番，光是兩個人的結合，也是很不簡單的。婚姻維持的進程，需要恆久經營，並且很容易破損。

最近在《生活》雜誌（二○○○年二月一日，頁四十七～四十八）讀到一篇文章，甚有意義。這是著名電視女記者珂奇・羅伯茲及其夫聯名寫的。她系出名門，為國會議員之女，在電視界已闖開一片天地；他畢業於哈佛大學，在高等學府任教，也常出現於時事評論節目中。他們根據卅三年婚姻經驗所提出的感受，相當扼要而中肯。

　　男女有別，結為夫婦仍有難以溝通的歧異。有幾個男人會像女士這麼愛買鞋子？除了極少數的特殊例子，有哪個家庭的男主人衣服多過女主人？若再添上族裔、宗教信仰、文化上的差異，阻力更多。天主教徒嫁給教外人士，有時連找個神父主持婚禮都很困難。義大利人與猶太人結婚，雙方家庭都深感壓力。華人子女若想與黑人子弟成婚，恐怕家庭內部會起革命。誠如羅伯茲夫婦文首所云：其實，所有的婚姻都是「混合」婚姻。結婚不僅是共同使用傢俱而已，其真義乃是共同分享未來。他們引用一位傳教士的話說：「婚姻是對一名永遠無法透徹瞭解的伴侶做出無限的承諾。」在許多情況下，你的伴侶的確是終其一生都無法瞭解的。表面上的相似，並不保證彼此就登對。一對夫婦也許從文件上看來好得很，門當戶對，但實際的生活卻複雜得多。在羅伯茲夫婦看來，個人的標記無關緊要，「重要的是內在的核心價值觀念。」妥協當然因此也就成為婚姻生活中不可或缺的條件，而「妥協的整個要點在於：沒有一個人獨自獲得一切，但每個人都得到一些。」筆者特別欣賞下面這一段話：「照我們看來，你不得不就個人成長與婚姻和諧做一選擇，這個想法是大錯特錯的。美好的婚姻，使得成長更加可能，而非更少可能，因為你有一位愛你的人給你建議和鼓勵。」

　　其實，即使是同性戀之間的結合，也還談不上是對婚姻制度的顛覆，無寧是使婚姻擴大了範圍，法國採行的新法，讓人的結合增加了彈性，把次於婚姻的結合授與法律上的保障及規範，雖然細節尚待改善。針對華人而言，不但異族、異教、異文化的通婚可能性高，第二代子弟更是如此，現實情況迫使大家必須調整心態。同族結婚固然很好，異族通婚也不差，至少個人便聽過幾位長輩慨歎道：洋女婿比中國女婿還好！

——《美中新聞》，二〇〇〇年元月廿八日

運動必須運腦

曲終人散話奧運

第廿六屆奧林匹克運動會,經過十七天的激烈競賽,以及種種慶典活動,已經於八月四日隆重閉幕。

這次盛會,參與國家高達一百九十七國及地區,比聯合國會員還多,得獎的國家亦有七十九國之多;主辦單位售出門票總數計約九百萬票,據說比韓國漢城(一九八八)和西班牙巴塞隆那(一九九二)兩次奧運加起來還多;這些是近代奧運百年來的新紀錄,亞特蘭大市自然引以為傲。在奧運聖火熄滅以後,回頭省思這兩個半星期來的歡呼與榮耀、汗水和淚水、失誤及突破、失望或退隱,還真有不少地方值得大家進一步思考。

像奧林匹克這一等級的運動會,的確是人的意志與體力的高度呈現。這次奧運頗有一些令人難忘的歷史鏡頭,充分體現了這份精神,而且也與主題曲〈POWER OF DREAM〉兩相呼應。美國女子體操選手史壯格負傷後咬緊牙關奮力一跳,終於為美國隊贏得了團體冠軍;奧運大會聖火的最後一棒,由罹患帕金森氏症多年的拳王阿里,用他顫抖的手點燃,其情其景,令人動容;他如路易斯的四度獲跳遠冠軍;約翰生取得兩百與四百公尺金牌,其中兩百公尺突破世界紀錄;這些都是運動史上不易磨滅的影像。然而,在美國這樣具備言論自由的國家,卻也引起不少的爭論。史壯格的負傷出賽,她的教練便受到批評,有些人認為選手個人的健康,應該比團體的榮譽或獎牌更形重要。至於阿里(除了點燃聖火外,在籃球冠軍賽中場,國際奧會主席薩瑪朗奇於球場上將一九六○年阿里應得的拳擊金牌送給他),另一位拳王佛瑞澤就公開批評,他表示阿里青年時代的傲慢與不愛國,「豈

能作為你子女的典範？」

奧運標榜的是業餘精神，但最近幾屆似已受到相當程度的腐蝕。美國籃球代表隊「美夢三隊」，從球員到教練，全都是職業隊經驗豐富的老將，屢屢把其他國家的代表隊打得七零八落，其實有點勝之不武。至於網球比賽，則幾乎職業與業餘毫無區分，各國代表選手已在職業比賽中馳騁多年。何況有些國家之訓練體育選手——尤其是共產制度未解體前的蘇聯與東歐國家，中共包括在內——根本與職業訓練無異。然而，令人不平的是：職業球員出賽的機會甚多，這一場沒打好，下次還可以挽回，但業餘選手揚名立萬的機會，勝負取決於每四年才一次的那一、二天！從這個角度看，業餘者應該比職業者更珍貴才是。

奧運會當然不可避免地是國家展示運動實力的機會。同時對觀眾而言，也是宣洩愛國精神的場合，獲勝選手照例會披舉國旗繞場向觀眾致謝，受獎時升起的是國旗，演奏的是國歌，在這一片「愛國表現」的背後，可千萬不能忘了兩點：一是獎牌與國力並不必然相當，主辦國佔天時、地利、人和之便，總是表現較佳，有些小國成績燦然可觀，但它真正的總合國力與國際上的影響力，卻微不足道，二是個人的榮耀不應低於國家的榮譽，畢竟「更快、更高、更好」的奧運標竿，實際付諸實現的是個別選手，因為個人的傑出表現而榮耀他所代表的國家，這是自然而然的事，顛倒過來則有所不妥。東方國家的選手，中國（不論大陸或臺灣皆然）也是如此，總是強調「為國爭光」，如果純粹止於如此，則殊屬悲哀。每次看到中華少棒隊參與世界賽，固然對他們的獲勝歡呼雀躍，但看到中華隊對手美國隊的小孩往往嚼著口香糖打球，卻令人羨慕不已。

美國國家廣播公司這次轉播奧運，由於主播多次提到大陸選手過去被查到使用禁藥的問題，引起中共代表隊的強烈不滿，大陸留美學

生更發動抗議並要求道歉。臺灣在美國的商人，則對出場時因廣告插播而導致中華隊未能出現在電視上，深表不滿，也採取抗議行動。至於主辦當局未能妥善安排與賽選手的交通問題，則是各國皆受其害，大家均有所不滿，自在意料中。這些缺失，尤其是交通問題，自然應該反省改進。但若說美國方面刻意存有偏見，或有某種陰謀，則未免言過其實。不過傳播媒體及其記者，確實不必發出太多「判斷式」的言論，對大陸選手的禁藥如此，對愛爾蘭女游泳選手史密斯連得三面金牌更是如此。至於某電視記者於路易斯得跳遠金牌後，多次鼓吹基於「歷史因素」，應讓他列入美國男子四百公尺接力賽，則是公然對田徑教練與選手施壓，殊屬不當。

現代的奧林匹克運動，當然代表著某種理想，但賦予它過多的重責大任，也沒有必要。它能增進人類「天下一家」之感嗎？它能促進「世界和平」嗎？以近百年的紀錄來觀照，則毫不相干。最近一百年，正是人類歷史上殺戮最多的一個世紀。英國哲學家羅素曾經提倡，以運動競賽來取代人類的爭勝心理，免得它只能訴諸於戰爭行為。但也有人反駁，認為培養了運動方面的高度競賽精神，很容易被轉化為政治、經濟與軍事上的爭勝企圖，未必有利於人類。總而言之，運動會就是運動會（It is only a game.）。

運動是教育的一部分，個人藉以成長，進而孕育好之樂之的境界，這才是運動會的真情神。對獲勝選手頒贈獎牌、獎金、榮耀或廣告合同之餘，更應該向大多數盡其全力、無怨無悔而沒有獎牌的選手致敬，曲終人散之後，他們可能就此沒沒無聞，而融合在你我之間。

——《美中新聞》，一九九六年八月九日

飛人喬丹的母教

　　去年退休的芝加哥公牛籃球隊主將麥可‧喬丹，時常被稱作籃球史上最偉大的球員。姑且不提他的輝煌紀錄，例如率隊獲得六次冠軍，每場平均得分高，多次被選為最有價值的球員；也不提他對經濟方面的影響或在運動界無人能及的地位；喬丹在目前大眾文化中的重要性，甚至凌駕乎知名的政治領袖。芝加哥公立學校某位老師，校方告訴她會有不願具名的人士到她班上訪問，最後當她得知訪客是何人時，不禁驚呼：

　　　我以為必當是柯林頓總統或高爾副總統之類的大人物。但訪客
　　　竟是麥可‧喬丹？這可是我們學校前所未有的最大一件事。

　　　　　　　　　　　　（見《新聞週刊》一九九九年五月三日，頁廿一）

　　影藝界的紅星或知名的運動名人，為了保持自身的媒體能見度，往往以奇裝異服、詭怪行徑來吸引人。相形之下，喬丹卻絕少患上類此毛病。他除了在球賽進行中，為了打擊對方士氣，不時向防衛他的球員講些雜碎；以及因為好勝心強，略有好賭傾向外；喬丹平日的談吐頗為得體，穿著正常，極少花邊新聞，也就是說，他的形象是相當正派而高尚的。置身於五花八門的名流群中，喬丹顯得很突出。何以如此呢？不少人認為這跟他的成長環境有關，尤其是優良的家教，更是功不可沒。

　　喬丹生在一個典型的黑人中產階級家庭。其父詹姆斯‧喬丹不幸於一九九三年被搶劫而遇害，但他生前與其妻狄勞瑞斯‧喬丹通力合

作，以愛心、熱誠、紀律調教三子二女，用心締造一個美滿的家庭，子女長大後各有所成，貢獻社會。喬丹的父親高中畢業即投效空軍，退役後以學到的機械修護技能養家，後來擔任奇異電機公司所屬工廠的主管。喬丹的母親原本專注家務，子女稍大以後，則利用餘暇到銀行工作。這個家庭雖非鉅富，但他們在北卡羅萊納州的住宅，也有十幾英畝的樹林，供青少年期的喬丹兄弟馳騁。然而，最可貴的還是喬丹夫婦對子女所施予的家教。大衛·哈柏斯坦在論麥可·喬丹的著作中，曾經觀察到：

> 這是一個紀律非常嚴格的家庭，家規很多，首要家規便是絕不可浪費自己的才智，以及永遠都要努力不懈。詹姆斯·喬丹是一位強調秩序的軍人，在運動方面，對兒子要求很高。但在許多家庭友人看來，他們以為這個家庭的真正動力，則是狄勞瑞斯·喬丹。

今年（一九九九）三月，倡導兒童福利的傑克與吉兒基金會芝加哥分會頒給喬丹女士「千禧年母親獎」。四月初，她更榮獲全國母親節委員會頒發的「年度傑出母親獎」。狄勞瑞斯一點也不諱言，她確實是「母以子貴」，才能於近幾年來得到不少榮譽，但她也透過麥可·喬丹基金會，做了許多慈善工作，造福遭受家庭創痛的不幸兒童和孤兒。

借助於葛瑞格·路易斯之筆，喬丹女士在一九九六年出版了《家庭第一》這部書，把她與丈夫合力調教五名子女的親身經驗，寫出來與世人分享。個人最近讀完這本淺白易懂的作品，書中雖然沒有什麼高深的學理，但她以生活上常常遭遇的實例來解說為人父母之道，話雖平常，卻頗有說服力。書中老生常談固然不少，但老生常談往往具有恆久的實效，反而更經得起時間的考驗。

　　喬丹女士認為，為人父母最根本的兩個先決條件是：奉獻犧牲與遠見。既已身為父母，一定要有奉獻的精神，並且是一生均需努力以赴的重大責任，當然所獲得的報酬也是無與倫比的。遠見是指教養小孩應以樹立正確的人格為目標，她非常反對有些父母期望子女長大以後變成明星或大富豪，因此經常逼小孩做這做那，學這學那，疲於奔命，在她看來，這近乎虐待兒童，真正關鍵的是人格目標。不以樹立人格為基準，其他成名發財的期望總是落空者居多。

　　個人印象很深的一點，則是她極其強調父母必須在子女身邊（be there），且無時間限制，一般父母在子女小的時候容易做到，越大越少出現。喬丹夫婦對每個子女的球賽與音樂會，可說無役不與，甚至不惜財力遠赴外州觀看。麥可・喬丹替教堂山北卡大學打籃球校隊時，某次他父母因為交通阻塞而遲到，教練看喬丹魂不守舍地老望著父母常坐的地方，知道他無心打球，特別延遲開賽，等他父母坐定後才正式舉行，難能可貴的是這對夫婦有過這次經驗以後，完全不耍大牌，反而從此提早時間自家裡出發。

　　隨著子女的成長，父母由為父為母變成老師，最後成為子女的朋友，這三個階段的轉換過程，溝通扮演了重大的角色。與子女溝通主要有二：一是愛，二是鼓勵。喬丹女士認為鼓勵是父母對子女影響最大的東西。當然，絕大多數父母都知道愛小孩，但更大的考驗則是要讓小孩感受到被愛。書中可參考之處還很多，此地無法詳述。

　　在社交場合中，許多人於介紹妻子時，常常說每個成功的男人背後都有一位偉大的女性。個人並不否認配偶的重要性，但卻常常以為，這位背後的偉大女性，唯有稱職的母親才真正當之無愧。

　　　　　　　　　　　　　　——《美中新聞》，一九九五年五月七日

教練乃是球隊的靈魂

　　六月十九日晚間，一方面是美國職業籃球總冠軍賽第六場，另一方面對關心政治的華人而言，又是陳水扁總統就職一個月的戶外記者會，恐怕有不少人當晚忙著在華語電視與轉播球賽的國家廣播公司電視臺之間輪替收看。

　　今年的籃球總冠軍賽，分由印第安納溜馬隊與洛杉磯湖人隊對壘。溜馬隊自從前波士頓塞爾特人隊名將拉瑞‧柏德出任教練以後，力爭上游，使得該隊實力大增，經過三年時間的調教，水平提高甚多，終於有機會晉入最後決賽。湖人隊過去戰績輝煌，但最近十餘年來，表現平平，近幾年雖有大將歐尼爾、布萊恩等人加盟，可惜兵力渙散，未能打出應有的水準，始終與冠軍無緣。去年邀得原芝加哥公牛隊教練菲爾‧傑克遜領軍，新人新政，一改該隊的缺失，季賽中表現出色，士氣大振，不過賽前就兩隊實力分析，大多數人還是看好湖人隊。

　　這次湖人隊在決賽中以四勝二負的成績贏得錦標，當地球迷歡聲雷動。湖人隊主力歐尼爾榮獲籃球三冠王的頭銜，自屬名至實歸。值得注意的是，他在領獎致謝辭時，首先感謝的是該隊教練傑克遜，其次才行禮如儀地感謝湖人隊的球迷。歐尼爾衝鋒陷陣，其球技雖非無懈可擊，例如罰球命中率只達五成多，個人動作力多於美，但他身壯體重，三百餘磅的身軀，全無遲滯之態，帶球上籃，對方防守球員難以硬碰硬正面擋架，成為球隊得分主力，以歐尼爾的條件，他加入職業球隊時，便受運動界矚目，同時也得承受來自各方的期許壓力，然而加盟職籃八年，直到二〇〇〇年六月十九日，才終於套上總冠軍戒

指，成功委實得之不易。歐尼爾所致謝辭，其優先順序，應該說是他的肺腑之言。

當然，運動傳播界的專家們，憑他們多年的觀察，也發出相同的感受。這次湖人隊取得冠軍，媒體球評家就表示過，這是一個球隊教練時代的來臨。由於現代傳播型態所使然，職業運動與影劇界類似，明星球員擁有一切的光采和注意，他們的一言一行，經常在各種媒介上被過度放大，包括行為不檢點的地方，這種現象往往令一般人誤以為明星即電影、球員即球隊，忘了電影導演、球隊教練的關鍵地位。運動評論家給予教練應有的重要性，或可收正本清源之功。

職業球賽因性質有別，有些確實「團隊」含義不大，比如高爾夫球、網球、乒乓球等，即使組隊也多為雙打，個人技能的比重較高；至如美式足球、英式足球、籃球、冰上曲棍球、排球（海灘排球因為只有兩名選手成隊，或為例外）等，均係團隊出動，個人的表現固然不可或缺，但全隊的合作、默契更屬重要，有時明星球員只求個人表現而少團隊精神，以私害群，常常是職業球隊無法更上一層樓的因素之一，既然是一個隊伍，在兩軍對峙的情況下，比賽策略便顯得相當重要，知己知彼，依球員特性調度安排出賽陣式，加上球場狀況瞬息萬變，順手時如何保持戰果，逆勢時怎樣才能扳回頹局，這些大都有賴總教練及其助手群。有人說美式足球最重視比賽戰略，訓練時如此，出賽時亦如此。

傑克遜教練本身曾替紐約尼克隊效勞，當球員時贏過一次總冠軍，與當時球夥布來德利交情甚篤，去年布來德利曾爭取民主黨總統提名，敗給現任副總統高爾。在他擔任芝加哥公牛隊總教練期間，率領該隊奪冠六次，塑造美國籃球史上的公牛時代。加上這次湖人隊的勝利，一個人一生中戴上八次冠軍戒指，紀錄實在可觀。他初到芝加哥時，公牛隊已有天才型球員麥可·喬丹當主力，加上其他重量級球

員如史可提・皮朋等的輔助，獲得冠軍論功行賞，傑克遜的貢獻似未得到應有的重視，但他轉隊以後仍然能夠為自己主持教練的隊伍贏取最後勝利，對他的教練能力，實已不容置疑。

出身牧師家庭的傑克遜，強調精神面，可謂其來有自。美國職業球隊的教練，常得應付媒體，口才相當重要，他在這方面倒是家學淵源，訓練有素。媒體喜歡稱傑克遜為「禪師教練」，有它的道理。因為他確實運用佛教禪宗的精神訓練球隊，要求球員定下心來，甚至於訓練中和出賽前讓球員打坐。同時，他對球員相當包容，桀驁不馴如羅德曼（原為底特律活塞隊，日後投效公牛隊），他也有能耐使羅德曼在籃板球、助攻等專精之處充分發揮。而他平時更是長期性地從事轉化球員氣質的工作，使明星球員瞭解到團隊精神應超越個人張揚，而改變氣質則需從人文素養下手，在公牛隊主政時即已如此，他到湖人隊之後，對個別球員依其性向要他們閱讀哲學、宗教等精神食糧，他給歐尼爾的功課便是讀德國哲學家尼采的作品。

記得我國傑出的田徑選手紀政返回臺灣服務之後，見到大家視運動員為四肢發達、頭腦簡單的人物，曾極表不滿。她多次闡揚一流運動員絕非如此，成績達某種程度，要再進步十分之一秒，依靠的不僅是體能，還迫切需要高度的智慧。紀政女士的努力，是否業已改變一般人的錯誤觀念，很難評估。但這次美國職業籃球冠軍賽，徵諸傑克遜教練的不凡成果，則求勝的心、贏球的腦，的確繫之於教練。

——《美中新聞》，二〇〇〇年六月廿三日

球迷騷亂背後的思維陷阱

冷戰期間，美國運動界曾經流傳過這樣一則笑話：

> 鑒於蘇聯選手在國際間的各項競賽中，表現出色，成績相當傑
> 出，於是美國田徑教練特別向蘇聯教練請教，想瞭解對方致勝
> 的訣竅。蘇聯教練正色答道：其實也沒什麼，只是我們平常訓
> 練時，所發的號令槍，裡頭裝的是如假包換的真子彈。

也許站在蘇聯方面的立場，會認為這是美國人的酸葡萄心理，故意胡
謅出一個惡意的笑話。從美國方面的立場看，則旨在諷刺蘇聯極權體
制無所不在，連體育競賽也不放過。有段期間，西方體育界迭有埋
怨，認為共產國家的選手，自小接受官方長期的培養訓練，動用國家
資源甚多，相形之下，西方國家選手與之競爭，不啻是以業餘對抗職
業，並不公平。事實上，一九九〇年代蘇聯及東歐共產集團解體之
前，這些國家包括東德、羅馬尼亞、保加利亞、匈牙利、南斯拉夫、
捷克等比較小型的國家，他們也的確於國際體壇叱吒風雲。把運動視
為長期的國家政策，自由民主社會誠屬散漫得多，遠不如共產體制。

今年（二〇〇〇）七月廿八日晚，北京舉辦中韓足球對抗賽，中
國隊以一球之差敗北，事後竟引發了不幸的球迷騷亂。對賽果失望至
極的大陸球迷，於球場外高聲辱罵韓國球迷，某位韓國球迷在這個節
骨眼上，卻又做出甚為不雅的手勢，惹起近千名球迷的圍攻，不得不
出動近百名武裝警察來保護這七、八位韓國球迷，藉以控制場面，免
得惡化。但大陸球迷的情緒一旦被點燃以後，情況難加收拾。北門外

的一群球迷，突然又以一位韓國留學生為目標，向對方拳打腳踢並追打了將近三百米。此外，據悉東直門立交橋東側，也同時爆發類似事件，一位企圖自衛的韓國球迷遭到圍攻，其四名女伴則受到礦泉水瓶的襲擊，有位女士於逃跑時弄傷膝蓋，最後也在數十名公安人員的掩護下逃離現場，初步統計，當夜至少發生四起韓國留學生被毆事件，五名留學生受輕傷，兩名中國球迷被警方拘留。事件延至深夜十一時許，騷亂才漸漸平息。

這是今年以來大陸所發生的第八次球賽騷亂事件。頻率之高，令人側目，同時大陸足球迷行為的粗暴無禮，也已引起國際媒體的報導，並且造成負面的印象。對主辦單位和主管公安的機關而言，更是變成非常頭痛的問題。中國足球協會早已向西方國家取經，學習歐洲的人群控制技巧，針對容易導致暴亂的球迷加以監視，於球場設置圍欄分隔雙方球迷，且就騷亂事件預先向民眾提出警告，先做一些預防準備的工作。至於裁判不公等情，則擬加強培訓，提高裁判素質。公安部門與足協不久前公開表示，聯賽舉辦六年來，騷亂事件不斷上升，已到了不可容忍的地步。每逢比賽，公安機關都得安排百餘名防暴警力戒備，遏止發生麻煩。

當然，因為大型球賽而引起群眾搗亂，不獨見之於大陸，其他地方也發生過，甚至己方球隊獲勝而於街頭慶祝，不時亦出現群眾就街頭店家打家劫物的暴行。群眾行為遇到此種時機之不可理喻，警方早有痛苦的經驗。但對一個管制嚴密的社會，這個現象卻往往不僅只是公共秩序的問題，就當權主政者而言，近乎直覺地便會聯想到，這種群眾性的騷亂，對其所代表的體制，稍一不慎，即有可能轉成向政治權威的挑戰。尤其是靠革命暴力取得政權者，當初曾經運用群眾運動的激烈情緒與非理性狀態，乘勢以興，如今位置互換，自然產生高度甚至過度的敏感，施出重手以捻熄火苗，遂成了所謂「被迫」、「不得

不」採取的「合法措施」。

英式足球乃是中國大陸最風靡的運動項目。大陸的女子足球隊，實力足可爭奪世界冠亞軍，去年七月與美國隊爭雄，雖然屈居亞軍，但雖敗猶榮。倒是男子足球隊，經過多年努力，成績依舊乏善可陳，不但尚未在全球足壇上出人頭地，甚至連在亞洲地區也未能奪冠。而大陸球迷在這方面又有很高的期待，期待和現實之間的反差，造成了球迷心態的不平衡。然而，從另一個角度看，這對球員本身可也累積成絕大的出賽心理壓力，反而不利於臨場發揮應有的水平。假如無法打破這種惡性循環，中國男子足球隊的表現，恐怕是前路多艱。

國與國間的大型球賽，很容易形成球迷的愛國心理或民族主義精神，但在極權專政的國家，長年對民眾進行集體意識的灌輸，一般人不易有獨立於官方意識型態之外的自由思維，加上政府有意的推動，竟至於把一場球賽的勝負視之為國家的榮與辱，這才是值得批判的思維陷阱。體育方面的成就，當然可算是一國整體國力的一部分，但也只是一部分罷了，並且不能反轉過來推理，即運動項目的傑出表現，尚不足以充分代表該國的興衰。難道中國足球隊打敗美國隊，真的就是打倒了「美國帝國主義」嗎？同理，中國足球隊落敗，又何損於中國之正崛起為區域大國？

球賽的勝敗，何必無限上綱到攸關國家的尊嚴？這次騷亂透露出來的仇視外國心態，尤其不可取。輸了球，乃是球員與球隊的責任，頂多間接與國家相關。每次輸球，就認為中國受到羞辱，未免太自擾擾人了。

——《美中新聞》，二〇〇〇年八月四日

棒球冠軍都是錢堆起來的嗎？

　　流行的球類競賽，在美國早已成為社會建制。一方面，球賽活動乃是一般人休閒生活的主流；另一方面，運動及其周邊產業，規模業已大到足夠當作經濟分析的對象。休閒與商業交光互映，可以說是現代社會的一項特徵，於美國社會則運動所佔比重尤其突出。此所以重要的球賽向來充斥於各類媒體的運動版，但從社會與經濟角度針對球賽活動提出反省和批評，也不乏其例。

　　最近剛落幕的美國、加拿大地區職業棒球世界冠軍賽，媒體普遍暱稱為「地鐵大賽」，就是熱門話題。十月廿六日，紐約洋基隊以四勝一負的戰果，擊敗同屬紐約的大都會隊，贏得冠軍寶座，這是洋基隊連續三年在職棒大賽中封王。翻開棒球史的紀錄，洋基隊成績輝煌，自一九四九到一九五三年，該隊稱霸長達五年。廿世紀，總共舉行了九十五屆所謂世界大賽，其中有四十九次至少有一個紐約球隊晉入冠亞軍決賽，十三次兩隊均來自紐約地區。百年以來，紐約球隊榮獲冠軍計卅三次，光是洋基隊本身便封王廿五次，比起許多長期從未獲得冠軍，甚至連進入季後賽都沒有機會的職棒隊而言，紐約洋基隊自然是令人眼紅的。

　　在晚近棒球發展史上，一九九四年職業球員為爭取本身的薪金收入與福利，與球隊老闆協商未果，終於釀成球員罷工罷賽。這次慘痛的經驗，給了雙方非常深刻的教訓，球迷一時之間頗不諒解，觀眾人數遽減，而其他球類如美式足球、籃球等，則借機擴大觀眾基礎，聲勢不斷膨脹，傳統上名列美國體育活動之首的棒球比賽，地位岌岌可危。經過幾年的努力，形勢方告穩住。但棒球界付出的則是相當可觀

的代價，而且引致不少批評，有些且涉及棒球界的結構問題。

　　有鑒於此，美國棒球總監柏德·沙立格（Baseball Commissioner，地位崇高，但別國似無這一職位，只得暫譯如此。一九八四年洛杉磯奧林匹克運動會主事者尤伯拉斯，以企業名人任過總監，古典學者出身的前耶魯大學校長吉爾瑪提也做過），兩年前特別敦聘四位社會名流，組成一個小組，調查研討棒球界的經濟狀態。這四位名流分別是：耶魯大學現任校長李查·雷文、前聯邦儲備董事會主席（這是美國經濟上最有影響力的職位）保羅·伏爾克、前聯邦參議員喬治·米契兒、著名專欄作家喬治·威爾（他雖然是政論家，但也是棒球專家，一九九〇年撰著的《工作男士——棒球技藝》，相當有名而暢銷）。

　　兩個月前，這個小組終於交出了正式報告。依喬治·威爾所述（這份報告的要點，參見《新聞週刊》九月四日、十月卅日威爾專欄），在剛開頭的時候，他們四個人全都懷疑棒球界的問題有這麼嚴重嗎？經過一番調查後，原本的懷疑一掃而空，並且提出了許多實質性的改善建議，關鍵在於各職業棒球隊之間，彼此的競爭力越來越不平衡。換句話說，強隊越來越強，弱隊越來越弱，而強弱之分幾乎完全可以拿球隊的財務良窳作為衡量並預測的標準。金錢的多寡與球賽勝負密切相關。

　　自一九九四年棒球大罷工以後，五年球季之季後賽總共打了一五八場，若依球員薪資的多少把全部球隊分為四組，則這一五八場比賽毫無例外均由薪資最高一組贏球。以一九九九年為例，洋基隊的球員薪資，比最低薪資五個球隊的總和還高。按二〇〇〇年，洋基隊球員薪水共計一億一千四百萬美元居冠，洛杉磯道奇隊一億零五百萬美元居次，第三名則是大都會隊九千九百八十萬美元。目前身價最高的球員是道奇隊的凱文·布朗，達一千五百七十萬美元。他一個人的薪水，幾乎等於明尼蘇達州雙子城隊所有球員薪水的總和。從一九九五

至一九九九年，最高一組球隊付出的薪水平均增加二千八百萬美元，最低一組球隊同期平均只增四百萬美元。

球隊的營業收入與付出的薪資形成正比關係。洋基隊的所在地營收，比六隊的當地營收加起來還多出一千一百萬美元。最高一組球隊營收，自一九九五年以來，平均增加五千四百萬美元，最低一組球隊只增加八百萬美元。最高收入與最低收入之比，一九九五年為五點五比一，到了一九九九年則升為十四點七比一，球隊間的貧富差距短期間擴大很多。洋基隊今年支付的薪資，比薪資最低的五個球隊支付總額還高，但洋基隊所在地廣播營收，卻也比美國聯盟中區五隊（白襪、印第安人、老虎、皇家、雙子城）廣播營收總數還超出不少。洋基隊以一敵五而有餘。營收方面的不相稱，追究起來甚不公平，洋基隊即使在自家球場打，也要有對手隊來搭配，否則一隊如何成賽？但對手卻不能分享紐約當地的營收。該小組建議在當地營收方面必須改善，實有道理。

國家足球聯盟薪資最高七隊與最低七隊，球員薪資比率為一點五比一，國家籃球協會類似統計為一點七五比一，棒球界目前同型比率則為三點五比一，高低差距誠然太大，該小組建議調整為二比一。坦白講，美國職業球隊球員的薪水，絕對是其他薪水階級望塵莫及的，而且以支付球員薪水最高的三個棒球隊而言，他們一年付出均在一億美元，比許多第三世界開發中國家全國公務員的收入高出很多。但即使是同屬職業球隊，彼此之間還是太過於不對稱。

球隊貧富的不對稱，造成了競爭力的不平等，甚至出現實力一面倒的趨勢，當然是倒向錢多的一方。但球類比賽吸引人的地方卻在實力旗鼓相當、互有長短，才有看頭。老實講，如果冠軍全是由錢堆起來的，對該項體育競賽的健康發展，長期以觀未必有利。

——《美中新聞》，二〇〇〇年十一月十日

閒話足球

　　在美國觀賞四年一度的世界足球大賽，實在少了一股熱勁。個人早已超過興致沖沖凌晨起床看球賽轉播的年紀，而這次主辦的日本與韓國，與美國的時差恰好日夜顛倒，要觀賞現場實況轉播，非得犧牲睡眠不可。個人雖也陸續收看了多場比賽，但全在晚間，勝負早就從廣播和報紙上得知，等於是事後補看，缺乏猶未可知的期待心理，不太可能產生亢奮的情緒。

　　雖然美國女子足球隊曾於一九九九年七月十日，以踢罰球的方式贏得世界冠軍，但整體言，美國社會並不怎麼重視足球運動，其熱門程度遠遠不如棒球、美式足球與籃球。然而，平心而論，全世界最風行的球類運動，其實正是足球。或許出於美國人的偏見與自大心理，每年吸引無數觀眾的棒球、美式足球及籃球決賽，居然冠以「世界」之名，根本名不符實，頂多只能說是「北美」地區冠亞軍賽。真正足以稱為「世界盃」而無愧的球賽，乃是目前進行的世界足球大賽。

　　有文化尊崇感的國人，曾經提到足球始自中國，個人絕非這方面的專家，無從斷定正確與否。但現代足球運動的興起，發源於一九三○年代的英國，恐怕是全球大多數人的共識。比起其他球類，足球屬於「憂鬱」性的競賽，進不了球的賽前心理至為普遍，稍嫌誇大的說，踢不進球未得分是常態，進球得分則為例外，球員滿場飛奔，往往數十分鐘下來，依然掛零，何況守門員之設，其全副任務便是在讓球進不了門。此所以足球穿空而過碰觸網線的一剎那，長期凝聚的緊張和預期，猝然爆發，情緒上的滿足（勝方）和驚愕（敗方），濃度達於頂點，球賽廣播員語調之高昂、球員的狂喜、觀眾的興奮，真是戲劇

化的高峰。許多資深老球迷，觀賞九十分鐘（加上延長賽則不只如此），圖的就是那一瞬間，其間的滋味實在是萬金不易的至樂。

由於足球賽的性質，名聞世界的足球明星，比如以前的黑珍珠比利，現在的羅納度或風靡歐亞青少年的貝克漢（英國隊），在整個足球生涯中，進球的次數，若與籃球明星如已逝的張伯崙和幾年前的喬丹相比，只等於後者三、四場球賽的進球數，對急功近利的美國球迷來說，未免太單調乏味了，但對其他國家的球迷而言，正因為進球如此困難，反而更顯珍貴，每次進網，都是充滿激越與美妙的回憶。運動品味各有所嗜，委實無從辯論。但美國體育界若基於自大心理而輕視足球，則徒然暴露本身的偏見與無知，一點也不可取。

足球之所以風靡全世界，說不定跟它的成本不高有關。美式足球員人數多，配備價格貴；籃球場雖小但地板球架亦頗費錢；即使是棒球，對世界上許多國家的兒童而言，棒球手套就不是人人買得起的，筆者少年時代，有全皮棒球手套的多屬家境富裕的同學。相形之下，兩架簡單球門——沒有網子亦可，當中擺個足球，便夠讓二、三十人馳騁拼搏一番了。可能也因為成本低，普及容易（但技巧可非常不簡單，現場形勢瞬息萬變），因此反而遍佈全球。數百萬人口的小國，仍有機會打敗幾億人口的大國，足球賽難有「王朝」國家，以本屆為例，相當看好的法國（上屆冠軍）、阿根廷等，首輪即遭淘汰。政經實力好的國家，美國足球隊還不怎麼被世人看重，日本則直到這次才在世足賽開始進球入網。

當然，對華人而言，焦點自係擺在中國大陸隊首度進入世足賽。不過，不能不承認一點，由於日本與韓國為主辦國，大陸隊無需與這兩支亞洲勁旅交鋒，由外圍賽中出線而成為世界杯卅二強之一，換句話說，實力雖有進步，但運氣佳也是因素。大陸隊出發前，於五月廿二日發表致球迷的公開信云：「我們擔心由於經驗不足和實力的差距，

在世界杯上不能取得令人滿意的成果，讓你們失望、心痛和惋惜。不可否認，在世界杯上，我們既是一支新軍，又是一支弱旅，實力和經驗的欠缺註定了我們不可能走得太遠。」這個聲明固然有「預警」的用心，但對自身的評估，相當實在。

據說事前中國大陸隊抱的目標是：一勝一和進一球。實際參賽的成績，則完全沒有達成目標。首戰哥斯大黎加，由於地緣貼近，大陸球迷多達兩萬餘人在現場加油，仍以零比二敗戰。第二場與實力堅強、名將輩出的巴西隊交手，被對方輕鬆踢入四球。最後一場和實力沒什麼了不起的土耳其對打，還是以零比三失利。大陸隊在小組中列入最末一名被淘汰。經過四十四年的長期努力，中國隊終於進入世界賽，可惜卻以掛零收場。大陸球迷在網站上張貼的評語，因為預期與實況的反差過大，不無情緒反應，有人甚至哀歎「連做夢的權利也沒有了」。六月八日與巴西之役，福州球迷還發生騷亂。

六月十二日的《世界日報》社論，深以大陸媒體和球迷表現出的「某種不健康心態」為憂，並且進一步申論說：這種心態給瀰漫全球的「中國威脅論」和「中國崩潰論」下了最好的註腳：「有了一點成績，就大吹大擂，以為中國什麼都行，什麼都是世界第一，到處炫耀，人家當然要感到威脅；相反，發生一點挫折，遇到一點問題，就覺得天塌下來了，中國人什麼都不行，人家當然覺得中國要崩潰了。」雖然所言甚有見地，個人還是認為這種講法依然把運動與國情黏得太近，過於嚴肅，與大陸球迷同此病。

不過，此地不想拿什麼「失敗為成功之母」來寬慰，因為邏輯上失敗造成失敗的可能性不可輕忽，就像離婚者再婚後仳離率較高一樣。何況中國大陸在體操、跳水、乒乓球、溜冰等方面，表現至為傑出。男子足球隊輸了，用臺灣俗話「失敗擱再來」自勵自強，也就是了。

——《美中新聞》，二〇〇二年六月廿一日

美國浮世繪

黑人歷史月有感

　　每年二月，美國全國各地均有「黑人歷史月」的活動。公立中小學、圖書館和傳播媒體，都會針對這個主題舉辦各項展示，以增進美國境內的居民對黑人及其社區的理解。而站在黑人族裔的立場，一方面可以讓新的一代熟悉自己族群的根源，另一方面也可以凝聚黑人社區的政治與經濟力量，實在不失為一項有意義的社會教育。

　　當然，在「政治正確」已經盛行了好幾年的今天，黑人社區是有一部分激進的青年人認為，為什麼直到現在還稱為「黑人」歷史月，而不稱之為「非裔美國人」歷史月？一部分更趨極端的人，甚至表示一年十二月，哪一個月份不挑，卻偏偏挑了一個日數最短的二月？分明就是故意存有歧視的心理。這類話題，就好像偏激派攻擊美國總統的官邸叫「白宮」——白人至上主義的象徵，實在已經偏激過頭，多辯無益。遇到這種情況，真理是不會越辯越明的。然而，這類偏激反應的本身固然並不可取，但背後的心理與政治、經濟與社會因素，倒是值得探討的，至少對黑人多一些瞭解，就生活於美國國境的人而言，不僅有益而且有必要。

　　華人在世界上當然是人口最多的族裔，但就美國本土而言，則不折不扣的乃是屬於少數民族。而我們對美國最大少數旅裔——黑人或稱之為非裔美人，到底瞭解多少？是不是誤解多於瞭解？甚至還不妨這麼自問：我們有沒有想去主動理解與認識黑人社區的念頭？或者更進一步質問：身為少數民族，不能不反對種族的歧視，然而我們是不是對黑人已有嚴重的歧視心態？

　　不同族裔之間產生某種輕視心理，平心而論，實在難以全然避

免，但若變成一種根深蒂固的偏見與歧視，則不但無助於族裔的融合，而且往往更暴露了自身族裔的缺陷與弱點。華人在這方面的表現，仍然有不少可待改進的地方。就以最切身而常見的治安為例，僑胞在選擇居住場所時，幾乎均有對「安全」因素過度敏感的現象，其對黑人的防範與戒懼，形之於言語形色間，坦白講，若黑人有知，一定憤慨不勝。然而徵諸實際，卻明顯的可以發現一個大原則，少數族裔的犯罪對象四分之三以上屬於本族裔。舉例講，波蘭裔者偷騙搶劫的對象，絕對以波蘭裔為多。華人在美國被黑人真正殺死的，絕對少於被自己中國人殺死的，那麼談到人身安全時，何以就沒有想到應該防範的恐怕宜以自己同胞為重吧！

黑人社區的種種問題，如家庭結構的不全健——單親家長過多、女性不易覓得適當而相配的黑人男性，毒品的泛濫，青少年的浮濫打殺，領取社會救濟的比率過高（其實就絕對人數而言，領救濟金者自以白人為最多，論比率則黑人遠高過白人），成人男子失業率高，家庭平均收入低，凡此種種，本係事實，再經過新聞傳播工具的報導渲染，彷彿黑人是個低下而無成就的民族，這可未必正確。

尤其若有一個平衡的比較來做基準，則數十年來美國黑人的成就是非常可觀的。如果把美國的黑人當作一個獨立的國家，則其實力在全球大約可排到第十三名，與加拿大相當。黑人一年的購買力，其金額比臺灣全年的進出口貿易額還多。黑人的平均收入固然偏低，但整體而言，仍比世界上絕大多數國家高。以一九九三年為例，民選的各級黑人官員超過九千人。黑人在美國政治上的比重與實際影響力，更是遠非其他少數民族所能比擬的。正因為政治平等的目標大體上已經達成，所以黑人領袖們下一步的目標就是「經濟平等」。根據世界銀行的統計，黑人的消費市場為自由世界第九大市場，頗富潛力。如果臺灣四十幾年來的經濟發展可以算是「奇蹟」的話，則第二次世界大

戰以後，美國黑人的政經成就，也不遑多讓。

美國黑人為了爭取公平待遇而推展的民權運動，雖然由於時隔不久，或許還不能客觀地予以評估，但在人類爭取人權的歷史上，以金恩牧師為代表的黑人領袖及其和平手段，必將成為光輝有力的業績，足供後人景仰。近年來黑人學生爭取多元文化與課程的實例，也對亞裔學生起著示範的作用。華夏文明固然年深代遠，國人每一提到必說五千年文化，在即將邁入廿一世紀的前夕，美國的黑人其實也有值得我們師法的地方。

在讚美之餘，冷酷的現實可依然存在——正如世界上的任何族裔一樣。泯除族裔的歧視，在觀念上、理論上無可反對，但實際生活中的遭遇所產生的印象與聯想，卻很容易打消理智上的認可。如果你親眼目睹黑人青少年打劫的行徑，那麼日後女兒若交上了一名黑人男友，你會喜不自勝嗎？這自然又是現實與理想之間的無奈。然而，即使是無奈也是可以改善的，設身處地的為他人著想，就是一個起點。

席拉糾斯大學有位黑人哲學教授，千里迢迢赴國外參加國際學術會議，在旅館辦理註冊手續時，遇見同樣來自美國的白人女同胞，白人女士一見到他，立即本能的抓緊手提包深怕被搶，教授怒而反脣相譏：「我坐六千哩路的飛機來，就為了搶你皮包裡的幾塊錢嗎？」

對這位黑人的憤怒，我們應該有所認識並理解。

按：依二〇二〇年美國人口普查統計數字，拉丁裔已超過非裔而成為第一大少數族裔。

————《美中新聞》，一九九六年二月九日

隱士殺手隨想錄

　　四月三日，美國聯邦調查局的幹員，在人煙稀少但風景奇偉的蒙大拿州荒野，逮捕了西奧多・卡辛斯基，把他列為「大學航空炸彈手」案的唯一主要嫌犯。消息傳來，立即成為各大報章的頭條新聞，電視廣播報導不斷，主要的新聞性雜誌，無不以他為封面人物。反而把同一時間，因公率團赴巴爾幹半島克羅埃西亞訪問的商務部長隆納・布朗，由於飛機失事以致全團罹難的悲劇消息，給壓低許多。

　　自一九七八年五月廿六日芝加哥北郊西北大學的首宗炸彈案起，十八年來，這名炸彈手先後炸死三人，炸傷廿餘人。聯邦調查局為了追蹤嫌犯使其就範，不僅成立專案小組，過濾了兩百位可疑人物，做過幾千次的調查訪問，特設八百號電話專線提供了二萬通的電話線索，甚至把該案的資料上了電腦網絡，花了如此大的功夫，終於還是在嫌犯弟弟對兄長有所懷疑，為了社會責任而把資料透過律師轉交政府，聯邦調查局經過一番佈署後，才逮捕卡辛斯基。

　　令人驚異的是，現年五十三歲的卡辛斯基，卻是一位天才型的隱士。他的智商據說高達一百七十，就讀中學時曾經跳級兩次，學業成績極為優良，十六歲便入哈佛大學，廿歲自大學畢業，旋即進入密西根大學數學研究所，一九六四年得碩士學位，三年後得博士學位，年方廿五。卡辛斯基的博士論文極富原創性，在數學界頗獲好評，因此，甫畢業即被柏克萊加州大學數學系聘為助理教授，任教兩年後，竟出人意外地自動辭職。一九七一年與其弟在蒙大拿州合買一塊地，並自建面積僅有一百廿平方英尺的小木屋，無水無電，以美金三百元一年的用度，過著他所主張的反科技的隱士生活。

　　以常態的眼光看來，卡辛斯基自幼聰穎過人，就讀任教的學校全是大家夢寐以求的知名學府，加上對數學造詣至深，其指導教授甚至認為他全憑一己之力完成論文，根本無需旁人指點，思考的深度有些已超過指導教授，具有這麼高的潛力的青年學者，若在學術界努力，假以時日，必能功成名就。然而，卡氏日後的人生途程，卻又何其詭異，如果證據顯示他確實是「大學航空炸彈手」，則一般人想來總會覺得有所不值，尤其是注重文憑的國人，更難免會有沉痛的「惜才」之感。

　　像這樣奇特而罕見的案例，當然會使人有一探其「何以致此」的念頭，同時藉以反思這個案例所可能有的啟示，也應當有它的意義。

　　其實，卡辛斯基出生於芝加哥南郊區的正常家庭，母親對兩個兒子的教育不僅關注勝乎常人，而且用心良苦，從稚齡起即刻意栽培，把家裡裝置成有如圖書館一般，其成果也顯而易見，中學跳級兩次，所就讀的高等學府全是世界知名的大學。然而，事後分析起來，卡辛斯基成長歷程中，最欠缺的似乎是人與人之間的交往互動，或者用中文講就是所謂的「群育」。

　　中學時代，同學們全都知道卡氏異常聰明，但大家也發現他非常孤癖，獨來獨往，不與人交接。就讀哈佛期間，據他的同窗室友回憶，他回房就把門關上，偶爾有事找他——如分攤電話費用，則室內一股惡臭，彷彿幾個月前吃剩食物的腐味，平素絕少與人交談。在密西根大學研究所約共五年，未留下令人回憶的痕跡，同學錄上連相片也闕如。卡氏向柏克萊加大表示辭職時，數學系的主任曾有意挽留他，在向校方所提的報告中，述及他很難與同事交友。被他教過的學生，則抱怨卡氏幾乎不理學生發問。他的同學和同事，事發後憶起卡氏，最常使用的形容字眼就是「孤癖」、「退縮」、「退隱」等。倒是他長居的蒙大拿地區，由於多有隱士型的人物出沒，見怪不怪，反而認

為他並不是「最絕」的一位。

顯然，沒有朋友乃是卡辛斯基成長過程的主要特徵。而其原因可能就是因為他的天分極高，在智力上比同輩超出甚多，但連跳兩級中學課程，反而又使他置身於一群年紀比他大的同學中間，更增其交友的困難。教育理論中有一派相當反對過早學習，認為應隨著兒童身心的發展而配上合其年齡的教程，三歲的小孩（即使智力極高），教以七歲的課程並置身於七歲的環境，對健全的人格發展乃是有害無益的。這種說法，說明了智力發展與情緒發展未必同步進行，光只照顧到智力發展的需要，根本是不夠的。許多少年天才，長大後對社會的貢獻並不大，中外實例甚多。當然，天才與瘋子之間往往只是一線之隔，四月十五日出刊的《時代週刊》，封面即稱卡辛斯基為「瘋子天才」，不為無因。

隱士殺手的案例，也使人聯想到去年（一九九五）奧斯卡獎最佳影片《阿甘正傳》。劇中主角智商低，原本有足部殘疾，卻憑著母親的犧牲色相與愛心，塑造了他堅強的意志力、毅力以及單純而基本的道德觀，後來因緣際會，竟也能事功有成，兼且享受到遲來的愛情與親情，智力低的人同樣能過一個有意義、有尊嚴的人生。阿甘與卡辛斯基都是學生反越戰時代的人物，阿甘的故事當然是虛擬的，卡氏的則是真實的人生，但對世人而言，誰虛誰實？

——《美中新聞》，一九九六年四月十二日

以規定殺人

　　宋朝著名的理學家程頤，曾經提出「餓死事極小，失節事極大」，反對寡婦再嫁。在這種觀念的誤導下，實際上卻犧牲了不知多少中國婦女的幸福，甚至生命。清代大思想家戴震，嚴正批判這種不合人道的說法，痛斥之為「以理殺人」。只要稍微涉獵中國思想史，均應對上述略有所知。

　　沒有想到在廿世紀即將結束，就要邁入廿一世紀的今天，在號稱文明國家的美國境內，在美國第三大都市的芝加哥市區，最近竟發生了一起不幸事件，其荒謬的程度，與前段所提今古輝映，不遑多讓。無以名之，姑且稱之為「以規定殺人」。（《芝加哥論壇報》上五月十九日有篇社論評述此事，標題為〈因醫院規定而死〉）

　　茲將事件經過簡述如次：

　　五月十六日星期六，有位十五歲的黑人少年在雷文斯伍德醫院附近的巷子口打籃球，下午六點多，突遭西語裔不良少年幫派份子槍擊。六點十五分左右，打電話召請九一一急救，同時友人們設法抬動這位受傷少年前往醫院急救中心，大約抬了一百碼，其中一位友人便跑進醫院找人幫忙，當時恰有兩名警察在場，警察即於六點廿二分召喚救護車，六點廿九分救護車抵達，但見傷者已被抬走，離醫院急救中心入口僅約卅五英尺，救護車旋即離去。警察請求醫院工作人員協助把傷者送進醫院，且要求院方提供擔架，竟遭拒絕，理由為「急救人員不得離開醫院。」不得已，警察下令用輪椅推傷者入院。幾經延誤，七點卅三分，這名受傷少年被宣告死亡。警方對醫院員工的漠然無動於衷至表憤怒，在場的一位資深警察甚至這麼形容：「他們的人

員在那裡抽菸，而這個小孩卻躺在外頭等死，我當警察今年就要滿三十四年了，從來沒看過這等事件。」

誠如芝加哥所屬庫克郡醫藥局發言人所言，這位少年的生命是否能保住，的確難說，但越早送進有醫療設備的醫院，當然是越好。何況離急救中心入口僅約十一公尺，咫尺頓成生死之隔，不能離開醫院的規定，拿來當做不採取行動的藉口，徒然使人增加憤慨而已！難道醫院急診室的工作人員完全沒有常識嗎？消息傳出以後，醫界人士便指出，不能離開醫院的規定並非一成不變必須死守的普遍法則，因為事發突然，急救人員走出醫院門牆上街救人，確有其例。大多數醫院對已經抵達左近的傷患，都會伸出援手，芝加哥某醫院發言人便表示：如果你說的是三、四十英尺之遙而已，當然該運用常識來判斷。

創辦慈濟功德會的證嚴法師，之所以發願要完成慈濟的四大志業，心苗也是源於證嚴法師曾經遭遇類似的狀況。一九六六年，她與弟子到花蓮鳳林，往某家私人醫院探望一位患胃出血而開刀的信徒。當她從病房出來，看到地上留有一灘血，但是沒有見到人。她問：「地上怎麼有這麼多血呢？」有人說：「是豐濱山上一個山胞女人小產，由她們的家人抬了八小時，到了這裡，已經昏迷了。醫生說要八千元醫療費，才能為她動手術，可是山地人錢不夠，醫院又不願免費，所以他們祇好將病人又抬走了。」法師聽到這一段話，幾乎暈了過去，「人與人間竟然這麼冷酷！」她忍著眼淚，難過萬分，當時下定決心，要設法積錢來救人（摘錄自陳慧劍著《證嚴法師的慈濟世界》）。

人與人之間怎麼會這麼冷酷？專業上的業務規定或守則，如果使得人與人之間的關係更形疏離，這時該怎麼辦？其實，新聞界──不論是從業人員或是學術界──早就探討過類似的狀況，而且大家的結論也頗一致。比如一位攝影記者，突然碰到一場災難，有人身受重傷，這時他應該發揮他的專業，盡情採訪和拍攝現場，將受傷者的苦

痛用鏡頭來捕捉，為自己服務的報社和老闆爭取獨家新聞呢？還是放下身邊的攝影器材，趕快傳呼或召喚急救單位，在專業醫務人員尚未抵達前，設法協助傷患呢？據個人所知，美國與臺灣的新聞學界均認為：處於這種特殊情況下，記者當然應該以救人為優先，專業上的要求列為其次，甚至根本不必考慮。

道理其實很淺白，孟子早就提過，當我們看到一個小兒快要陷入深井時，我們快步跑去搶救他，當時這麼做，在那一瞬間，何嘗有任何功利的考慮！用孟子的話來說，主要還是基於人的「惻隱之心」。如果專業的發展，或者說專業上的要求，竟然抵觸甚或泯滅了「惻隱之心」這個基本的人性，這樣的專業發展或需求，根本是有問題的。請問：在這種情形下，我們應該拋棄基本人性以遷就專業要求呢？還是專業要求應該加以更改？答案顯明可見。

芝加哥這起不幸事件發生以後，各界交相指責醫院方面，院方終於在五月十八日晚間公開宣佈：今後凡已來到院址左近者，若別無其他急救車輛或技術人員在場，院方員工皆可提供治療。不管醫院是出於法律或財務上的考慮而更改規定，這位少年的不幸死亡至少產生了積極的結果。然而，除了醫療方面外，在我們的社會生活中，特別在政治與經濟層面，是不是還潛藏著許多「以規定殺人」的可能性？

按：兩個星期後，柯林頓政府要求該院以具體政策證明已經改變作法，否則聯邦補助款每年四千萬美元將予以取消。

——《美中新聞》，一九九八年五月廿九日

芝加哥大學的轉型之痛

在美國的高等教育機構中，哈佛大學成立於一六三六年，威廉與瑪麗學院一六九三年，耶魯大學一七〇一年，普林斯頓大學一七四六年，哥倫比亞大學一七五四年，比美國正式獨立建國的年份還早。論起歷史的悠久，芝加哥大學不僅遠遜於上述學府，甚至不如十九世紀中葉《土地贈與法案》下成立的許多州立大學。

芝加哥大學成立於一八九一年，主要捐助者為約翰・洛克菲勒、美國浸信會教育學會、馬歇爾・菲爾德等，次年開始招生授課。一九二九年秋，年僅卅的青年才俊羅勃特・赫欽斯，離開耶魯法學院院長的職位，轉任芝大校長，其後進行一連串的教育改革，諸如重視通識教育、強調精讀原典、廢除過度形式化的考試、推廣成人教育等，引起全球的注意，芝大的名聲鵲起，學術地位日隆。加州的史丹佛大學成立於一八八五年，稍早於芝大，而其學術地位也是後來居上，早已成為高等教育的重鎮，史大與芝大歷史相近，然而芝大校園面積僅約史大的卅五分之一，芝加哥大學的成就，洵屬難得。

大家談到芝大的學術業績，最愛提及該校所獲得的諾貝爾獎高達七十之多。《芝加哥論壇報》某年於恭賀芝大又得諾貝爾桂冠時，曾經不無囂張地在社論中聲稱：這一桂冠對芝大而言，已是老生常談（an old hat for the University of Chicago）。外人看來，自信中透露著狂態！不過，諾貝爾獎的計算似採從寬解釋，除了該校教授外，畢業生得獎者也包括在內。無論怎麼計算，以一個只有百年歷史的大學，成績如此，確實足以自豪。恩瑞柯・費米的原子分裂、現代社會學的建立、經濟學上芝加哥學派等，其影響又何止限於學術界而已，這些全

都是芝大的貢獻。

華人學者獲諾貝爾獎者，迄今共有六位，其中一半與芝大有關。李政道、楊振寧係該校博士畢業生，李遠哲於一九七○年代任教芝大。臺灣中央研究院院士當中，擔任芝大教授者，就有何炳棣、刁錦寰、廖述宗、余國藩等人，個人所知有限，遺漏在所不免。臺灣的政治、學術界，芝大畢業生也很耀眼，其中副總統連戰更是出名，他是該校政治學博士，幾年前又被選為芝大校董會的董事；前新聞局長、現政治大學國際關係研究中心主任邵玉銘，則為芝大歷史學博士。其他活躍於政學界的芝大畢業生，人數雖不能算多，可也頗有其地位。

在一般人的印象中，芝加哥大學是一所「精英」色彩很濃的教育機構。跟普通的大學不同，芝大研究部與大學部比例懸殊，以手頭所有一九九七年資料為例，大學部學生三五一三人，研究部學生八○九○人，約為三與七之比，也就是說，芝大研究部為大學部兩倍有餘。芝大反潮流的地方，還見之於該校之不重視運動比賽。幾十年來，美國大學的各類球隊，竟已成為學校的象徵，教練的全國知名度，經常掩蓋校長的聲名，薪水恐怕也遠比校長高。唯獨芝大，到現在連個勉強像樣的球隊都沒有！幾年前針對美國大學生做過一項調查，校園生活中最枯燥乏味的大學，芝大居然名列第一。這種調查，可信度當然值得存疑，但可能也反映了一般人的印象。畢竟沒有幾個人會記得，電影《法櫃奇兵》裡頭，驚險刺激、高潮迭起的考古人類學家，乃是芝加哥大學的教授。

元月卅一日星期天版，《芝加哥論壇報》長篇報導芝大校方有意改變學校的形象，引致許多校友的抨擊，甚至代表年輕一代的學生會，也與行政當局看法相左，已經決定與校方公開會面辯詰一番。芝大現任校長Sonnenschein上任以來，有意擴充大學部學生的人數，最近又自工商界聘任主管學校公共關係的副校長，汲汲於改變芝大是沒有

「樂子」的校園形象，具體辦法包括增建體育館和學生宿舍；同時採納商業顧問公司的建議，鑒於校名the University of Chicago太像公立大學，而長春藤名校如哈佛、耶魯、普林斯頓等，一個單字盡人皆知，今後將只強調Chicago；另外，該校行之有年的「核心課程」制度，也將有所改良，使學生選課方面更富彈性。總之，就是在使芝大變成「方便使用者」的高等學府。

對芝大的校友而言，母校本來即以學術要求嚴格出名，校政當局的新措施，媚俗的味道太重，恐怕有損於學術水平；況且「樂子（fun）」云云，就入學芝大的學生而言，「致知之樂」才是正道。至於「核心課程」的改革，則在現實上或有需要，一方面由於學術分工益趨精細，教授頗想就其專長多事發揮，有能力而且願意講授「核心課程」者，呈減少之勢，學生似也不願花太多精力時間於通識課程，總想於本行中別有專精。不過，「核心課程」乃是芝大的特色之一，某位學生即表示：「學生可以隨隨便便選課，有如選看電視節目一樣，這種制度我們反對。」專欄作家巴柏‧格林對芝大的「促銷手法」甚不以為然，他認為芝大之所以鶴立雞群，乃是在於它之推崇一心一意追求學術上的卓越，校方的作法愚蠢而瘋狂。

優異的大學與俗世之間，最好保持若即若離的關係。芝加哥大學的轉型之痛，但願還能守住這個原則。

按：可參考二〇〇〇年十月廿日〈從諾貝爾獎談起〉。

——《美中新聞》，一九九九年二月十九日

亞裔融入主流社會的特色

　　移居美國的亞裔各族人士，融入主流社會乃是彼此共同的努力方向，對第二、三代更是如此。然而，年輕一輩卻普遍厭惡assimilation（同化）這個概念。這一現象，就華人而言，尤其值得反省。中國的歷史教育中，經常強調中華文化具有高度的同化力量，且引以為榮，視之為華夏文明的一大優點。其實，在相當程度上，這種觀點根本是以我族為中心的本位主義，若能站在維吾爾人、蒙古人、西藏人的立場，恐怕徒增反感，從而認為乃是優勢文化強加於他們身上之有形與無形的壓迫，畢竟「同化」含有高度的「強迫」色彩，而「融入」比較富有「主動參與」的含義。身居美國，如果我們對自家子弟的心態有同情的理解，那麼將心比心，對中國境內少數民族也應當寬待。本文著重融入，明知人微言輕，仍亟願為亞裔子弟做聲援。

　　融入以白人為主流的美國社會，障礙重重。就亞裔而言，除了文化背景的不同外，在形體和外貌上的差異，幾乎就是難以跨越的鴻溝。十一年前，華裔Jeff Yang會同日裔、菲裔青年創辦*A Magazine*（《亞裔雜誌》），目前已成為全國性代表亞裔心聲的刊物。不久前，該刊製作「外籍美國人」專集（題目Alien American與Asian American押韻，具有反諷意味），由四位青年作家探討身為「永遠的外國人」之悲情。第一代移民深以英文不夠好為苦，第二代大都無法熟用父母的語文，英文早成了他們的第一語言，在成長過程中，除了白人至上主義者的脅迫外，由於英語出口成章，一般美國人聽到他們的漂亮英語後，先是讚美一番，然後不經意地追問：「你是哪兒來的？」（Where do you come from?）這一追問，總令亞裔青年痛恨不已，等於是提醒

他們「永遠的外國人」之身分。

但是，另有一些現象也很特出，而與非洲、西班牙語系美國人頗有差距。亞裔與高加索種白人通婚，其子女有一半以上自認為白人，黑白通婚的子女，則絕大多數自認係黑人。又依一九九〇年人口普查的結果，第三代亞裔女性百分之四十二嫁給非亞裔，比例之高，為其少數族裔所罕見。第二、三代亞裔男性對這個現象自然是至表反感，並且無形中促致他們心理上某種沉重的挫折，有輔導及臨床經驗的亞裔心理醫師，多已觀察到這點，即使解釋成亞裔女性比較善於納入主流社會，但反襯出來的殘酷現實卻是：亞裔男性在美國社會的挫折感遠高於女性。

許多社會學家均已發現，一般而言，亞裔對政治相當冷漠，政治參與的程度低，以加州為例，亞裔人口佔全州百分之十，但投票選民只達百分之四。以本屆美國國會為例，聯邦參議員亞裔僅得一名，即夏威夷州的日裔井上；眾議院似有兩名來自加州的亞裔眾議員，一為日裔松永，另一已忘其名，奧勒岡州有華裔眾議員吳振偉。華盛頓州州長係華裔駱家輝，夏威夷州現任副州長為日裔。（華裔鄺友良曾代表夏威夷州擔任聯邦參議員，余江月桂曾久任加州州務卿，吳仙標曾任德拉瓦州副州長）比較起來，日裔人數並不多，但政壇上出人頭地，成就不錯，華裔次之。

亞裔的政治冷漠，還表現在對群眾性運動之缺乏興趣，即使攸關亞裔本身的利益，如雙語教育等議題，亞裔媒體報導也不多，社區討論亦多僅聊備一格，並不熱烈。即使受害人屬亞裔，政治活動分子藉機炒作或發起群眾性的集會，卻往往大失所望地發現，亞裔人士包括青年一代參加者往往少於黑人和西語裔人士。當然，亞裔也有激進的政治活躍分子或積極的社會運動家，但大體上講，憤怒的、對抗性的「少數」心態，求之於亞裔，並不多見，可喜的是，過去十年，美國

大學內設立亞裔研究者，呈對倍成長，冷漠的情況或許會逐步改觀。

　　高科技乃是亞裔融入主流社會的主要媒介。目前撐起美國高科技產業半邊天者，華裔與印度裔最受矚目。其實，不僅美國如此，歐洲和日本的同型產業，一樣積極吸引華裔和印裔人才加入。全球華僑多達三千萬，印僑也有兩千多萬，科技人才濟濟。近日有報導戲稱，美國科技業的IC，指的不是積體電路（Integrated Circuit），而是指Indians和Chinese。不過，話說回來，即便在高科技重鎮的加州矽谷，竟還有高達八成的亞裔人士認為，他們在事業上的晉升之路，依舊受到本身族裔的限制：你可以成為頂尖的技術人員，但你仍然永遠不會變成公司的總裁或是副總裁。

　　目前就讀美國名校的亞裔大學生，泰半來自族裔融合比較良好的郊區。初入學時，許多人拒絕去看族裔輔導人員，但年級越高，越覺得有此需要。上了大學以後，他們對自己身分及文化的認同感，越來越強烈，而與白人學生的距離逐漸拉大，不少人還主動設法學習父母的語言（即所謂in language），白人學生的父母，或出於無知，或出於偏見，對亞裔學生的父母常有極不禮貌和極不尊重的行為，亞裔學生大都非常憤慨。這些在父母輩看來，當然不無欣慰之感。亞裔新一代且有遷回市內形成自己社區的傾向，而過去的移民總是先在都市貧民區落腳，錢存滿了立刻移居郊外。這種傾向是否再度造成「孤立」的情況，當然也是應該予以密切觀察的。

　　亞裔融入美國主流社會，自有其極限。就政治方面言，今後數十年，恐怕還是呈現如下的狀況：即支持能夠代表自己利益的人選，而無法選出眾多與本身膚色相同、面貌類似的代表。但是，亞裔雄於資財，技術在身，受過良好教育，美國社會的意識型態又有利於塑造「和而不同」的社會，處境已與過去移民團體所面臨者不太一樣。誠如對亞裔美國人頗有研究的Tamar Jacoby指出的，亞裔政治明顯地缺

少一股憤怒之氣與疏離感，而跟其他少數族裔很不相同。亞裔自主融入的機會大增，使身為亞裔與身為美國人這兩方面取得平衡，他甚至頗為理想化地寫道：

> 在全美各大都市中，亞裔正標誌著另一種途徑，其所界定的融合境界乃是：於家庭方面容許族裔差異的留存，明顯、具有特色而且一貫的差異，但在公共領域方面並不刻意突出。這個理想所要求的是寬容，但在公共事務上並不堅持族裔成見。它源於自尊，但不是會自我實現的離心預言。如何在族裔色彩與公民精神之間取得平衡，它留待個別人士自行處理。

註："In Asian America" by Tamar Jacoby, *Commentary*, July-August, 2000, pp.21-28. 前引為該文結語。這篇長文雖有理想化之處，整體說來頗有見地，本文不少資料取材自它，謹誌於此。

——《美中新聞》，二〇〇〇年七月廿一日

世家子弟與美國政治

今年（二〇〇〇）的美國總統大選，民主黨候選人高爾，共和黨候選人布希，兩位都是世家子弟出身。

世家子弟在政壇上出人頭地，實例頗多，就個人記憶所及，即可舉出很多例子。芝加哥現任市長戴利，其父任市長達廿餘年，父子兩人主持市政到目前為止，已超過卅年，其弟任柯林頓政府商務部長，現為高爾競選總部主持人。其子替甘乃迪參議員之子助選而使後者獲選為羅德島州眾議員，已有成功的助選經驗，將來自己下海從政的可能性頗高。伊利諾州還有一個政治世家，即曾任民主黨總統候選人及駐聯合國大使的史帝文生，他的兒子當過聯邦參議員，到了第三代似未見崛起於政壇。明尼蘇達州出身的副總統韓福瑞，第二代曾任明州總檢察長，上次競選州長，敗給現任州長凡杜拉，凡杜拉係摔角選手出身，代表改革黨參選，他的意外勝利，被各界討論甚多。明州另一位擔任過副總統的孟岱爾，後來出任駐日本大使，其子目前亦積極向政界發展。印第安納州現任參議員拜爾，曾兩任印州州長，其父為知名的自由派參議員。出身印州的前副總統奎爾，也是世家子弟，家族事業很大，擁有該州最大報紙《印地安納波里斯星報》。西維吉尼亞州現任參議員洛克菲勒，原任該州州長，其姓在美國家喻戶曉，祖父乃是名聞世界的石油大王，第二代的納爾遜·洛克菲勒，當過紐約州州長，且有當總統的企圖心，但只做到福特政權的副總統。上述還不過是一時想到的例證，若仔細查究，資料會更齊全。

民主黨總統候選人高爾，擔任過田納西州的聯邦眾議員和參議員，一九九三年元月起就任美國副總統以迄於今。他父親做過參議

員，在艾森豪政權期間配合立法而興建了美國州際高速公路系統，無獨有偶，一九九一年，一向重視科技與環保的高爾參議員，嘴上經常掛著「資訊高速公路」（the information superhighway），使這個新名詞迅速流行起來，父子兩人先後輝映，均與「高速公路」有關。高爾的母親乃相當了不起的女性，是美國婦女進入法學院深造的先驅人物，後揚名法界。高爾少年時代就讀貴族學校，但在華盛頓長期住在父母租賃的旅館，所幸其母家教甚嚴，塑造了他正派但稍嫌拘謹的風格。

　　共和黨總統候選人布希，家族在政治上顯赫之至。最近美國新聞界經常把布希家族與知名的甘乃迪家族相提並論。以下謹就個人所知，將這兩個家族的政治譜系對照列出，以資參照。

　　甘乃迪家族方面：甘家自約瑟夫・甘乃迪起，名聞政經界，他擔任過駐英國大使，但在此之前特別是於禁酒期間，約瑟夫從商累積了可觀財富，他本人與女明星的婚外情則是轟動一時的社交傳聞。其實他父親擔任過波士頓市長。當然最出名的則是他的次子乃第一位信仰天主教的美國總統。甘乃迪總統當過麻州眾議員（1947-1953）、參議員（1953-1960），一九六一至一九六三年任總統職，不幸於德州達拉斯市出訪時被暗殺。其弟羅伯為甘乃迪總統內閣司法部長，後於一九六五至一九六八年，任代表紐約州的聯邦參議員，在從事民主黨總統初選時不幸於加州被刺死。羅伯之子約瑟夫，自一九八七至一九九九年任麻州眾議員。其女凱薩琳・湯生，現為馬利蘭州副州長。甘乃迪總統幼弟愛德華，自一九六二年起為麻州參議員，擔任斯職幾近四十年，他的兒子派垂克，自一九九五年起出任羅德島州國會眾議員。

　　布希家族方面：布希總統之父普理斯柯特，經商致富，於一九五二至一九六三年兩任康乃迪克州聯邦參議員。布希總統（1989-1993）在當總統之前，任德州眾議員（1967-1971），也做過共和黨主席、駐聯合國大使、駐中共代表，雷根任內當他的副總統（1981-1989），與

論界曾戲稱他是美國履歷表最帥氣的人。長子喬治・華克・布希（為
區別起見，新聞界常用W. Bush或Bush Jr.稱之），自一九九五年迄今，
兩度獲選德州州長，在四十歲以前乏善可陳，今年卻以壓倒性聲勢得
到共和黨總統提名，新聞界嘲弄他是履歷表最短的一位候選人。另一
子傑布現任佛羅里達州長，傑布娶墨西哥裔女士為妻，所生之子普理
斯科特具西裔像貌，長相英俊，成為伯父競選總統的得力助手。布希
兄弟兩人主理美國德克薩斯、佛羅里達兩個大州，布希總統夫人芭芭
拉不無自豪地宣稱，美國有八分之一（人口與面積）由布希家族治理。

　　美國人視甘乃迪家族有若皇室，數十年來，涉及甘家報導實在很
多，好壞全在獵取之列，甘家子弟也多少呈現一幅貴族氣象。相形之
下，布希家族內斂多了，很少花邊新聞。八月七日的《時代週刊》，
即以「默默耕耘的朝代（The Quiet Dynasty）」形容布希家族（見該期
頁四十一。若仿照臺灣的流行名詞，或可譯為「寧靜朝代」）。事實
上，布希家族後代的表現，似呈後來居上之勢。在美國歷史上，父子
同登總統寶座者，只有亞當斯家族。美國第二任總統係約翰・亞當斯
（1797-1801，選下一任時敗給湯瑪斯・傑佛遜），其子約翰・昆西・
亞當斯則在廿四年後，當選總統（1828-1829，競選連任為安德魯・傑
克遜所敗）。如果這次共和黨的布希當選總統，則是父子俱為總統的
第二例，而時間差距縮短為八年。

　　世家子弟在政治上自然擁有不少優勢，但在自由選舉的民主體制
下，名姓是可以繼承的寶貴政治資產，但選票是無法繼承的。值得欣
慰的是，自由民主體制內的政經實力無從壟斷，成名於政壇者固然不
缺世家子弟，但大多數總統的子女亦平凡度一生。清寒子弟如杜魯
門、尼克森、雷根、柯林頓等，照樣有機會榮登大位。個人於政治領
域的長期努力，比世家子弟的牌照，更具關鍵而有效。

恐怖暴行絕非正當手段，
應嚴予譴責並唾棄之

　　二〇〇一年九月十一日，很可能是美國立國兩百餘年來最悲劇的一天，矗立於紐約曼哈頓的兩棟世貿中心大樓，被飛機直接撞擊、爆炸、起火然後倒塌，旁邊四十九樓高第七號世貿中心亦於數小時後承受不住壓力而倒塌，這些畫面，在美國人的集體意識中，將成為永遠難忘的心理圖像。

　　當天早晨，紐約天氣甚佳，晴空一碧如洗，但在八點四十五分左右，樓高一百一十層的世貿中心第一棟，約於八十層處，遭一架飛機攔腰而撞，十八分鐘後，同樣的情景發生在第二棟樓，只是這次飛機似乎體積更大，衝撞的部位更低。約四十分鐘後，第三架飛機在賓夕凡尼亞州匹茲堡市數十英里外，墜毀觸地。為時不久，又傳來首都華盛頓國防部五角大廈也遭飛機撞毀一部分。一連串驚心動魄的事件，在不到兩小時的時間內，陸續發生，美國受到恐怖組織及分子的暴力攻擊，已無可疑，全國被迫處於備戰狀態。

　　事發之際，布希總統正在佛羅里達州訪問，推銷他的教育政策，在被告知事件的嚴重性之後，隨即發表譴責聲明，安全系統則立即以總統人身安全為重，並將總統行程的安置晉入大戰階段的程序，先赴路易斯安納州空軍基地，再轉內布拉斯加州空軍指揮中心，這些行程基於保密需要，即使隨行記者也不知道目的地為何。總統在這些基地均進入安全措施嚴密的地下，隨時與閣員及紐約市長、州長通話，召開會議，接聽外國元首與領導人的關切電話，當晚返回白宮，並於東

部時間晚上八點向全國演說，安定人心，同時也象徵性地表達不為任何恐怖暴行所懾的精神。

由於暴力恐怖分子的攻擊規模空前，白宮立即全面疏散，以策安全，而指揮系統則由副總統錢尼擔綱。國會參眾議員，也進入不公開的隱密安全地點，以防不測。紐約市首當其衝，州市政府傾其全力救難，並做各項處置疏散曼哈頓人潮，維護公眾安全，聯邦機構全面配合。但這次情勢險峻，美國全國各地尤其大都會區，都有連帶而起的安全因應措施。全美各地，除了軍機可以起飛巡邏外，民用機場九月十一日近乎全天關閉，自有航空運輸以來，頭一回執行如此嚴格的安全禁航。大都市目標顯著大樓如芝加哥的西爾斯大廈，立刻加強警衛，讓人員盡速離開，關閉整棟大樓，聯邦政府機構、主要商業大廈、博物館、購物中心、學校等，當天關閉者為數不少。向來昇平繁華的街景，突然之間冷清而蕭穆多了。

生命財產損失之大，概可想見。三棟黃金地段的摩天巨樓全毀，五角大廈的一部分，四架被劫持的民航飛機化為烏有，損失金額自以幾十億美元為單位，救難成本尚不計算在內。當然，人命與人才的喪失，尤其無法估算，飛行器乘客與機員喪命者數以百計，警察及消防人員因公殉職者亦以百計，何況世貿中心平時工作人員近五萬名，又是金融與經貿業最集中的辦公地點，人命損傷當在數千或上萬，其中不乏頂尖人才，這麼大量的損失，或許短期內無法補充。至於對美國社會心理衝擊之大，大概只能猜想而無法數據化。

從執行恐怖暴行的角度看，九月十一日的「作業」實在不能不說是多年精心設計的「戰果」。搶劫聯合與美國航空公司的飛機，並且是波音七五七、七六七各兩架，以美國民間的財產，去摧毀美國經濟實力之具體象徵的紐約世貿中心，另一架針對美國武力的神經中樞國防部，賓州墜毀的那架據傳本以總統休假地馬利蘭州大衛營為目標，

同時在短短不到兩小時內付諸實施，主謀者設想之密與成本之低，其能力令人不寒而慄。至於專業程度，同樣叫人打從心底產生恐懼感。被劫飛行器全屬加滿汽油剛啟動的機體，衝撞的方式則為自殺式的當中穿入，設法讓機體挾在建物內，由飛行器滿缸汽油引爆而高溫燃燒高樓結構，不少結構工程師指出，這是極端專業的手法，況且又有幾棟大樓的結構足可承受大型客機當空撞入並高溫燃燒！

依常理推想，恐怖分子劫持飛機後，很可能迫令原駕駛退位或加以制服，改由自備的人員操作及急速改道，進行自殺式的最終航程，這些人很可能自認為是在從事「聖戰」，把美國視作「邪惡」帝國，自家軀體的犧牲不只是神聖任務的工具，更是生命的最高完成！這種充滿宗教狂熱的恐怖分子，固然其生命不足惜，然而無論從任何立場言，他們的「成功」竟以成千上萬普通人的生命為陪葬，根本是反生命非人道的，也與宗教價值不符。世人不僅應該嚴予譴責，而且不分國家、種族、信仰，均應共同唾棄之。聯合國秘書長安南於事後立刻表示：沒有任何正當的號召可藉恐怖暴力行之。旨哉斯言。

自由民主的社會，對恐怖組織來說，永遠是實施其暴行的有利環境。但是，反過來說，這樣的社會如果可以輕易地被恐怖打動所震撼而搖動，不管恐怖行為的規模多大，其自由即已受到挾持。在追悼眾多無辜的受害者之餘，堅持自由的價值，仍然是回敬恐怖暴行最正大光明的理念和信心。

——《美中新聞》，二○○一年九月十四日

受難補償宜知止

　　紐約九一一事件，到現在已滿五個月。這段期間，國際上的變化不可謂不多，阿富汗的神學士政府業已垮臺，由阿富汗臨時政府起而執政，正大力爭取國際上的支持與援助，料理善後重建國家，這是最具體可見的發展。以九一一事件為導因，美國所提倡的全球反恐怖政策，則對世界形勢與權力組合產生相當影響，仍處於醞釀成形的階段。至於美國國內，更是連鎖反應甚多，最顯而可見者自係機場安全檢查的益趨嚴格、航空業及保險業受到重大衝擊，其他行業也或多或少連帶波及。最近的餘波之一，乃是受難家庭補償金的問題，此事涉及一般人的觀感，或可藉此理解美國社會的脈動。

　　九一一事件受害補償金，包含在美國國會所通過的航空公司紓困法案內，總金額為一百五十億美元，受難者包括世貿中心、國防部、聯合及美國航空四架撞毀飛機的乘客。補償基金的分配方式，大體上以罹難者的年齡及平均年收入為基準，舉例言，六十五歲單身年薪一萬者，可得卅萬元，卅歲已婚育有兩名子女年薪十七萬五千元者，可得四百卅五萬元。以罹難家庭三千零五十三家計，每個家庭平均分配到一百六十萬元左右，據該補償基金主管人員表示，詳細的給付規定當於二月中旬公佈。這是官方的補償，民間的捐獻並不在內。此外，布希總統於今年（二〇〇二）元月廿三日簽署了一項法案，對一九九五年奧克拉荷馬市聯邦大廈爆炸案，去年九一一事件與炭疽信件案的受害者家屬，減免二〇〇〇、二〇〇一年所得稅稅負，據估計每一家庭至少獲得一萬元稅務福利。

　　補償基金總計需付出四十億美元以上，鑒於美國社會動輒提出訴

訟案件的實況，其用心之一係在防堵此類案件的發生，所以便規定凡已加入官方補償的罹難家屬，必須放棄訴訟權利。因此，難免造成如下的情形：某一受難者的雇主提供寬厚的撫恤金，而生前曾經投保高額人壽保險、保險理賠金加上撫恤金，總額超過官方所能給予的補償金，而依規定，這些金額必須自聯邦補償金中扣減。換句話說，不能雙方面皆領錢，這不啻是間接協助保險公司度過難關，就家屬言，當然是錢越多，日後生活越有保障。但一般民眾的觀感，則認為此種規定才符合公平原則，否則便有「貪婪」之嫌，簡直是在發「國難財」。

一般民眾的不滿情緒，自元月份起，陸續呈露。元月下旬，紐約《每日新聞》刊出一幅漫畫，把世貿中心爆炸倒塌後的坑洞，描繪成錢坑，挖土機的怪手起出一吊桶、一吊桶現金！受難者家屬組成了「九一一受難家庭公司」，該組織負責財務的史提芬・普希以發言人身分，於元月中現身有線電視網接受訪問，一方面抱怨政府過於吝嗇，另一方則企圖喚起民眾的支持，希望政府的給付更加慷慨大方。然而，四處上電視電臺受訪的結果，竟然引來近乎一面倒的抗議與斥責。普遍的指責乃是：一百六十多萬美元，還嫌不夠啊！

針對此情，《芝加哥太陽時報》曾抽樣查考本地各界人士，依該報元月廿四日的報導，大家的反應相當一致。有人表示，目前家屬的心態根本是在搶錢，進而憤憤不平地說，在阿富汗戰役中殉職的士兵家庭，我們給了他們一百六十萬嗎？有人則認為，這樣都嫌少，那要多少錢才算夠啊！一位青年音樂家更是直截了當地說道，一百六十萬是一大筆錢，足夠過很長一段日子，任何人想藉此而興訟，此人一定有毛病，你要控告誰呢，賓拉登嗎？最後一點尤其切題，因為家屬方面的基本設想正是：如果起訴的話，可以拿到更多錢。問題出在：要告誰呀？也許有人會想到，曾經有一位老太太被麥當勞速食連鎖店的熱咖啡燙傷，都可以告三百萬美元而勝訴（後來法官把賠償額減低很

多），受難家屬何妨傚行，但至少老太太有個具體而實在的被告。

事實上，九一一事件爆發後，美國社會的捐獻如潮似湧，美國紅十字會甚至多次公開聲明：捐款夠多了，請把善款也捐向其他慈善和公益團體！紅十字會收到的「自由基金」已超過六億元，且已實際支給每一受難家庭平均一萬六千多元。何況罹難者故鄉或居住地也有民間捐獻，金額雖然不能跟紅十字會比，但不無小補，甚至有些地方（如芝城西郊大鎮內玻維爾市）還發動興建紀念碑。這些慈善捐助，不會從政府補償額度中扣減。

前面提到的史提芬‧普希感慨繫之地歎道：每次上電視批評補償計劃，我便會收到痛罵我的函件。他們叫我是一個貪心不足的王八蛋，而且說我想從我太太的死亡中撈取利益。以為罹難家庭全都屬於貪財之輩，當然不公道。但有些家屬的心態確實可議。某女士的先生任職於世貿中心內一間大保險經紀公司，先生遇難後，公司自動把家屬健康保險由一年內免費延長為三年，這位太太卻大表不滿，認為應該享有終生免費健保，還說這是公司「欠」她的，她「有權利」如此要求。這實在是誤把人家的善心當成本身應有這份特權的錯誤。

美國人的同情心與慷慨，在九一一事件後的表現，令人欽佩不已。有關補償金的爭議，實在應該適可而止，否則就難免污及這份高貴的精神。遭遇災難，值得大家同情及支援，但日後要自立，還得具備「不坐等救援」的認識。一九九九年九月廿一日臺灣發生大地震，事後的救災重建工作千頭萬緒，一些實際從事災區工作的宗教界人士發現到：有的居民依賴心太重，不想站起來，也不去找工作，完全依賴宗教團體的救濟，結果反而無法自立。這一教訓，應該是沒有國界之限的。

——《美中新聞》，二〇〇二年二月十五日

在中不在共

何不正名為中國社會黨？

　　世界上的共產黨和共產政權，幾乎毫不例外的，都非常擅長發佈長篇大論的政治文件，中國共產黨也是如此。這一類的文件，不只是作為政策的說明或宣示，兼且常常成為全體黨員甚至是全國人民必須學習的材料。基本上，這乃是共產政權的本質所使然。事實上，有史以來最重視理論的政權正就是共產政權，而在共產政權的政治結構中，誰掌握了理論的解釋權，誰就掌握了政治（其實也是所有）權力；反過來說，誰掌握了政治權力，也即連帶地掌握了理論的解釋權。對於不曾生活於共產體制的人來說，實在很難理解到這類文件的重要性。至於為了爭奪理論的解釋權，從而展開的諸種鬥爭暨衝突，對外界的人而言，往往只能訝異於其激烈程度何以至此，而難免有不明所以之感。

　　最近仔細詳讀一九九五年九月廿八日中國共產黨第十四屆中央委員會第五次全體議通過的：〈中共中央關於制定國民經濟和社會發展「九五」計劃和二〇一〇年遠景目標的建議〉。這份文件光是題目就叫人無法一口氣讀完，至於全文更是長達兩萬字，要從頭到尾看它一遍，不但需花頗長時間，而且還得有點耐心才行。經濟學家邢慕寰勸勉研習經濟學的人得有「繼續讀下去的耐心。經驗證明，耐心的付出，不會完全白費的。」外頭的人學習共產黨的文件，更當具有耐心。

　　在下並不是解析中共文件的專家，既非西方學術界所謂的「中國通」或「中國問題專家」，也不是臺灣以前所稱的「匪情研究專家」。業有專精，當然就其研究領域會有比較深厚的素養，所知的資料多，對於事件的來龍去脈較有理解，但在眾多專門術語的堆積下，也常使

人能入不能出，反而被自己的專門知識限制住，見樹而不見林。有時專家學者不敢跨越雷池的地方，某些魯莽的門外漢卻一躍而過。不論是學術領域或政治分析，外來的甚至是看來幼稚無比的刺激，永遠有其必要，原因在此。

中共中央發佈的這份文件，內容頗為豐富，論及第九個五年計劃（1996-2000）和二〇一〇年的遠景，可說是今後十五年中國大陸的經濟、社會與政治發展的總綱。細分為四十小節，其中海內外皆表關心的臺灣與港澳等問題只佔一節（卅九節）。更多的內容則是側重中國大陸內部的問題，尤其是經濟發展更屬重點，觸及經濟體制的轉變、企業制度、科學管理、中央與地方的宏觀調控、沿海省份與內地的發展先後與平衡、國營企業的問題、人口控制、環境保護等，甚至也提到精神文明的建設等問題。平心而論，對中國大陸所面臨的種種難題，多有討論，涵蓋的範圍相當廣泛而周全，對於所提出來的對應方針與措施，其優劣如何，是否可行，且讓各方面的學者專家去評析。

解讀文件，其實也是相當個人化的一種知識操演。除了內容而外，在下於一讀再讀三讀這份文件後，卻對文本的技術細節有所關注，並且花了一點功夫從事初步的統計。在兩萬字的全文當中，除了開頭提及中國共產黨，第卅八、四十節和結尾作號召時再度提到共產黨，此外即沒有提到過。「學習馬列主義」出現一次，全文中竟然無一語道及「共產主義」。令人印象深刻的是「市場經濟」與「社會主義」貫穿全文，「社會主義」至少出現有四十九次之多！而且常與「市場經濟」配對出現，或者是在「社會主義」上面加上「中國特色的」來加以形容和限定。此外，這長達兩萬字的政治文件，竟也無一語提及「自由」！

當然，共產主義與社會主義本是同一思想體系下的產物，並非互相排斥或處於相反對立的意識型態，但二者可也不是全然相同而可相

互通用的名詞。有關理論上的細部解析，似無需要在一篇短文內嘗試。但捨「共產主義」而用「社會主義」，更重要的是把「社會主義」和「市場經濟」這兩個本來對立的名詞與概念結合起來，同時一再強調「有中國特色的」社會主義，無論如何，這是一個非常重要的思想趨向和轉向的表白！

廿、卅或四十年前，在中國共產黨頒布的重要文件中，是不會有前述這樣一個明顯的現象的。然而，歷史上的思想觀念和政治藍圖，因為時移勢遷而過氣而不再被人提起者，代有其例，讓過時的東西被人遺忘，就像丟掉無用的包袱一樣，反而使人更能往前邁進。

自從蘇聯解體、東歐產生變局以後，共產主義作為改造世界的意識型態，幾乎可以說已經喪失了生命力。廿世紀上半，吸引無數熱血青年奔赴共產主義的理想的景象，大概已經成了再也熱不起來的灰燼，就讓過去埋葬它自己吧。

中國共產黨的一些領導人，不管出於類似「摸著石頭過河」的求生本能，或者出於有意識的悟解，在一九七〇年代的末期，業已感受到這個歷史的趨向，因此在共產制度崩潰的歷程中，中國大陸的民眾迄未受到太大的波及，並不是中共死守共產體制之功，而是已於暗中先行拋棄它。以此，謹向中國共產黨建議：何不正名為中國社會黨？

——《美中新聞》，一九九五年十一月十日

中國的孤兒棄嬰也是人吧！

　　一九九六年開年以來，最令人悲憤不已的一件事，就是有關中國大陸孤兒院凌虐院童、以及死亡率高到幾乎叫人難以接受的各項報導。如果新年的新希望可以是針對國家的話，亟願衷心祝禱類似這樣悲慘的情事，不要再發生，即使無法全然消除，至少也要大幅降低。

　　《紐約時報》首先發難。元月六日，該報於第一頁和第四頁，以很長的篇幅報導大陸孤兒院的恐怖內情。元月七日，《洛杉磯時報》詳細舉出統計數字，用以說明公立孤兒院任由院童自生自滅或有意餓死他們的慘狀。《芝加哥論壇報》則於元月八日刊出一則濃縮的相關消息，復於元月十四日星期天以頭條社論嚴厲譴責中共。（附帶一提，《芝加哥論壇報》竟在七天之內，用三篇社論——元月八、九及十四日——痛批中共，這恐怕是前所未見的。）《新聞週刊》元月十五日這一期，用兩頁的篇幅和三張照片報導同一主題，配上自己的調查研究，比報紙更深入。華文媒體似以《世界日報》的報導最完整，並為此發表了一篇措辭嚴正的社論。

　　去年（一九九五）六月，英國第四頻道電視臺播出紀錄片《死亡房間》，揭發大陸公設孤兒院任憑棄嬰自生自滅，廣東省一位「沒名」（沒有名姓）院童，十天後即離開人世。播出後震撼一時，也引來中共政權的強烈抗議。但該臺今年復於英國外相訪問中國的同一天——即元月九日，再度推出「回到死亡房間」的後續追蹤報導，當然又遭受中共官方以影響中英關係、傷害中國人民情感為藉口的威脅。中共自己缺乏新聞自由，兼且一再干涉威脅他國的新聞自由，實在是「罪上加罪」！

這一次中國大陸孤兒院的慘狀廣泛受到國際間的重視，最主要的資料乃是來自總部設計紐約的人權觀察——亞洲部分所提的一份報告，這份長達三百卅一頁的報告，其中最令人矚目的是曾於上海兒童福利院任職五年的張淑雲女醫師，秘密將院童的病歷等資料運出，據她在倫敦接受電話訪問時稱，她帶出來的文件重達二、三十公斤。加上一九七二年入院院童而現已成人的艾明的佐證，指控歷歷如繪。

哥倫比亞大學自由論壇資深研究員謝爾，在《洛杉磯時報》元月七日刊載的專文中諷刺中國大陸的「模範」孤兒院是「死亡倉庫」。謝爾指出，上海兒童福利院在一九八〇年代至九〇年初期，嬰兒死亡率高達百分之九十，九一年百分之七十七。福建、山西、廣西、河南等省，孤兒院嬰兒死亡率約在百分之五十七點二至七十二點五。《新聞週刊》引據中共官方每年一次的統計（見元月十五日這期頁四十二～四十三），以一九八九年為例，全國孤兒院新進院童死亡率超過百分之五十，比羅馬尼亞共產獨裁者邱沙士古被處決後揭露出來的孤兒院慘狀，還要更高。以陝西唯一的孤兒院為例，八九年收二三二名院童，其中二一〇名死亡，生存者僅十九名。《新聞週刊》說這不是孤兒院而是死亡營，第二次世界大戰德國惡名昭彰的奧希維茲集中營，死亡率不過在百分之七十與八十之間。「人權觀察——亞洲部分」在報告中指控中國大陸的孤兒院，幾乎成了「消滅棄嬰的裝配線」。

北韓局對這一波控訴聲浪，自然極為反感，一再指責類似的報導純屬惡意的「捏造」，「全無根據」。進一步抹黑張淑雲，認為她有「精神病」，並由上海兒童福利院前任院長帶頭稱張醫生「瘋了」。比較值得提的是，中共外交部安排外國記者於元月八日參觀被指控的上海兒福利院，以資反駁。不過「人權觀察」早經指出，該院為了接待外賓，業已事先清理過，至於被列為不宜生存的孤兒棄嬰，則被遷位於崇明島的「第二院」——而這是絕對不對外開放的。就

在這一次針對外國記者的開放參觀過程中，中共官員承認一九八九年該院孤兒死亡率為百分之十九，但官員強調這是因為那年上海的冬天奇寒，該院取暖設備又發生故障所致。《芝加哥論壇報》的社論反問道：太冷？該院係中國最富裕都市的首要孤兒設施，而中共官方竟要世人相信，中共沒有能力提供足夠的暖氣以使兒童免於被凍死！

美國國務院於元月十一日針對此事發表聲明，敦促中共「立刻調查報導所述情事與指控」，並採取「必要的補救行動」。一副官校文章的味道。倒是《紐約時報》前總編輯羅森索在九日刊出的專文中，以悲憤而含帶犬儒色彩的語氣，指責美國與西方社會早已為了經濟利益，長期容忍共產政權這一類的虐政，實已沒有立場去哀悼。但卻又呼籲「唯有摧毀奪去他們生命的制度，才是悼念這些死亡孤兒最有意義的行動。」像這般義正辭嚴的議論，在當前的輿論氣氛中，大概很容易被列入「仇華反共」的大帽子下，這乃是實質悲哀外的另一層心理悲哀。

身為華人，基於維護族群自尊的心態，再加上傳統家醜不外揚的套板反應，面對這樣一種報導，不免會懷疑所舉統計數字的真實性。然而「人權觀察」報告中畫龍點睛地指出，壓制資訊的自由流通，使得這些悲慘情事無從獲得改善的機會，卻有如醍醐灌頂，令人驚醒。在色彩斑斕的膿瘡上，與其塗上民族主義的鮮豔，何如忍痛把它刺破，雖然或許要流點血，但復原的機會可能也提高了。國人請再思。

——《美中新聞》，一九九六年元月十九日

在中不在共

　　已故美國總統尼克森，因為水門案件，無法做完第二個任期，便黯然下臺，開了美國歷史上極不光采的先例。不僅尼氏個人的令譽毀損至鉅，也使得一般美國人對總統這個職位，產生了某種反感，甚至波及到所謂的「華盛頓內圈」。然而，即便是對尼克森素無好感的人，也不能不承認，在第二次世界大戰以後的美國歷任總統之中，尼氏是最懂得國際政治與外交的一位，後來他憑著一股韌性與耐心，逐漸扳回個人的名譽，借重的也是他對國際問題的深入瞭解與適切的諸種建言，他個人的自我期許和外界對他的評價頗為一致。

　　而在尼克森的外交成就項目中，最為人所重視的乃是他開啟中國的大門，雖然美國與中共政權建立外交關係，是卡特總統於一九七九年初予以「正常化」，但論者大都認為尼克森與其國家安全助理季辛吉應居首功。尼氏退出政治舞臺後，曾多次重訪大陸。北京當局始終待以國賓大禮，當不無欣慰之感。尼克森自己曾經是締造歷史的人，後來迫於形勢，竟又能轉化為觀察與描述歷史的人，兩種不同的功能與身分匯集於一人，亦足以自豪矣！

　　一九八〇年代初期（正確日期已不復記憶，觀看電視節目不易牢記它播出的時間，這是常見的現象，積習難改）尼克森正訪問北京，越洋接受美國廣播公司「夜線」節目主持人泰德・卡波爾的訪問。被問及美國與中共之間的往來，美國的基本策略應該如何時，尼氏答以美國應鼓勵中共「少點共產味，多些中國風」（less communist, more Chinese），旨哉斯言。個人並非中國問題專家，但接觸西方新聞與學術界有關這方面的言論與著述，機會還算不少。比起那些蛋頭學者堆

砌著許多理論術語的宏論來說，尼克森這句話，不但言簡意賅，而且更重要的是深中肯綮，一語道出中國問題的關鍵。

好學深思之士，出於學術興趣的指引，或許不免要進一步追問：共產味與中國風必然相左嗎？兩者之間必然是此消彼長的關係嗎？有些熟悉近代中國思想史和社會現象的學者，針對共產主義這麼容易便為中國知識分子所接受，曾研究其何以致之的因素，從這個角度去探討多少會發現：受中國文化傳統薰陶、以經世濟民為己任的士大夫，與共產主義以改造世界為職志的知識分子，在心態上有所契合。也有學者把中國天人合一的宇宙觀，拿來與馬克思主義對待科學的態度兩相比較，發現二者有相通之處，舊學和新學之間不乏匯通的管道。

前節所述，固然有其理路與論據，但整體而言，中國文化與共產制度並不相容，或者說不易相容，先賢早見及此。孫逸仙先生批評馬克思是社會「病理學家」而非生理學家，與越飛的共同宣言中，明白指出共產體制「不適合於中國」，這些睿智卓見，中國共產黨雖於口頭上尊稱孫是「革命先行者」，但實際上則把他的話當耳邊風。中共政權成立以後，以種種粗暴的方式在神州大陸推行無產階級專政，造成許許多多的錯誤與悲劇。到文化大革命更是達到荒謬至極的地步，中國共產革命人命犧牲之大，乃是以血淚的經驗去見證中國文化與共產主義不易相容。

自一九八九年十一月九日柏林圍牆倒塌，一九九二年蘇聯崩解，共產主義思想及其相關體制，在人類歷史的發展上，可稱已告一個段落。馬克思和恩格斯合寫的《共產黨宣言》，一八四八年二月首次以單行本在倫敦出版，六十九年後蘇聯成為地球上第一個共產國家，歷經七十餘年的血腥試驗，終於不敵西方自由民主的體制。廣義而言，似也說明共產體制並不適合人類，非獨與中國文化不易相容而已。

早在這些重大的歷史事件發生以前，尼克森已在中國大陸政治文

化的中心北京，發出「少點共產味，多些中國風」的呼籲，雖然他是
為美國政策提出謀略，但站在中國人立場，又何能以人廢言？中共政
權自一九七八年以還的開放政策，雖然字面上宣稱實行「具有中國特
色的社會主義」，但大家泰半知道，掛著「社會主義」的招牌，只是
嘴硬罷了！然而，中共迄今仍未脫去共產主義這件「臭汗衫」（索忍尼
辛的話），卻依舊值得全球中國人警惕，大家有必要隨時提醒及督促
中共政權：請朝著比較合乎中華民族利益的方向走！

　　香港在今年七月一日即將回歸中國，北京當局甚感自豪，以醒目
的標誌鐘，告訴世人香港回歸還有幾天，如果香港同胞和海外華人內
心不無高興，請中共政權切莫忘了：這主要是因為香港回到中國，而
不是因為香港投入共產主義的懷抱！最近福建湄洲媽祖渡海赴臺灣，
深信「宗教是麻醉人民的鴉片」的共產政權，不僅全無反對之意，反
而縱容甚或鼓勵其成行，請北京切莫誤會：臺灣媽祖並非認同共產主
義，而是把暫被扭斷的中華歷史文化的聯繫重新接上！邇來中共駐外
單位早就不講「破四舊」，一反多年來的激烈反傳統心態，到處大張
旗鼓舉辦華人春節活動，相信熱心參與的僑胞絕大多數非因其為共產
黨，而是一份中國情的自然流露。僑胞有權利也有責任促請中共政
權：少點共產味，多點中國風。

　　　　　　　　　　　　——《美中新聞》，一九九七年二月七日

將軍乎？經理乎？

　　江澤民在甫落幕的中共第十五次全國代表大會，於其政治報告中明白表示，今後三年內將裁軍五十萬。

　　這次宣佈，頗為引起國際的注意。正當美日安保條約的適用範圍重新解釋之際，正當亞太國家對中共國防經費的大幅擴充不無疑慮之際，裁軍的宣佈當然會有某種澄清的作用。然而，擴軍與裁軍都是國家大事，不會只因為外在因素而貿然採行。事實上，一九八五年，鄧小平便裁過一百萬員兵力，使人民解放軍的員額維持在三百廿萬左右。而且，衡諸中國過去的歷史，凡遇改朝換代，政權一旦站穩，多有「弭兵」、「釋兵權」之舉，中共於建政卅六年後，才大規模削減兵員，已經過遲了。當然，抗戰勝利後，國民政府之解散偽滿軍隊，對南京汪政權軍隊未能妥為收編，甚至裁撤本身所屬的軍隊，有人事後檢討，認為這是國民政府敗給中國共產黨的關鍵因素，當時負責軍政的陳誠，也因此而頗為世論所責備。這項檢討未盡正確，但可能會給繼起的中共政權某種警惕心理。

　　自鄧小平開始的裁軍政策，應該說主要係在促進軍隊的現代化，雖則在著名的「四個現代化」當中，軍事現代化是最後一個。同時，到了一九八〇年代初期，軍事支出大量刪減，軍資採購量甚至退到十年前一九七〇年代初期的水平，當時或許不無節流以精兵的用意（但一九九〇年代，國防預算則又大幅成長）。一九九一年美國在中東所打的波斯灣戰爭，據說對北京的軍事思考極具震撼效用，不僅是軍方的高層人員，連最上層的黨政領導，也警覺到人民解放軍距離現代化的戰爭是相當遠的。此所以自一九九二年十月中共十四大以後，江澤

民便不時宣揚他的治軍論點，指出兩個必須實行的根本改變，一是在戰備上必須有打勝現代科技電子戰的能力，二是軍隊在構成上必須由重量變為重質，由勞力密集走向科技優先。這當然是對「人多好辦事」、「人海戰術」的一大顛覆。就此而言，澳大利亞大學的戰略學者保羅‧迪伯認為，江澤民希望藉裁減兵員使國防經費移用到武器裝備之現代化計劃，以縮小中共與西方、日本等在軍備質量方面的差距。此一觀察應該是有依據的。

同樣無法忽視的則是：伴隨著軍事現代化以俱來的軍隊商業化的現象或問題，西方學界有人稱之為「市場化」。依索羅門‧卡梅爾的分析（此人曾任教於中共外交部所屬外交學院），中共目前的領導階層，與軍方之間欠缺直接而深厚的淵源，在上臺之初，面對著國防預算的緊張，以及軍方重要性的下降，為使軍方忠心，且安撫可能出現的不滿情緒，等於變相鼓勵軍方去經商。早在一九八四年，鑑於兵工廠多數設備均有低度運用的情況，北京曾下令把這些閒置的設備，用之於生產民間工業機械和消費者商品。隨著國內及外銷市場的擴大，生產製造民用商品遂變成優先急務，交通工具、鐵路、港口、機場等開放給民間企業使用，甚至把閒散的營房倉庫出租給民間機構，以軍用卡車運送商品到市場，也就見怪不怪了。軍方擁有的生產設備，用之於製造民用商品的百分比逐年上升：一九七九年時約百分之八至十，到了一九八七年已達百分之五十，九〇年達百分之六十二，九二年稍增至百分之六十五，到了一九九四年已高達百分之八十。

據估計（軍方資料往往不公開，只能粗估），由人民解放軍、國防部和相關國防機構所經營的大大小小的企業，約在一萬五千至兩萬家，任何行業幾皆包括在內。單就企業單位的數目和雇用人員而言，已可算是規模龐大的企業體了，從電子工廠到零售店，五花八門。同時，營業範圍國際化，有些因為涉及武器售賣，而為西方媒體大加報

導，例如北方工業公司所屬保利科技，因把兩千枝AK47步槍賣入美國，一時成為熱門新聞。國際化的另一面則是與外資合作，到一九九四年，軍方所屬外資合作公司至少在三百家以上。卡梅爾依中方資料推算，軍方所屬企業集團之總利潤和繳稅額，在一九九六年，已超過六百億人民幣（美金六十億），此一金額很可能已超過官方公佈的軍事預算。

在中國近代史上，軍方經營兵工廠者迭有其例：張作霖、張學良父子掌控東北時，瀋陽兵工廠極富盛名；國民政府轄下也有不少兵工廠，退到臺灣時依然如此，但都以生產軍用品為主，絕少涉足消費者商品。像今天中國大陸這種情況，恐怕全球各國皆無其例，至少規模不至於如此龐大。然而，要問的是：軍隊企業化、商業化以後，會有怎麼樣的後果？首先，軍人未必是優秀的企業經營者；其次，軍方商業化深化以後，畢竟難以完全避免軍方利益與國家利益衝突之情況。何況，隨商業化而產生的腐化，將對軍隊產生何種影響？（目前已有軍種內的政委高階將軍涉刑案被扣押的實例）李登輝總統曾諷刺過：做生意的部隊，能打仗嗎？李氏講話常有驚人之語，但這卻是終極的問題。抗戰期間，胡宗南主持西北軍事，經費極為困窘，幕僚建議籌設西北墾殖銀行，胡表示用意雖佳，但卻反問：「如果當軍人亦要辦起銀行來，如何還能專心一致去打仗呢？」如今看來，或許胡宗南代表的是早已落伍的觀念。

將軍共經理一色，鈔票與子彈齊飛。這是中國大陸的新氣象嗎？個人並無答案，只是好奇而已。

——《美中新聞》，一九九七年十月三日

站在歷史的錯誤一邊

重大的新聞事件，往往會有某一句話或某些小節，特別突出而令人難忘，日後人們回思，立即於心頭湧起這一句話或畫面，成為此次事件之「眼」。以此相求，那麼中共國家主席江澤民自十月廿六至十一月二日訪問美國八天，在忙碌而多彩多姿的種種活動之中，最令人印象深刻的可能是：

首先，十月廿九日下午柯林頓與江澤民在白宮舉行高峰會議後，於白宮的新聞記者會上，柯林頓總統當場反駁江澤民主席的觀點，嚴肅地表示，就六四天安門事件而言，中共當局所採取的政策，乃是「站在歷史的錯誤一邊。」（《芝加哥論壇報》次日第一版的報導，就用這句話做標題）

其次，江澤民在十一月一日赴哈佛大學發表演講，於回答最後一個問題時（總共只有三個問題），發揮了江個人的機智，贏得甚多的掌聲。江表示雖然自己高齡七十一，但耳朵還很尖銳，演講之際聽得到外頭高音喇叭的聲音（指示威遊行），但唯一的辦法就是：「我的聲音比他們還要高。」

江澤民今次訪美，政治上的重頭戲自然是柯江高峰會議，從公開發佈的聯合聲明看，中共與美國各有所需，也各有不同程度的斬獲，某些方面相互間並且簽有具體的承諾和實施辦法，雖則在人權、臺灣等方面，彼此仍存有基本立場的歧異，但雙方均強調溝通的重要性，俾減少不必要的衝突及緊張情勢的發生。兩個大國往來，磨擦總是難免，如何建立管理的機制，即使是最最初步的協商也好，本著與人為善的精神，畢竟聊勝於無，《華爾街日報》十月卅一日社論便認為江

這次訪美,可視為兩國間的「進步」。即使退一步講,柯江高峰會議雖沒有多少了不起的成就,但大家也不擔心,畢竟還是值得推許。

當然,江澤民還有樹立國際公共關係的用心。在這方面,江的表現雖然不是公關高手,但也沒有重大的失誤,成績可評為中上。江澤民談話的語調神態,平心而論,大都相當自信且得體。某些場合比較尷尬,如十月卅日與大約五十名國會議員早餐,攝影記者現場拍團體照時,議員們似乎都不想熱呼呼地貼近江主席照相,此時江的神態尚屬大方自若。江的某些動作,或許因為年紀的關係,當然顯得有點滯重,不夠靈動,但從中國人的角度看,也可能覺得從容不迫或雍容大度,比起蘇聯赫魯雪夫的毛躁易怒,火候還是深厚些。江澤民不是那種咄咄逼人、極富感召煽動力的領袖(插一句話,這樣的領袖往往非國家社會之福),但一個比較「正常」的社會,卻寧可見到類似江這樣的首腦人物。美國頗具聲望的中國通Merle Goldman女教授認為江氏「表現不賴。他比我原先想像的更少官僚氣,也較少自以為被圍剿的心理。遭逢示威時,並未失態。」

倒是江澤民為中共政權辯護時,他所提出的理路並不很堅強,不易取信於具備獨立思考能力的美方人士。他經常以歷史背景不同、國情不同、中國人的價值觀不同,以此為理由,一方面為北京的政策說項,一方面用以抵擋來自各方的批評與要求(雖以西方和美國為主,然而中國大陸提倡民主的異議人士——不論在國內或流亡海外,更應包括在內),但這種說法很難說服人家,包柏漪女士(其夫溫斯敦‧羅德曾任美國駐中共大使)便使用簡單的比喻駁斥過:中國人吃飯用筷子,美國人用餐使刀叉,但吃東西講求營養可並無二致。此地不妨再多加申論,事實上人類文明的價值觀並沒有太大的不同,豈可拿穿著、工具、風習的不同,而隨便予抹殺或否定?如果我們引述中國兩千多年前亞聖孟子的話:「殺一不辜而得天下,不為也」,質之於北京

政權下令以坦克槍砲對付八九年春夏之交天安門示威的學生，又當怎麼說？孟子的價值觀難道是非中國的嗎？

其次最常被用到的說法，則是一再強調中國大陸的安全與穩定，認為大陸有今天的成就，非有安定不為功。看到一向強調革命的共產政權，口口聲聲安定繁榮，真是叫人感慨繫之。當年國民政府歷經艱難困苦，才取得對日戰爭的勝利（有些人稱之為「慘勝」），元氣大傷，最需要的就是喘口氣好好的休養生息，那時整個中國更需要安定。如果當時中國共產黨領袖具有今天江澤民同樣的認識，那麼以後卅年，中國人遭遇的苦難會如此慘烈嗎？何況，若把安定視為一切價值之本，坦白講，則世界上所有的共產革命均應加以取締禁止才是！當然，真正的安定根本有別於共產體制的「一切置於控制之下」，這是寂滅，人的生路越來越狹；真正的安定是在歧異中展現各自的生機——亦即自由，展現生機有所衝突爭議時，則依一套眾人大致認可的規則來管理——此即法治，而容許並保障自由與法治的架構就是民主。安定，似應依前述的理解才符真義。

嚴格講，整個共產體制就是「站在歷史的錯誤一邊」，非僅是某些政策措施而已。中共政權成立後的卅年，其加諸民族的苦難，歷歷在目，豈可或忘！一九七八年起採取改革開放的政策，其實，就是矯枉以求正，在這個重要的關鍵時代，實在不該再有「我的聲音比他們還要高」的心態，江主席，您想壓制「歷史的正確一邊」嗎？

——《美中新聞》，一九九七年十一月七日

「國家」太多了！

　　改革開放以來，中國大陸的最主要變化，應該說是使整個社會益趨「正常化」。在這個總方向之下，中共政權採行的政策措施，有些是順乎潮流的，值得肯定。

　　鄧小平在一九八五年裁兵一百萬，去年（一九九七）九月，江澤民在中國共產黨第十五次全國代表大會上，於政治報告中明言三年內裁軍五十萬，雖則實際上中共的國防預算最近幾年大幅增加，不過其重點似乎在致力提高軍隊的現代化。北京一向秉持毛澤東「槍桿子出政權」的觀念，毛去世後在這方面終於有所不同，變化可謂直指核心。至於結構性的調整，當以三月初召開的第九屆全國人民代表大會，其所審議的國務院機構改革方案最具關鍵性。此次改革，牽涉甚多，而且會影響不少人的政經利益，但是中國大陸非邁向一個現代化的社會不可，否則不僅前途有限，而且可能難以持續經營下去，就此而言，機構改革實為必經之痛。

　　其實，機構改革固然是出於功能上的考量，但實際上也已非如此不可。香港親中共的《大公報》，今年二月曾經報導，大陸的機構臃腫和人員膨脹，業已到達極限，再不加節制的發展下去，甚至可能拖垮中共政權的財政。該報指出，截至一九九六年底，中共財政供養的人數高達三千六百七十萬人，比一九七八年增長百分之八十二點三，遠高過同一時期大陸總人口的成長幅度。財政供養人口佔總人口的比例，一九七八年時為百分之二點一，一九九六年則升為百分之三。換句話說，七十三年代末，平均五十人供養一名「吃皇糧的人」，現在則是卅人供養一名「皇糧」。這個比例，近乎世界第一，但就像中共

政權的許多世界第一一樣，諸如吸菸人口為全球最高，文盲數目居世界最多，處死人數佔全世界百分之六十以上，這一類第一，都是不健康的。

依各華文媒體的報導，國務院機構改革方案，於三月六日由李鵬總理提出，交由國務院秘書長羅幹向九屆人大提出報告。國務院的整體結構，經過刪削（正式報告稱「擬不再保留」，計有十五個部和委員會，大部分為事業性質者）、合併或新加組建等程序，改革之後的國務院，除了辦公廳外，將有廿九個部委行署。茲將其列名如下：外交部、國防部、國家經濟貿易委員會、國家民族事務委員會、公安部、國家安全部、監察部、民政部、司法部、財政部、人事部、建設部、鐵道部、交通部、水利部、農業部、對外貿易經濟合作部、衛生部、文化部、國家計劃生育委員會、中國人民銀行、審計署、國防科學技術工業委員會、勞動和社會保障部、國土資源部、信息產業部、國家發展計劃委員會、教育部、國家科學技術部。

此地所以不憚其煩地一一予以列出，主要是因為中國大陸廣土眾民，政務繁多，大多數人對中共政權中央政府的組織結構不甚熟悉，對它的業務分工似可藉此略知梗概。這次改革方案，還有一點值得一提，亦即把原有的國家體育運動委員會，改成非政府機構，定名為中華全國體育總會，個人認為有其意義。相形之下，在臺灣的國民政府去年新設體育委員會，成立後與中華民國奧林匹克委員會，教育部體育司之間，糾紛不斷，實在有點像是開倒車的落後之舉。對外界的人而言，或許不無好奇，有了公安部，又添一個國家安全部；建設部職司為何？鐵道部不能納入交通部之下嗎？水利部與農業部能否合併？個人因對中共政權的部委組織不具備專業知識，無法從事這方面的分析，頂多跟一般人相同，並不很瞭解，但基本上又認為其間也許總有點道理在。

　　不過，就在一一列出部委行署的名稱時，卻產生了一個相當強烈的印象，那就是中共國務院的一級組織中，冠以「國家」為名者，遠比其他國家為多，即使是改革以後，除了國防部（各國大都稱為國家防衛部，簡稱國防部）外，還有六個部委組織以「國家」起頭。其實，刪掉「國家」二字，與其執掌業務無損，舉例而言，國家經濟貿易委員會逕稱之為「經濟貿易發展委員會」，又有何妨？當然，這是不經意間透露了根本的政治價值觀，也就是高度強調「國家」的意義及重要性，相對而言，個人的地位與價值便有被貶低的傾向。這種現象，中華民國政府自大陸撤退到臺灣，有相當長的一段時間，同樣顯露了重國家輕個人的基本價值觀。少年時代，曾經比較過國民政府、中共政權（當時自然是透過收音機偷聽）、美國方面領袖人物的重要演講和文告的開場白，中共是「我黨、我軍、我全國各族人民」，臺灣為「全國軍民同胞們」，美國最簡單「同胞們」（My Fellow Americans），真是具體而微地象徵了三地基本體制的差別。

　　修讀夏道平先生講授的經濟學時（早年《自由中國》雜誌社時代，夏先生係最主要的一隻健筆，另一位是大名鼎鼎的殷海光），他說過一個含義深遠的笑話：於星期日，身著戎裝的軍人到臺北西門町看電影，售票口大排長龍，這名軍人口稱「軍人代表國家」，竟逕行插隊，引起他人不滿，於是召來憲兵，那位軍人遙遙望見憲兵，立即開溜，等憲兵來到，早無這位不守法的軍人蹤跡，旁邊有人說：啊，「國家不見了！」

　　　　　　　　　　　　──《美中新聞》，一九九八年三月十三日

誠實地對待過去

　　「六四」天安門事件十週年的各種紀念活動，目前大體已告一個段落。隨著時間的推移、中外情勢的遷化，不同地區的紀念有冷有熱，像香港維多利亞公園的大規模活動，當然令人肅然起敬，有些地方則稍嫌冷清，使人不無感慨，但也不必太過失望。不過，某些比較異色的現象，則是值得深入一談的。

　　任何重大的歷史事件，見仁見智的觀點自係無從避免。針對涉身其間的主要角色，檢討其功過得失，也是常見之舉，換句話說，無論是對事或對人，大家都有批評的權利，這點是首先必須釐清的。應該重視的，無寧是這些批評是否言之有據，在道理上站不站得住。

　　最近，由於北約聯軍誤炸中共南斯拉夫大使館，引發中國大陸及海外留學生的抗議示威，民族主義的情愫高漲，遂使華人社群產生一種看法，認為中國的人心業已轉向，從八十年代的親西方，變成今天的反西方，學生也從反抗中共政權轉為積極擁護中共。民主、自由、人權過時了，青年人關心的是學業、前途和收入。普林斯頓大學的余英時教授，於六月五日的《世界日報》為文剖析這個目前流行的說法。余教授舉出一個絕對性的原則，用以檢驗這次的示威遊行，指出它絕非自動自發的群眾集體抗議活動，近代史上，凡以擁護政權為目標的學生運動或群眾運動，無一不是由政府或黨在後面操縱的結果。文中還指斥了發「六四」財、發「六四」跡（許多人因天安門事件而取得美國居留權）的人，搖身一變為「民族主義者」，甚至苛責「六四」天安門事件的學生領袖。在他看來，民族主義並未取代民主訴求。

　　其實，個人最不以為然的，正就是目前有些批評不敢或不願指斥

中共政權，反而倒轉過來痛責學生方面，甚至以煽情的方式質問這些學生領袖有什麼資格紀念「六四」十週年。最近本地華文社區報紙轉載的「柴玲、吾爾開希、李錄：你們有什麼資格紀念六四十週年」，就是一個實例。筆者一向不喜歡動輒套用「陰謀論」，在沒有充足的證據支持下，雅不願隨便認為這是出於官方的陰謀。何況，民運人士彼此之間屢有「內訌」的現象。對於學生領袖，更不必把他們理想化，人性的弱點他們一樣會有，群眾運動的一些非理性層面，在天安門的長時間示威抗議過程中照樣出現，復又因為其自發性，反而更難預測與控制。最後的悲慘結局，這些身居運動要角的學生，只要具備基本的人性，恐怕在道義上終生都會帶有某種內疚。

但是事實俱在，怎可把責任推給學生呢？用坦克槍炮殺人的是學生嗎？這些學生領袖若無資格紀念「六四」天安門事件，那麼誰才有資格呢？北京中南海的高官們嗎？如果他們才有資格，為什麼每年一到六月四日前，北京不去張燈結綵大事紀念，反而老是如臨大敵，戒備管制唯恐不周呢？請大家不要忘了，從東漢以來的中國學生運動，包括近代史上風起雲湧的多起抗議示威，論起結局的慘烈，被殺人數之多，實以天安門事件為冠。捷克現任總統哈維爾，本身是著名的劇作家，長年從事反抗共產極權專政而入獄，針對天安門事件十週年，於六月二日發表談話稱：「對世界任何一個地方，為維持人類尊嚴，渴望追求自由而奮鬥的人，我與他們團結一致。我希望能盡一個地球人基本的責任。」一個「地球人」都有這樣的情懷，更何況是中國人呢？除非有人連地球人都不想當或當不上。

不容否認，經過天安門事件血的教訓，過去十年來的中共政權，也在實際上採行了一些改革政策，六月二日的《華爾街日報》報導曾提到，當年學生的訴求大體已獲得初步的實現。不管這是迫於形勢不得不採取這些政策，或是為了強化政權的合法性，但這些事後的實

效，頂多只能說當時的犧牲至少促成了一些具體成果，血沒白流，還有點代價。有些幫腔客以為，如今中國大陸的發展實況，正足以說明當年的鎮壓是對的，安定高於一切，這種冷血的觀點，最令人不恥。誠如事後被關多年的前趙紫陽秘書鮑彤所反問的：如果當年血腥的殘暴政策是對的、正確的，那麼是不是還要再來一次呢？甚至可以進一步反諷：既然那麼正確，而且有助於大陸的發展，多來幾次豈不更容易翻兩翻？

《紐約客雙週刊》最近刊有〈天安門公司〉長文（見五月卅一日頁四十五～五十二，作者Ian Baruma），標題雖然帶點諷刺味，但內容卻是相當嚴肅的。文中談及學生領袖逃亡國外後的轉變，主要評述他們受資本主義社會的影響，也談到老一輩的大陸異議份子，兼及兩代間的歧異。結尾提到：「中國的真正悲劇，乃是那個不是選舉產生的政府，透過脅迫手段，使得一群本來應該屬於同一邊的人對立起來。」又說中國大陸目前尚無協同一致的政治運動，「唯有當各種勢力匯合起來，當來自底層的壓力找到最上層改革者的支持時，才能取得政治的自由。」或許中國大陸的現實可能是如此，至少作者的觀點不無參考價值。

《經濟學人》週刊（六月五日～十一日，頁四十一～四十二）云：「自從一九八九年六月四日的血腥鎮壓以來，中國及其政府已有較好的巨大改變。但是只有這個國家業已誠實地對待其過去，它才能堂堂正正地面向未來。」中共政權勉乎哉。

——《美中新聞》，一九九六年六月十一日

通緝中共政權

　　在美國與中共的關係因北京駐南斯拉夫大使館被誤炸，從而使原已緊張的關係更趨複雜；在李登輝總統應「德國之聲」的訪問，提出臺灣與中國大陸為「特殊的國與國關係」，造成全世界的關切；在目前中共政權面臨大陸經濟有走向通貨緊縮之虞，國際債信評比被下降；就新聞價值言，雖然使館被炸和李氏說法遠較引人注目，但就局勢的險峻與切身而論，事實上通貨緊縮才是最重要的，然而各界似乎都未能給予應有的重視。在這種背景下，北京當局現在卻以打壓法輪功，當作是頭等的革命任務。以一國而敵一人的場面，再度出現。

　　自從四月廿五日法輪功信眾萬人「包圍」中南海以還，中共當局對法輪功創始人李洪志與其社團，動作連連，國際媒體亦紛紛予以報導。七月最後一個星期，美國廣播公司「夜線」節目主持人泰德‧卡波爾，曾經為此專訪法輪功在美國的發言人，以及中共駐美大使館劉曉明公使，個人收看以後，對兩人的表現評價不高。法輪功發言人一再規避問題的態度，尤其針對信眾患病可否送醫院治療一節，竟然必須主持人三番兩次逼問，方肯作答，徒然增加全美觀眾的疑慮，無助於法輪功的正面形象。中共政權的公使在回答時的「鴨霸」作風，著實叫人難以苟同，主持人問起法輪功發言人願意與他辯論，何以他卻嚴加拒絕？他的答覆是法輪功為非法組織，他不願與非法組織同臺！這種解釋似已成為中共駐外代表人員的一貫公式，這類說法完全不具絲毫說服力，奉勸北京駐外人員設法改用比較合宜的方式，否則一定事倍功半。

　　為求慎重起見，同時也可以增廣個人的見聞，最近細讀了李洪志

的《轉法輪》與《法輪佛法‧精進要旨》兩本書，後者實係「語錄」，在李君的十餘本著作中，也算是淺嚐一番。筆者素無宗教慧根，而且智障重重，更無實修經驗，而宗教性的體悟，往往得從身體力行的修練，才能得其三昧。對「信就有」者而言，個人的感想不僅是「常人」之見，恐怕更是「門外漢」的身分標記。李君書中矛盾之處不少，比如他強調自己的「法」等同於創新，但又再三告誡徒眾不可稍改細節。李君尤其重視「法輪」大法至小無內、至大無外。而個人多年來所受的訓練──當然也是一種限制，則對這種無所不包的「體系」，一向保持戒心，不管它是哲學理論、政治學說還是宗教信仰體系，其中又以政治學說的危險性最高。

《轉法輪》書中不時提及「修在自己，功在師父」，在現實上有可能形成教主崇拜，似與正信佛教略有不同。其實，李君的著作充滿宗教味道，當然也就免不了對「不可知」的部分多所申言，奇蹟敘述本來是宗教典籍必有的內容，基督教《聖經》中許多耶穌治病的故事，以及以幾條魚幾片餅餵飽五千人等等，皆屬此類。辯論神蹟的有無、是否合乎邏輯、在實際上可否發生，勢將成為永無止境且互相無法說服的操演。然而，即使是持反對意見的人，也應該和必須有這麼一個基本的立場，這也是法國先哲伏爾泰的見解：我反對你的意見，但誓死也要維護你表達意見的權利。

非常不幸地，於就要邁入廿一世紀的今天，中共政權的作法依然根本無視於前述這一普遍原則。七月廿二日，中共民政部認定法輪大法研究會及法輪功團體為「非法組織」，隨後便傾全國宣傳機構之力，有組織地攻擊這一所謂「非法組織」，同時又動員治安機關逮捕法輪功的成員。鋪天蓋地，令人歎為觀止。接著，又於七月廿九日由公安部發佈通緝令，並透過國際刑警組織向各國發出國際協查通報，全國緝拿李洪志。非僅此也，中共駐外大使館也向駐在國司法機構，提出

同類的要求。顯然，這乃是「禁一整個人」的再版，即把某人視同「罪犯」或「敵人」以後，任何與該人有關的一切，均在禁制打擊之列，包括他的著作和所有與他有關係的人。

中共公安部指出：法輪大法研究會未依法登記，進行非法活動，宣揚迷信邪說，破壞社會穩定。最嚴重的指控則是指其致人傷殘及死亡。依公安部的說法，截至七月廿八日止，全中國大陸卅個省市區，初步統計因練法輪功致死者已達七百四十三人云云。簡直是把李洪志視為殺人犯，把法輪功社團視為殺人組織。

中共政權採取「群眾動員」的方式，當然是他們的拿手絕活，但招式用老以後，很容易被人看出破綻。《世界日報》八月二日社論便指出：中共譴責李君更改生日，竟特別找到四十多年前為李接生的老婆婆來作證，這位接生婆已八旬高齡，依常理推斷，接生婆一生處理過的新生嬰兒，當以百千計。一個人活到八十歲，竟然能清清楚楚地記得李家這名嬰孩的出生日期為何年何月何日，這樣超強的記憶力，近乎特異功能，如何能令人相信？這正是「一言堂」作風過分發揮，自曝其短的例證。

個人最不以為然的，則是「致死說」。且不提在法理上站不站得住腳，其實依中共官方的邏輯，大家自然不免想到，中共建政以來，特別是前卅年，中國大陸民眾由於非自然因素而死亡者，最保守的估計為三千萬，大陸社會科學院的估計甚至高達八千萬，這樣的共產「邪說」與組織，你說，該不該予以通緝？

——《美中新聞》，一九九九年八月六日

何時才能擺脫流氓治國的陰魂？
── 由《超限戰》一書面世談起

　　自多方角度來觀察，毛澤東實在是典型的中國式「流氓知識份子」。這不是厚誣「領袖」，更不是個人的創見，著名的歷史學家如余英時教授等，早已指出這點。毛澤東作為一名政治行動人物，其超常的吸引力，以此；然而不幸地，他加諸中共政權的思維慣性，進而給神州大陸帶來的種種苦難，亦以此。

　　一九七六年九月毛澤東去世。不久之後，四人幫跨臺，鄧小平重出當權，「流氓治國」的作風才告一個段落。在這之前，不論是中國共產黨創立以後的領導權之爭，或毛澤東的崛起，或是中華人民共和國建政以後的主要權力鬥爭，幾乎可以歸納成一個公式，即具有流氓氣者才是當時的勝利者。創黨初期的知識分子如陳獨秀、瞿秋白，下場淒涼；北京大學出身的張國燾，是中共發起人之一，統率第四方面軍（毛則統率第一方面軍），曾任「中華蘇維埃共和國」副主席，陝甘寧邊區政府主席，一九三六年與毛澤東於陝北會合後，在權力鬥爭中慘敗下來，終至於一九三八年四月脫離延安；留學俄國的王明（陳紹禹）、張聞天等人，無不在權力競技場中敗下陣來，沉寂一生；建政以後，中共歷經多次政治鬥爭，當以文化大革命最慘烈，劉少奇居國家主席之尊，卻橫遭慘死，著有《共產黨員的修養》的劉少奇，與毛及四人幫相比，誰像流氓，判然分明。像周恩來這型的中共領導人，雖說頗有見識而且練達，因缺流氓氣，總是無法登上權力頂峰，只能以「陪臣」終老。

　　幸好自鄧小平而後，江澤民、朱鎔基一輩的中共領導人物，無論

是出身背景、工作歷練、行事風格，均已不再含帶流氓氣，這實在是中國大陸廣大民眾的福氣。然而，毛澤東所留下來的「流氓治國」、「流氓治軍」等流風餘韻，卻彷彿不散的陰魂，揮之不去！特別每當北京政權遭遇國內和國際危機時，所謂保守勢力或軍方強硬派，就好像是這一陰魂的再現，逼得代表改革開放的主流意見，不能不向它靠近，暫求自保，胡耀邦和趙紫陽則連自保亦不可得。目前的江、朱等人，尚無鄧小平的威望，改革開放的大業，出現進兩步退一步的現象，也就不足為奇了。

近來頗受中、外重視的《超限戰》一書，就是具體實例。此書作者兩人，均為中共現役軍人，軍階都是大校（上校），喬良係中共空軍政治部創作室副主任，王湘穗供職於廣州軍區政治部。依《華盛頓郵報》八月八日北京電，這兩名上校曾於一九九六年派赴福建，參加對臺灣的飛彈試射，招來美國派遣兩個航空母艦戰鬥群航近臺灣海峽，使他們深受刺激。《郵報》分析稱這部著作的重要之處，在於凸顯中共人民解放軍對本身國力與中共全球戰略地位——特別是對抗美國方的能力——至表憂慮。書中提出的關鍵問題是：中國處於相對弱勢，如何對抗美國這種強國？如何修正共軍的現代化計劃，充分運用國防經費？如果臺灣海峽發生戰事，怎樣確保美國不會貿然派軍介入？

大家都知道，一九九一年美國主導波斯灣戰爭，以現代電子科技戰術對付伊拉克之侵佔科威特，曾經引起中共軍方的思想震盪，亟思積極推行軍事現代化。《超限戰》的出現，可算是這一理路下的非傳統思考。臺灣方面有學者認為，該書企圖建立新型戰術主軸，以適應九〇年代過渡到下一世紀的作戰格局。作者意圖破除「有限度的戰爭」的迷思，抽離傳統戰術的框架，對傳統思維進行顛覆的工作。並進一步點出《超限戰》的用兵格式，有意迴避既有戰力的整合運用，而專注於「精英戰」的形式，打最符經濟效益的戰法（見《中央日報・國

際版》八月十三日第六版廖天威文）。

　　不過，「超限戰」之引起注意，且在國外頗受物議，基本上還不在書中陳述的廿四種戰法，而在於公然主張採取諸如恐怖主義、販毒、散布電腦病毒、破壞環境等手段。作者之一的王君表示：中國是弱，有必要照強國所訂的規矩打嗎？用那些規矩，弱國便毫無勝利的機會，唯有採取非傳統的手段，才有贏的可能。另一位作者喬君，不久前接受《中國青年報》訪問，悍然明言：南斯拉夫遭北約攻擊時，南國總統米洛謝維契應當派遣恐怖小組潛入義大利，攻擊北約基地，另派恐怖小組攻擊德國、法國人口稠密的地區。其實，一言以蔽之，《超限戰》的根本精神就是「無所不用其極」，為求勝利，不計任何手段。

　　誠如《世界日報》八月十二日社論所分析的，《超限戰》一書傳達的乃是一種「流氓治國」和「流氓治軍」的無賴邏輯。社論認為，作者身為高階軍官，公開鼓吹實行恐怖主義、販毒等令人非議的極端手段，向來嚴格控制言論出版的中共政權，也對此書大開綠燈，導致該書在軍隊和民間熱銷，其傳遞出來的信息具備了不可忽視的嚴重性。社論結尾云：「所謂超限戰，其理論無疑是瘋狂囈語，而其主張的手段顯然成事不足，敗事有餘。我們認為中共軍方應將作者除役，以正國際視聽。」

　　個人對「除役」一節有所保留，反而是希望大陸各界以此為例，盡力爭取出版與言論自由。同時，更有不忍不言者，則是個人認為中共軍方自卑又自大的情結，才是癥結所在。一方面驕狂自大到以為隨時可與美、俄大戰，而且必勝，小小臺灣何足道哉？另一方面卻又自卑到像《超限戰》表露的那一種思路，唯有走投無路的人，才會妄想要「無所不用其極」，孤注一擲！循超限戰的邏輯，亞洲除了日本外，其他國家相對於中共軍力無一不是弱國，他們應該派員到上海、北京等人多的地方遂行恐怖主義嗎？

不守規矩是成不了拳擊冠軍的，只會淪為小流氓打群架。中國，要什麼時候才能真正擺脫「流氓治國」的陰魂？

——《美中新聞》，一九九九年八月廿七日

慶祝什麼？

今年（一九九九）十月一日，係中共建政五十週年。北京為了這個日子，大興土木，塵土飛揚，以使市容更加美觀，當然也免不了要把有礙觀瞻的遊民等，趕離市區。有關盛大遊行、軍力展示的消息，更是不斷見諸報導。海外地區，中共駐外單位亦卯足全力，動員親共社團籌辦有關活動。

不過，異議人士中國民主黨、中國自由黨的成員，於八月間發表〈致江澤民的一封信〉，闢頭就說：「中華人民共和國成立五十年了，貴黨準備大事慶祝一番。我們這批人在貴黨統治下生活了幾十年，思索良久，實在想不到有什麼可以慶祝的道理。五十年了，中國還是那麼一個貧窮落後的國家。而日本，由一個戰敗國成了全球的一個經濟大國。南韓、中華民國、新加坡等國在政治、經濟上也都有了長足的進步。五十年了，貴黨在中國大陸這片土地又做了些什麼？」大哉此問。筆者從未生活在中共統治之下，卻一向認為中共十月一日可以紀念，但談到慶祝，要慶祝些什麼呢？

當然，一九四九年十月一日中共政權的成立，自屬歷史上的一件大事。依芝加哥大學歷史學教授布魯斯・康明思的看法，當年八月廿九日蘇聯首次舉行原子試爆，和十月一日毛澤東在天安門宣佈中華人民共和國的成立，乃是「震動世界」的大事。但他又指出，當年中共固然震動世界，但自英國遣使向大清皇朝要求通商以來，過去的兩百年，世界也震動著中國。康明思分析稱，革命五十年後，中共的兩大原則，一是與外在世界的經濟互動，一是頑固的民族主義，這兩個原則迄今仍然互有矛盾。

　　西方傳媒也很重視中共建政五十週年，《新聞週刊》最近一期的國際版，即以這個主題為封面故事。當然，談到分析的深入，恐怕還得求諸於學術界。再於九月八日應芝加哥外交協會之邀，前來此間發表公開演講的哈佛大學歷史學教授柯偉林，即早於本年元月發表論文，後收入六月份《哈佛亞洲季刊》。文中指出，研究中共歷史的學者與中國大陸的史學家一致認為（筆者對「一致」有保留，尤其是大陸史學家勢難如此明目張膽），中共革命的結果「慘敗」，這場革命是「基於對中國的經濟、政治與在廿世紀前五十年所處國際地位的錯誤假設所造成的災難。」。

　　柯偉林從經濟、政治及外交關係三方面，針對「新中國」與共產革命之前的時代加以比較研究。其中有些論點的確值得國人注意。目前中共總喜歡自誇改革開放廿年來，經濟成長如何可觀，但柯偉林根據資料發現，事實上一九一○、二○、三○年代，中國即已出現高度的經濟成長，他認為這可視之為中國資本主義的第一個黃金時期。其實，就個人所知，前紐約聖若望大學副校長，已故薛光前教授，早於六○年代，便約集各方學者探討一九二七至一九三七年間，中國經濟發展極為可觀，乃是國民政府時代的十年黃金時期，後來中國得以持續八年對抗日本強權，實係這段時期打下了一些基礎。柯偉林又提到，五○年代中共重工業成長顯著，「無論策略規劃或細部作業，中共第一個五年計劃大部分項目早就在國民政府的規劃之中。」資料是會說話的。

　　「中國人民站起來了」，這是毛澤東在天安門上雄偉的宣言，但若以為中共政權成立以後，才成功地捍衛中國的主權，照柯偉林看，這根本是誤解。實際上，中共政權承繼了一個已經擁有主權的國家，「而其前身（指中華民國）曾經相當成功和很有技巧地捍衛領土，而且常常是在很弱勢的地位這麼做。若非如此，中華人民共和國又如何承繼

幾乎是清朝原封不動的版圖？」讀到一位外國的歷史學家，勇於還原歷史的公道，真是叫人感慨無限。

中共政權喜歡醜化國民政府，但不容否認的，中共建政以後的絕大多數災難，只能歸咎於自己的無知、狂妄與蠻橫。國民黨在大陸主政時，許多體制、法令業已相當現代化，中共建政以後，立刻隨便把大多數制度推翻，尤其法令規章方面，竟然長期處於近乎「無法」狀態，這豈是進步？一九七九年改革開放以後，遂嚴重面臨無法可依、無法可管的狀態，近年法制的建立才漸受重視，損失了幾十年的光陰，何處去覓彌補？

來自臺灣的人，多年來耳聞目睹中共對中華民國在外交場合的無所不用其極的打壓，難免對北京的外交實力與手段印象深刻。但筆者的觀察則略有不同。的確，中共是聯合國安全理事會的常任理事國，全世界絕大多數國家與北京有外交關係，但從宏觀的角度言，中共卻也是主要大國中最孤立的一個，全球任何角落有國際爭端發生，很少有人會主動想尋求中共的協助，何以如此？北京當局在指責他人為「麻煩製造者」之際，允宜深思之。

過去廿年，中共改革開放的「成就」，引來各界的重視。但中共政權的極權本質改變不多。《芝加哥論壇報》駐北京特派員麗茲・史萊，在一篇論文中觀察到，「中共依然是一個警察國家，最終需靠武力以保證其公民的效忠，這點使它內在地具有不安定性質。這不是意謂共產黨明天就會垮臺，那幾乎肯定不會發生。關鍵在於中共是一個極權政體，無從預知其所作所為。」她還點出，「在一黨制的國家，黨若腐化，則整個國家便爛掉了。」而真正的問題在於：「黨可以利用警察來逮捕政治反對派，但誰來充當對付黨的警察呢？」

親中共的社團在舉辦遊行之餘，請自我反省下：要慶祝什麼呢？何妨聽取《芝加哥論壇報》七月廿八日社論的忠告：「遊行之得以成

事，因為這是美國，這個國家保障各種政治觀點。誠然，這一遊行應該是一個良好的機會，用以慶祝美國的言論自由。臺灣茁長的民主以及中國大陸日益滋長的感受──他們不必忍受自己政府的壓制。九月廿六日該當是遊行吉日。」

按：九月廿六日，芝區親共社團以慶祝中華文化為名實則慶祝中共國慶而舉辦遊行。

——《美中新聞》，一九九九年九月十七日

代表中共向全人類致歉

　　這是本乎悲憤之情，討伐中共政權無恥行徑的一篇檄文。這樣的「一個中國」，已經荒謬到違逆基本人性。

　　九月廿一日凌晨一時四十七分，南投縣集集鎮地表下一公里處，發生嚴重地層斷裂，造成七點六級的大地震（國外大都列為七點六級，臺灣中央氣象局列為七點三級，美國方面後來修正為七點七級），這是撼動全臺灣的百年大災變，損失慘重。死亡人數約二千一百人，受傷者超過八千六百人，道路斷裂之處甚多，坍方隨地可見，水庫被破壞，酒廠失火全燬，房屋全倒計六千八百餘棟，半倒五千七百多棟，臺灣科技重鎮新竹科學工業園區停電停產近一星期，波及全球電腦產品的價格。消息傳出，舉世驚動，除了臺灣全國上下不分官民傾力救災以外，世界各國也反應迅速即刻救難支援。

　　中國大陸國家主席江澤民發表聲明稱：「兩岸同胞血肉密切相連。我們的臺灣同胞遭受的災禍和痛苦，牽動了所有中國人的心。」並表示願意提供任何可能的援助，以減輕震災造成的損失。大陸海峽兩岸關係協會，也致函臺灣海峽交流基金會，「向受災地區同胞表示深切慰問，對遇難同胞表示沉痛哀悼。」國際媒體對江主席的聲明予以顯著報導。臺灣大陸事務委員會主任委員蘇起，在接受國際媒體訪問時，表達感謝之意，認為這是兩岸關係好的開始，希望藉由這種兩岸人民的互助，能共同努力創造穩定和平的兩岸關係。國際政治界對透過此一災難而紓緩臺灣海峽的局勢，多少抱有善意的期待。

　　針對大陸的善意，中華民國駐美代表陳錫蕃在接受美國主要電視網訪問時，公開回應稱此種人道關懷解救人命的幫助，自表感謝及接

受。震災發生時正在芝加哥訪問的大陸海協會實際負責人唐樹備，此次訪美雖以猛批「特殊兩國論」為任務，曾相當練達地暫時不談「兩國論」。中共外交部長唐家璇也在紐約指出，「政治與人道主義援助是不相關聯的」，使得部分華文記者解讀成北京當局有意採取「政治歸政治，人道歸人道」的政策。

　　然而，國際間的樂觀期待，只延續了兩天便告幻滅了。大陸紅十字會在地震消息傳開後，曾經立即表示捐助十萬美元救災款，五十萬人民幣的物質。曾任美國駐北京大使的李潔明，聞知此事以後，當即在全美電視網上指陳，這種姿態實在是遠遠「不夠的」。更令人憤怒的，則是大陸紅十字秘書長於次日竟然聲稱：任何外國紅十字會要向臺灣捐助災款和物質，均須獲得大陸紅十字會的同意。並進一步說，一個國家只能有一個紅十字會組織，大陸紅十字會代表中國，因此臺灣紅十字會乃係在大陸紅十字會之下，任何國家要援助臺灣地區，應先徵得大陸紅十字會的允許。他甚至還認為，北京並無刁難之意，「只是不想在國際上造成兩個國家。」

　　唐家璇於九月廿三日與美國國務卿歐布萊特在紐約見面會談時，一改前兩天的溫情面目，又以罕見的嚴厲語氣，批判中華民國的李總統和「兩國論」，歐布萊特除了一貫地表達美國的立場外，緊接著便冷冷地提醒唐部長，「目前的焦點，是集中心力援助臺灣震災。」嗚呼，身為中共政權的外交部長，竟需美國國務卿來提醒他「骨肉之情」，這是怎麼樣的一副心腸！更惡劣的是，同日中共外交部發言人章啟月竟然還在記者會上說：大陸方面對國際社會透過「民間管道」，對臺灣所提供的各項援助，表示感謝。大陸未出一兵一卒，連俄羅斯的報紙都埋怨該國救難隊因中共阻擾飛機航經大陸領空，以致延遲了寶貴的十至十二小時救人時間（大陸後來否認），外交部發言人還在那兒代臺灣「感謝」！

中華民國外交部長胡志強顯然忍無可忍，不得不在九月廿四日斥責中共利用災難，企圖達成政治目的。胡部長說：「他們的言行違反國際公認的人道原則，亦為廣大國際社會同感遺憾與不恥。」這項指斥，獲得國際輿論的重視，《芝加哥論壇報》便於次日以頭版頭條新聞予以處理。後來於接受紐約「僑聲廣播電臺」賑災捐款特別節目訪問時，胡部長又強調：中共在舉世同情臺灣，共同向臺灣伸出援手的時候，以政治進行干預，使災難中的臺灣人民倍感辛酸。中共這些動作的文雅形容是「沒有分寸」，而臺灣百姓的感覺是「趁火打劫」。

筆者在臺親人，大多痛責各級政府的低效率。但他們在知悉中共官方（此處重點為官方）的手法後，更加憤怒，曾經傳真來宣洩悲憤，文中提到中共的手段，「真想吐，真噁心！手段之醜，心胸之小，也是前所未見！」這應該就是典型的在臺親友的心聲。大陸移居美國的人士，已有人公開譴責中共（如《世界日報》九月廿六日民意論壇）；政論家凌鋒表示，中共落井下石的表現令人齒冷，如此「骨肉」關係，不要也罷！認為大陸紅十字會違反了紅十字會的精神，而淪為黨的工具，北京的作法，只能使「臺灣同胞」更為寒心，對統一進程有害無益。范英著先生則直截了當地斥罵中共在同胞遭受大災大難的時刻，卻慢條斯理地搞起了臭名昭著的「講政治」那一套，何見人性？依臺北《中國時報》九月廿七日報導，大陸內部也有民眾、新聞界甚至對臺工作人員，並不滿意中共的作法。當然，他們都是沉默無聲的。

依個人之見，大陸原本所擬捐助的款項多寡並不重要，以海內外臺灣人的經濟實力，北京方面只要誠摯地有這份心意也就夠了。遺憾的是江澤民主席的善意聲明，落實到具體措施時，不旋踵間，竟被撕得粉碎。中共政權的官方作為實在太過於荒謬，人家要給你臉，結果你自己不要臉。既然中共外交部的發言人可以代臺灣向各國「致謝」，則筆者作為一個人，針對北京這種荒謬到違逆基本人性的行徑，也可

以堂堂正正地代表他們：

敬向全世界的人類致歉！

——《美中新聞》，一九九九年十月一日

國家機密七百磅

在宋永毅「捉放記」整個事件中，個人腦子裡最形象化的畫面卻是：國家機密七百磅。

任職於賓夕凡尼亞州卡萊爾鎮迪金森學院的宋永毅，由於本身在文化大革命中備受折磨，發願要為文革留下具體的歷史見證，來美國以後便多方搜集文革史料，去年（一九九九）夏天回到中國大陸從事相關活動，代任職學府購置文革文件與書籍，不幸被中共當局以間諜罪嫌拘禁長達一百八十三天。這個案子曾經引起研究中國問題知名學者百餘人聯名抗議，宋君雖然尚非美國公民，但國會甚表重視，特別是賓州聯邦參議員亞倫・史派克特，出力頗多。元月廿八日，宋君終於獲釋，並隨即搭機返美。

就在獲釋的前幾天，北京外交部發言人於元月廿五日記者會稱：迪金森學院圖書館中國籍研究員宋永毅，自一九九六年以來，受境外機構資助，以研究文革為名，大量收買、向境外非法提供大陸國家機密文件，年代自一九六六到一九八二年，遠超出研究所稱時限範圍，多次向境外運送文件、資料，數量巨大，共達三百廿多公斤。發言人又謂宋君危害中國的國家安全，目前已承認他所犯罪行，本案正由司法部門處理中。宋君的法律顧問孔傑榮Jerome Cohen（他本人便是頗有名望的中國問題專家，當年臺灣美麗島事件公開審判時，他在法庭旁聽），立刻反駁說：就我們所知，迄今為止並無認罪一事。這幾個月來，宋君始終認為，他成打成打地把書冊寄回學校，這是他的職責，所寄書冊重量約達七百磅。把這些材料定性為「國家機密」，令人困惑。（見《紐約時報》元月廿六日，頁A9）

　　三天後，宋幸運地被中共當局釋放。中共駐美大使在元月廿八日中午正式通知史派克特參議員，聲明表示宋已認罪，並自願檢舉其他人的違法活動，由於他確有悔改表現，中國政府予以寬大處理，將他釋放。這個聲明除了替當局找個下臺階、保住面子外，可訾議的是還不忘藉機抹黑宋君人格，稱他自願檢舉他人云云。但美方如史派克特參議員則以為，由於此案將使國會延宕中共加入世貿組織，甚至不利中共爭取永久性正常貿易待遇案，才在壓力下故示寬大。宋永毅抵美後，嚴詞否認中共說他涉嫌「破壞國家安全」的指控，並強調在大陸搜集的資料全是當時紅衛兵出版品，「如果這些資料被視為機密，那麼大陸十多億中國人都是間諜。」他鄭重感謝美國人的義助，並在機場受訪問時表達說：當我返回美國，我真的有回家的感覺，儘管我生在大陸，但美國才是我精神成長的地方。有些報導則謂宋君表示：中國給了我軀體，美國給了我靈魂。宋永毅的感受，對漂泊海外來自大陸的華人而言，但願不無醍醐灌頂之效。

　　老實講，中共政權一再重演類似的捉放記，於北京當局的形象有損。《世界週刊》的短評（見二月六日，頁四，劉天文）認為，這是「中共又一次侮辱中國的演出」，對該政權不斷貽羞於世，感到沉痛不已。北京一向擅長利用異議者的人身自由，當作政治交易的工具，這事實上近乎恐怖份子之挾持人質，但類此作法彷彿雙面刃，也會傷害自己。畢竟沒有任何國家能夠孤立自存於世界，大國固然不乏制人之處，然而同樣也有受制於人的地方，宋君案件可不就是一個例證嗎？

　　問題的關鍵乃是在於：對於什麼是「國家機密」，大陸並無具有法律意涵的明確規定，一般人無所遵循，任由公安機構去做工作性的解釋。去年十月十五日，中共保密局發佈嚴格的《計算機信息系統國際聯網保密管理規定》，則是從政策上進一步實施「控制源頭、歸口管理、分級負責、凸出重點、有利發展」，這些原則的前四項，完全

從「管制一切」的角度出發，如何能夠達到「有利發展」的目標，誠然值得懷疑。今年元月廿六日，北京重申上列規定，並要求所有使用加密軟體的本國或外商公司，應於元月底以前將軟體藍圖交給官方，完成登記手續，又要求網站主持人和網路用戶不得散布國家機密。

此項措施，自然引起國際媒體的注意。《芝加哥論壇報》（見元月廿七日第一部分，頁二）於報導中，訪問了來自大陸現為芝加哥大學政治學副教授的楊大利，楊君表示：網路使政府無從隱匿，（就目前爆發於福建廈門遠華公司龐大走私案而言）官方刻意想控制案情發展的速度，而不想輸給電子網路，但此一列為「國家機密」的案件，部分細節卻已先見之於網路。北京採取的措施，除了防範洩密外，同樣也想限制一般人廣泛使用網路。香港大學政治系教授Joseph Cheng的分析，更是指出中共壓制電子網路，恰好顯示北京的緊張心理，「一方面領導人物接受全球化的事實，這是無從逃避的，他們也希望中國繁榮昌盛。但全球化意味著資訊自由，這將使中共政權不穩定。因此，如何能夠擁抱全球化的經濟利益，同時又剔除其政治影響，這乃是令人進退維谷的絕大窘境。」

就人口眾多而資源相當有限的大國來說，邁入新世紀的一個主要希望便是網路所帶來的機會。因為相對而言，這個新興企業基本上以人力資源為主。在這方面，印度受到國際媒體和學界的重視，事出有因。印度擁有全球最大量的技術人員儲備，加州矽谷的電腦業，中國人以製造硬體為重，印度人卻設立軟體或網路公司，已佔矽谷所有同行的百分之四十。網路的出現，直接挑戰了中國人傳統上的商業優勢，添加了印度在新世紀的市場條件，加上印度人使用英語的優勢，又無國人寧為雞頭不為牛後的習性，廿一世紀確有可能成為印度人而非中國人的網路世紀。（參見臺北《中國時報》去年十一月十五日胡晴舫文）而溯其源頭，不能不讚許印度在如此貧困的條件下，堅持實

施民主政治，享有相當程度的個人自由，容忍人有犯錯的可能，但也培養維護了創造的生機。

　　絕非危言聳聽，類似「國家機密七百磅」這種心態，推行下去，或許可以達成短期「穩定」的局面，它所斬斷的卻很可能是中華民族的生機。每當看到同胞自稱廿一世紀是中國人的世紀時，實在無法把「國家機密七百磅」僅僅看成一幅卡通式的畫面，內心不覺升起一股寒意。

　　　　　　　　　　　　——《美中新聞》，二〇〇〇年二月十一日

中國僅是世界上
許多獨立邦國之一！

　　在中西文化、思想與學術交流史上，貢獻卓著的理雅各（James Legge），直到目前，大部分《四書》的英文譯本，仍以他的翻譯為底本，他對中國文化的熱愛無庸置疑。但他在早於一八七二年出版的《春秋左傳》英譯本序言中，曾嚴厲批評中國的官吏與人民始終未能瞭解到：「中國僅是世界許多獨立邦國之一的事實。」

　　時隔將近一百卅年，很遺憾地，理雅各的批評依然有它現實的含義。徵諸最近美國偵察機與中共戰鬥機意外互撞事件發生以後，中國大陸的諸種反應，不論官方和民間，似仍不出他所批評指責的盲點，思之憮然。

　　四月十一日，由美國駐華大使普里爾遞交中共外交部長的函件中，具體針對中方戰鬥機與飛行員的損失，美方偵察機緊急迫降未取得正式口頭許可而進入中方領空，兩度表達very sorry，中方譯為「深表歉意」，並於次日官方控制的媒體上，普遍以美方致歉為大標題，如此一來，至少在表面形式上，北京對內可以交代，從而同意讓美方機員廿四人離境，雙方對峙的情勢暫告紓解，至於美國大使館的中譯，與中共外交部的中譯，兩者措辭不一致，這無非是「語文的糾纏」，彼此各取所需而已。相信北京主其事的高官也理解到，美方文件與正式道歉實有差距，但事情再拖下去，對中共未必有利。

　　一旦美方機員安全返抵國境，美國高級官員的態度明顯地轉趨強硬，不論是布希總統或是國務卿鮑爾均皆如此，尤其是國防部長倫斯

斐爾德的重要記者會，更是輔以圖片和錄影帶，強烈指斥中方飛行員的挑釁。於雙方交涉期間，國防部長沉默寡言，據其自稱，乃是鑒於外交談判宜口徑一致，政出多門反而徒增困擾，足見這位回鍋國防部長深明大體。美方本來始終不承認已方有錯，機員返國後經過詳細查詢對質，更是加強本身立場之徵信度。但這種姿態的變化，在中共方面看來，則深深不以為然，且按中國式的人情思考，已經給了你一點好處，你反而不領情，簡直有些恩將仇報的意味，此所以中共方面至表不滿，透過外交部發言人之口，痛責美方倒打一耙。

就雙方所陳述的資料來看，個人認為還是美方的說法可信。事件發生伊始，中共便強調肇事原因在於美國偵察機違反常規突然轉向，以致撞上中方戰鬥機。美國偵察機駕駛員返國後公開接受電視訪問，則明確指出，當時已從海南島附近回航直線前進，且處於半自動駕駛狀態，由於中方飛機過於逼近，兩機間距僅有三、四英尺，對方撞上偵察機，瞬間使之猛然轉向且下墜七千五百英尺左右，機體完全失控，後來之得以控制機身，這位駕駛員表示，實在是上帝在操作飛行。平心而論，偵察機體大速度慢，即使要轉向，所需時間空間遠較多，戰鬥機機身小而靈活，若非超乎常理地太過逼近，應有足夠餘裕做反應。這類擦撞瞬間發生，中共另一架僚機駕駛員的目擊陳述，在時間順序與因果關係上，是有倒置的可能。

中共與美國的後續談判，第一輪已於四月十八日在北京舉行過，雙方事後暫不透露內容。依可見的報導看，美方重點在：設法取回這架造價八千萬美金的偵察機；責問中方何以在未經全部調查前，便率先認定肇事責任完全屬於美方；為避免類似意外今後再度發生，雙方有必要立下一些準則。中方重點則為：要求美方全面停止或減少這種不友好的空中偵察活動；仍將強調過錯在美方；就人機損失向美方索賠；當然很可能要美方承諾不售先進武器給臺灣。要求美方全面於東

南亞停止偵察任務，自係不切實際，不過是雙方談判時抬高價碼而已，這類偵察的執行已有數十年歷史，現行國際法亦無規定不可於公海實行，更何況中共借助俄國的技術，也向日本、南北韓、臺灣、越南等國實施同類偵察。至於說中共若在美國東西兩岸偵察，美國感受如何，則是廢話，蘇聯早就如此做過，中共如有能力當也會照做不誤，人家感受如何屆時還是會考慮因素嗎？

痛罵美國「霸道」，似乎是中國大陸普遍而一致的所謂「民意」。其實，過去十幾廿年來，中共三次在南中國海佔領小島，不都是乘越南、菲律賓之危，令對方回應無力，在這些國家看來，中共同樣「霸道」，大陸內部有些地圖的製作，已把南中國海列入領域（但官方並未如此聲明），東南亞相關各國如確知此事，只會額手稱慶乎？一九九五、一九九六年，中共於臺灣海峽南北實施飛彈試射，如果真的只是為了「試射」，以中國大陸領土領海的廣大，什麼地方找不到，偏得要打到離臺灣才卅幾公里的海面！如果對美國偵察機在中國沿海的公海上飛行，中國大陸官民可以理直氣狀地嚴斥對方「霸道」，那臺灣官民對中共的「霸道」，自亦可以理直氣壯地怒責，甚至情緒更加強烈，這難道不是人情之常！

這次撞機事件，很不幸地造成中方機員與飛機的損失。美方對機員安全歸來，自然感到高興，媒體報導與民間反應，多少把這批人員視為英雄人物，但布希總統則以機員與家人團圓為重，並未親赴機員所屬基地歡迎他們，這是他懂得自我克制。大陸方面，則因飛行員失去生命，自應撫慰其家屬親人，民間把這名駕駛員視為英雄，主要心理因素當係他敢於挑戰強大而「霸道」的美國，含帶民族主義的情懷。但就全局衡量，視之為因公殉職比較合宜，封其為烈士或革命烈士，似可不必。如果由於個人的要強，促致重要對外關係的不利重大波折，其間的利害輕重，當政者應有明智而冷靜的衡量。坦白講，撞機

事件無損中國大陸的國家尊嚴，同樣的，飛行員個人如有輕視對方的手勢或動作，亦無助於宣揚國威。

請多多認清「中國僅是世界許多獨立邦國之一」的事實。

按：二〇二一年四月一日起從央視到新華網，從《人民日報》到《環球時報》，以紀念「中美南海撞擊事件廿週年」為名，大力悼念王偉。此案廿年後中國方面又再予以提起並有所謂「國恥」論。參見臺灣《蘋果日報》二〇二一年四月六日王丹專欄：〈中國打造「新國恥」論述〉。

——《美中新聞》，二〇〇一年四月廿日

中共建黨八十年之反省

　　中國共產黨確切的建黨日期，其實有爭論。但在一九四〇年，毛澤東於延安表示：明年是黨廿歲的生日，從七月一日起，慶祝一個月吧。次年六月，中共中央發表正式文件，以七月一日作為該黨誕生的紀念日，後來雖有大量資料證明其為不確，但既然是毛主席欽定的，黨慶也就無從改了。（詳見鑽研中共歷史數十年之司馬璐先生〈誰解其中味〉一文，見二〇〇一年六月廿四日《世界週刊》，頁卅八～卅九）黨是一貫正確的。

　　八十年黨慶是個大日子，北京當局卯足全力，大事慶祝，自不在話下。外電報導，為了黨慶，北京紅旗遍地，彷彿穿上了紅衣。在各項活動中，當然以總書記江澤民七月一日發表的講話最為重要，這是他在中共中央於人民大會堂舉行的慶祝大會上的致辭，除了照例認定中共為實現民族的復興開創了正確的道路，今後仍須始終堅持馬克思主義基本原理與中國具體實際相結合，堅持科學理論的指導，堅定不移地走自己的路。這些認定與堅持，其實全係老調，傳播媒體更重視的乃是「三個代表論」，亦即江主席所謂之中共代表社會生產力、先進文化前進方向和最廣大人民根本利益。海外有些評論，甚至以為北京當權者理解到世局國情已變，必須有所反應，否則前途堪虞，三個代表論正是包裝下的新路線。

　　然而，海外對中共黨慶，則是反省多過頌揚。名政論家凌鋒先生（本名林保華，光是取名便可見出某種素樸的愛國情懷。原隨父母自幼移民印尼，一九五五年回大陸升學，人民大學歷史系畢業，歷經文革洗禮，一九七六年八月幸運離開祖國遷居香港，旅港廿一年期間，

成為批判中共政權最有力量的健筆之一，在一九九七年七月一日香港回歸中共之前夕，遷來美國紐約地區），則整理出一部《中國風雨八十年》，交由臺北聯經出版公司趕在中共黨慶前夕問世。

更受大家囑目的，可能還是前中共總書記趙紫陽政治秘書鮑彤的長文：〈透視中共——為中共八十年作〉（刊載於《世界日報》六月廿六、廿七兩日，頁A3）。鮑彤因六四天安門事件同情學生而入獄，現仍遭受官方軟禁。鮑君於中共政權而言，可以說是曾經「入乎其中」，如今則已「出乎其外」，所言所思，分外沉痛。拿來與中共官方的言論相對照，尤其發人深省。

被視為江澤民的接班人的中共政治局常委、國家副主席胡錦濤，在全國黨史機構慶祝黨慶的學術討論會上，要求與會人士編好黨史，但察其所言，仍是要黨史研究的開展為政治任務服務，歷史研究的求真精神與客觀標準，竟無一語道及。鮑彤在前提長文中曾明白指出：

> 我認為成文的中共黨史教科書很可憐，那些教科書，無論舊的還是新的，儘管都是飽學之士集體的心血結晶，但都必須經過審定，必須為某一時刻的特定政治需要服務。形勢變了，需要變了，教科書就只好成為過眼雲煙。有時發現錯誤的東西經不起時間的考驗，因此把錯誤的東西改掉。有時又發現正確的東西經不起形勢的考驗，於是再把正確的東西改掉。黨史是客觀存在，改不了，教科書是主觀創作，好改。這樣改過來，改過去，有時增，有時刪，其中的道理，作者和審定者也許知道，讀者不知道。

其實，在海外多讀些中共不同時期出版的著作，大概都會保持存疑的態度，讀鮑彤這段話，真是心有同感。客觀而較為可信的中共黨史，

恐怕要等中國共產黨失去政治權力以後，始有可能出現。胡錦濤的要求，只會延遲其出現罷了。

多年來，中共政權不知灌輸過多少次「沒有中國共產黨，就沒有新中國」之類的說法。即使暫且假定這個說法成立，但只要具備簡單的思考能力，便很容易提出反問：在中共主宰下的中國，到底有多新？究竟是新還是舊？像這樣的「新中國」到底對中國民眾而言，是好是壞？再引鮑彤的話：

> 每一本教科書都告訴你，新中國的一切成就都應歸功於中共中央的領導；但是，沒有一本教科書告訴你，新中國的一切全國性的、長時間的、人為的災難同樣應該歸罪於中共中央的領導。

> 每一本教科書都告訴你，中共犯了錯誤最後是「自己改正」的；但是，沒有一本教科書告訴你，每一次，在它終於「自己改正」之前，早已有無數的人為此作出了無法計量和無法挽回的犧牲。

只提所謂的「成就」，而故意不提代價，這是什麼邏輯？說穿了，不僅不合邏輯，在心理上還是心虛作偽的反射。就以目前中共政權最表得意的改革開放政策的成就來講，其成績自然不必去否認，但何妨進一步追問：若非中共控制中國，在普通或一般情況下，這樣的成就不是應該提早數十年到來嗎？若無中共長期主政，八十年來，大陸民眾一定會命運更差嗎？

假設性的歷史命題難有答案，但在歷史發展的進程面前，唯有謙虛的反省。在熱烈慶祝八十黨慶之餘，中共政權請三復斯言。

——《美中新聞》，二○○一年七月六日

豈有國情特殊到
必須以假當真？

　　凡是與中共政權的官方政策、作為或意識型態持不同見解者，不論是談人權、政治改革或其他方面，替北京辯護的言論，出之於官方控制的大陸媒體也好，或由海外「愛國人士」代言也好，近幾年來最常使用的法寶，不外是兩項：一是中國的國情特殊，二是西方世界害怕中國強大，不希望見到一個壯盛的中國。

　　在思想史上，共同性與特殊性（或稱共性與殊性、普遍性與特殊性），其被人所認識和區分，早已有之，而且是相當常識性的體會，算不得什麼深奧難懂的道理。運用起來，兩者兼備為佳，重視其一而忽視其二，不僅未得其平，且很容易造成偏見，推至極端，甚至會產生荒謬的結果。中國人用筷子，洋人用刀叉，這可以說是國情不同——即特殊性，但人必須攝取食物以維生，或進一步注重營養的足夠及均衡，則無國界之分——即共同性。資本家餓了必須吃飯，難道無產階級可以整天幹革命而不必填肚子嗎？

　　固然共同性與特殊性的認識屬於常識，但由於習慣更改不易，有時官方又刻意強調特殊性，因此應用到具體事務，兩者的分際卻常常含混不清。據說中國共產黨前總書記胡耀邦，生前曾經提倡中國人用餐，改採西洋方式分盤食之，而非習見的眾人筷子挾向同一盤菜取食，居然受到嚴厲批評，被視為崇洋且背離革命精神。（目前餐廳或有些家庭則每道菜皆備公筷或公匙，不失為折衷性的改良）胡氏的想法其實大陸以外的華人社會多有同感，有臺灣原子科學之父美譽的孫

151

觀漢先生，幾十年前就再三為文倡導。胡氏的用意不外是講清潔，這屬於共同性的範疇，至於取用食物的方式自係國情有別，但以特殊性為由而阻礙共同性，在理則上難以成立。同理，對於人權這個普世價值，不斷用國情特殊加以拒斥，如何能夠令人心服？

第二個法寶，非本文討論的重點。不過，說西方社會或民主國家「害怕」中國強大，未免有點自大心理。與其說是「害怕」，無寧說是「制衡」，而權力制衡一向是近代國際體系維持國際秩序的傳統手法，在國內政治方面，民主社會亦多採取權力分立及平衡的制度設計。今天中國大陸的經濟發展，臺港日韓等與西方跨國公司資本與技術的投入大陸，居功甚偉，如果真怕中國強大，各國政府恐怕對這些活動會有更多限制。何況，說穿了，中國只要努力進取，又何必在乎別人「害怕」？真正令周邊國家及主要強國關切的，還是大陸軍力的擴張與配置。

再者，中國之大無可置疑，至於是強是弱則有待於綜合國力的表現，而這種表現不僅止於具體及數量化的統計，也包括道德上的號召與人心對體制的嚮往追求。並且，即使是統計數據，有時也難免含帶一些情緒因素，大的統計數字表面上容易引起注意，但其含義是好是壞，卻必須加以詮釋。大陸人口居世界第一，自不在話下，但吸菸人口、文盲人數、每年處死人犯佔全球三分之一，這類的世界「第一」，有那麼值得驕傲嗎？

把範圍縮小到經濟統計，這正是最近幾個月來的熱門話題。筆者曾於本欄談過這一問題，見《美中新聞》二〇〇二年四月五日拙撰〈一大遮百醜——中國大陸經濟統計數字之弔詭〉。此地要談的則是大陸官方媒體的反應，所舉的例證則是《人民日報》屬下《環球日報》六月六日頭版的反擊文章，此文論點正好符合前面所述，即使用最常見的兩項法寶。

此文文首指出，幾年前的「中國威脅論」與近日出現的「中國崩潰論」，兩者均是冷戰思維下、西方意識型態下的產物，目的一樣，就是不希望看到中國強盛。文中還提到：在某些西方人的腦子裡，冷戰的勝利證明了西方意識型態的正確，凡事照西方意識型態去做才能做好，否則便要失敗。但偏偏中國的經濟發展不符合這一邏輯思維，當客觀現實與其思維不符，不去反思這種邏輯思維有無問題，反而認為事實錯誤，中國的統計數字是虛假的。此地要問的是：廿餘年來中國大陸的改革開放，根據的是社會主義的思維邏輯呢？還是西方偏近資本主義的思維邏輯？如果是前者，則還要什麼改革開放，照老法子做去就是，免得被譏為背叛社會主義的理想。如果是後者，既要採用人家的思維邏輯，又不受其思維理則的檢驗和規範，得了便宜又賣乖，天下有這等兩頭通吃的妙事？

文中進一步評道：西方一些人沒有看到世界的多樣性和複雜性，更沒有看到中國這樣一個有眾多人口及地區經濟不平衡的大國，其發展絕不是任何模式可以套用的。這一觀點實在太眼熟了，雖然沒有明言，但其實正是「特殊國情論」的翻版。就異論異，世界上沒有任何國家與他國國情相同，但以特殊性來阻礙共同性，說到底就是自我封閉。近代史上多少國家追求現代化，有成有敗，若嚴守國情特殊的論點，還追求什麼現代化呢？（在相當程度上，不容諱言，現代化實即西方化）。

多年來，個人實在讀過不少「跟風」式的議論，無論是大陸官方媒體發佈的文章，或是海外一頭熱替中共政權辯護的宏論，絕大多數經不起事實的考驗。就在《環球日報》反擊文章登出後不久，中華人民共和國財政部長項懷誠，應邀到北京大學就「中國財政體制改革」發表演講（參見《世界日報》二〇〇二年六月十九日，頁A7），他公開點明統計矛盾之處：去年經濟效益前高後低，但所得稅收入則是前

低後高——前三個月增長率為百分之七點五四，但後三個月竟增長百分之四百十三，其中最高省市成長達百分之七百。項部長忍不住現場發飆：「我已經決定，再過幾天就要召開專門的會議，我要和地方的幹部協調，增長百分之七百是不是太糊塗了，已經太不像話了，太過分了麼。」哎，豈有國情特殊到必須以假當真的地步！

——《美中新聞》，二〇〇二年六月廿八日

中共政權正步上
法西斯主義的後塵

　　一九七八年底，中共政權在鄧小平主導下採行改革開放的政策，中國大陸產生了很大的變化，在這同時，環球媒體對中國的興趣也越來越增加，有關中國的報導與論述，即使用汗牛充棟來形容，恐怕也不嫌為過。正因如此，由於資訊實在太多，個人的精力與時間有限，要較為全面的掌握這些資料，不免生以有涯追無涯的浩歎，本文必須先點出這一無可避免的侷限，才敢提出以下的概括和申述。

　　依筆者極為粗淺的認識，以美國為主的西方報界學界，對中國大陸的描寫，分析及評論，大體上有如下幾個發展階段。在一九七〇年代末和一九八〇年代初，大陸方向初改，具體成效尚未顯現，但比起過去的封閉，已對外界尤其重要的是國際媒體有了小小的開放，讓記者們有機會突破中共政權的禁制，而去發現中國社會的實況，與官方過去的宣傳大相逕庭，戳破中國共產主義的神話，成為一時的重點。一九八二年春天，有兩部重要著作幾乎同時在美國出版：一是《紐約時報》駐北京特派員包德甫寫的《苦海餘生》（*China: Alive in the Bitter Sea* by Fox Butterfield）；另一是《時代週刊》駐北京記者白禮博撰的《來自地心》（*From the Center of Earth* by Richard Bernstein）。這兩本書，實際上發揮了某種程度的「醒世」作用。而另一方面又開了一項傳統，即西方派駐中國的記者，離任以後大都刊行作品記述其中國經驗，實例不少。

　　隨後數年，大陸的開放政策起了成效，特別是經濟領域的變化甚

大，連帶也牽動社會的變遷，此時西方主流媒體有關中國的報導為數眾多，《時代週刊》、《新聞週刊》、《美國新聞》與《世界報導》、《經濟學人》等均不落人後，經濟性雜誌如《財星》、《富比士》、《商業週刊》、《香港遠東經濟評論》等，也屢有長篇且深入的文章出現。個人印象很深的是，連比較嚴肅的刊物如《哈潑月刊》，竟肯花幾十頁篇幅專題報導中國。雖間亦有對大陸一胎化政策執行上的非人道、大陸龐大的盲流人口可能造成的危機等現象，加以研究和批判，但大體上從瀰漫的煙塵中，這些報導申論給人的印象，卻是充滿脫開束縛後的生機與希望。這個趨勢直到六四天安門事件爆發，才告一個段落。

　　一九八九年的六四天安門事件，以後的歷史家或許視之為中國大陸歷史發展的分水嶺。自此而後，類似中日戰爭期間，艾德加·史諾撰著的《紅星照耀中國》（舊譯《西行漫記》），白修德戰後次年的《中國的雷霆》，親共作家韓素英的多種著作，基本上歌頌中國共產黨的觀點，近乎已被時代的巨輪所拋棄。取而代之的則是像加拿大《多倫多環球郵報》駐北京主任黃明珍的《神州怨》（*Red China Blues* by Jan Wong），此書於一九九六年歲尾，被《時代週刊》選為年度非小說類最佳五部書籍之一。此後對中國一面倒的讚美難得一見，批判的色彩加濃了，當然中共政權則認為這是「妖魔化」中國。

　　近三、四年，中共打壓法輪功的消息，經濟統計數字的不確實甚至造假，以及最近官方就急性嚴重呼吸道症候群的隱瞞等，一般人從報導中濃縮塑造他們的中國形象。加上諸如美軍在南斯拉夫貝爾格勒德誤炸中國使館，美國偵察機在南中國沿海與中共軍機相撞，近年來再三傳出的中共間諜案件，中國對美國而言由戰略伙伴轉為競爭者，這些政治事件，甚至直接影響到戰略思考者和政策制定者，自然也或多或少影響到一般人的觀感。

　　最新的發展，或可舉個人近日讀到的一篇文章為例。此文登載於

主流政論雜誌《新共和》二〇〇三年六月廿三日這一期,第十六至十八頁,標題為"Mussolini Redux",作者Jasper Becker也是住在北京的新聞記者,撰有*The Chinese*一書。依個人淺識,把中共現政權視同法西斯主義,作者即使不是最早和唯一的人,但很可能是西方輿論界首發其端的少數人物之一。在筆者看來,他拿一九二〇、三〇年代義大利獨裁者墨索里尼的思想、作風及具體政策,來跟當今的中共政權對照,確實引人深思。

該文指出,今天的中國正拿一個與共產主義同樣壞的東西來取代它,中國越來越變成相似於一九二〇年代的義大利。隨著共產主義的衰亡,中國共產黨喪失了它的意識型態與存在理由,江澤民、胡錦濤等暗中把中國轉為右翼的法西斯國家,與其先行者非常神似。不過,作者認為它不是納粹型的法西斯主義——即進行種族消滅和以全面戰爭來改變世界,而是高度民族主義化(nationalism譯作「國家主義」、「國族主義」或更精確)的右翼獨裁政權,與上世紀二、三十年代德國、西班牙、日本、羅馬尼亞特別是義大利出現的政權,極為相近,中國的種種作為令人憶起當時法西斯的「計劃性資本主義」。

相似之處很多:比如大量進行公共建設計劃,至為強調最先進的高科技、長江三峽水壩的浩大工程,上海磁浮捷運火車的最先進科技(引進歐洲技術),皆屬顯明的實例,墨索里尼都曾做過類似的壯舉。恢復古國的光榮,把自身看成正在醒覺的巨人,強調效忠國家,為祖國犧牲性命在所不惜,用群眾運動的方式向人民灌輸亢奮的愛國情緒,心態前後雷同。一方面宣示保障私有財產,但政府處處干涉,加強愛國精神,而對黨的絕對控制不鬆手且不敢或忘,作風與手法彷彿有所傳承。墨索里尼說,「法西斯的生命理念強調國家的重要性,個人唯有其利益與國家一致始被接受。」七十年後,江澤民表示組構國家者為政府,但留給個人相當的邊際自由,但決定權不在個人而專屬

於政府，先後輝映。大陸的經濟成長極令世人矚目，但作者也指出，一九三三至三七年，希特勒治下的德國經濟成長高達百分之七十三。

其實，共產黨一向痛恨法西斯，幾乎把法西斯主義視為人間所有罪惡的化身。諷刺的是，在類似Jasper Becker這樣身歷其境的觀察家看來，目前的中共政權卻正步上法西斯主義的後塵。作者的看法是否太過聳動，或可商榷，但他的分析並不膚淺，並且頗為具體。期能防微杜漸，至少值得大家思考。把中國還給中國人，而非任由中共政權無情有時且是相當殘酷地支配宰制人民和土地，才是神州大陸前途之所繫，如此淺白的道理，真的那麼難搞通嗎？

——《美中新聞》，二〇〇三年六月廿七日

臺灣人的定位

再見萬歲

　　中國國民黨於九月一日正式宣佈，將由現任中華民國總統李登輝暨該黨主席，行政院院長連戰暨黨副主席，代表國民黨參加第九任總統、副總統選舉。隨即展開各項競選活動。在所謂「僑胞一致擁護」聲中，且說一些不入耳之言。

　　這一屆的總統、副總統選舉，是中國歷史上頭一次由公民直接票選國家最高統治者，萬方矚目，自可想見。反對黨民主進步黨彭明敏與許信良之間的初選活動，遍及目前國民政府有效管轄的各個地區，早已為選戰揭開了序幕；國民黨副主席林洋港的退出黨內選舉，改為直接訴諸民眾以角逐總統一職；監察院長陳履安退出國民黨，以「站出來」的心境想讓全國人民「安心」；新黨不願「缺席」而推出王建煊出馬，且於九月初率團來美進行頗為成功的造勢活動；凡此種種，使得這次的總統選舉蓋過了將先投票的立法委員改選。環繞著此一選舉的新聞報導，連同各候選人陣營相互間的批評批責，運作與反運作，文字宣傳、視聽資訊與謠言耳語並存，逢迎拍馬、支持廣告和僑團通電齊飛，委實令人目不暇給。

　　選舉是民主政治最重要的儀式，也是表達人民主權非有不可的設計，在和平期間，更是社會在組織與動員方面的定期操演。一般而言，極權專制國家多採取軍事化的方式來規劃其社會動員，紀律分明，組織嚴謹；自由民主的體制，則以定期選舉的方式，在相當程度上達成類似的功能。選舉除了選出具體的人物來填補政治上的職位而外，在人力與資源的動員及調整上，有它的作用。

　　然而，選舉畢竟是一種角逐甚或是角力，「其爭也君子」，在現實

的政治社會中，很難充分實現。為了贏得勝利，抹黑對方，攻擊政敵，膨脹自己，浮濫承諾，在選舉史上是隨處可見的惡例。政治人物的私生活，包括男女關係，之所以一再被人掀開，如有不妥之處，必然會被對方窮追猛打，美國現任總統柯林頓如此，十年前民主黨總統候選人哈特參議員更因紅粉知己而黯然退選。然而這可不是現代才有的事，「人心不古」這句話是用不上的，因為古已有之，美國開國先賢富蘭克林競選總統時，已有這類風波，雖則並無事實根據。只是到了現代，可能會被對手攻擊的事項增多了，比如學生時代有否試吸大麻、投資項目是否涉及色情業等等。其實，現代社會對於政治領袖在道德上的要求，似乎比往昔更高且更瑣碎。不獨美國如此，幾乎凡有自由選舉的國家，莫不皆然。

　　既然民主先進的國家在選舉時實況如此，則對當前臺灣因為選舉總統而產生的種種現象，諸如陳履安宣佈競選以後，他與其佛學啟蒙師孫春華女士的交情，便被塗上「曖昧」的色彩，不但見之於文字報導，也見之於政治漫畫；連戰所擁有產權的屋宇，因租用者不符安全規定，且使用於含帶色彩的行業，於是成為在野黨猛力攻擊的對象；像這類的情事，視之為政治角逐過程中的必需之惡，不值得鼓勵，但也不必把它當作洪水猛獸或動搖國本，選舉過後，彼此間若能「一笑泯恩仇」，則選舉過程中的許多怪現象，不妨視之為社會「滌清」污穢的定期發作。

　　值得憂慮而且也是先進民主國家罕有的，則是臺灣「選舉假期」的不當心態。到選舉期間，似乎法律規定、社會秩序和一般公認的基本文明行為規範，在這段期間全可拋開。殊不知選舉本身就是一項法律的行為，有法源依據，且有法可依，雖則規定公平與否可能會有爭論。但完全脫開法律的規範，甚至連基本的行為準則均予以拋棄，如此一來，每經一次選舉，公務機關的執法威信便折損一些，老百姓的

161

守法精神就降低少許，候選人的言行標準益趨下流。長此下去，多一次選舉並不會使國家社會又向前進步，反而有倒退之嫌。「選舉假期」不消除，民主政治難以上軌道。

另外更值得關切的，則是殘餘的政治文化所造成的腐蝕。眼前就有非常具體的實例。李、連正式成為候選人以後，前往臺灣南部展開活動，國民黨籍的地方行政首長乘機表態，應屬正常。但某一市長在民眾大會上，竟帶頭高喊「李總統萬歲！」這是與民主精神兩相違背的口號，而竟出於民選市長之口，其逢迎拍馬的醜態，令人嫌惡！

「萬歲」乃是封建時代專制君主的稱號，在民國成立已達八十餘年的今天，還聽到某某人「萬歲」，真叫人有時空倒置之感。中國大陸亦曾盛行「毛主席萬歲」，姑不置論。臺灣在蔣中正總統主政的時代，「蔣總統萬歲」也是大型集會中必喊的口號。記得在軍中受訓時，戶外操練行進中，常常唱出〈領袖萬歲歌〉，操畢到福利社喝飲料，收音機卻傳來鄧麗君如泣如訴的〈誰來愛我〉歌聲，「領袖萬歲」與「誰來愛我」形成了一種奇詭的後現代組合，而且多年以後，竟成了少數難忘的軍中生活的回憶！蔣經國總統時代有意消除「萬歲」口號，沒想到如今似又有還魂之勢！

中華文化才五千年，政治人物竟妄想「萬歲」。個人的軀體頂多只有百把年，民族與文化的生命，才是大家應該努力使其永續生存的目標。再見吧，「某某人萬歲」。

——《美中新聞》，一九九五年九月十五日

為什麼臺灣人當然不能擔任
中華人民共和國的國家主席？

　　幾經折衝，中共國家主席江澤民先生，日內前往紐約參加聯合國五十週年的紀念活動，並發表演講。同時，將與美國總統柯林頓先生晤面，舉行「工作性質」的會議。北京外交部努力推行的「國賓訪問」，雖然未能達成任務，但有此成績，套句臺灣官場的用語，「雖不滿意，但可以接受」，江澤民主席也是識時務的俊傑。當然，更重要的是，美國與中共幾個月來令人提心吊膽的緊張關係，終於有了和緩的跡象。

　　臺灣方面，對於柯、江會晤，一方面不無有所期待的微妙心理，希望繃緊的兩岸關係能夠藉此鬆弛一下；另一方面卻又唯恐這次會面可能損及中華民國的國家利益；既稍有企盼又怕受到傷害。國府格於形勢，外交難辦，此又一例。

　　江澤民在訪美之前，接受《美國新聞與世界報導》的訪問，摘要見於該週刊十月廿三日一期。其中提到「歡迎李登輝到北京來，如果他邀請我去臺北，我也會去」的話，在臺灣受到相當的重視。自李登輝總統六月十日回母校康乃爾大學作「私人訪問」，事前事後，中共方面的「文攻武嚇」其實極為凌厲，飛彈演習用的是實彈，連「民族罪人」這種話都已見諸白紙黑字，頗有非去之不可的氣勢。這次江澤民的答問，臺灣官方及輿論界的解讀，似都認為北京終究又務實一些，重新確認李登輝的主導地位，仍然回到以他為交手對象的原點，亦即繞了一個彎，今年春節「江八點」的談話，依舊是北京對臺政策

的指導方針。「中國人不打中國人」在江八點中已予點明，「李六點」的回應中，則有「中國人應該幫助中國人」的進一步提示，本著這種精神，則兩岸自當以和為貴。經過數月之久的「對峙」，姑不論其虛實如何，朝著和的方向去發展，總是令人歡迎的。

至於有關反對臺灣獨立以及不放棄非和平手段達成統一，原係中共既定政策的再次宣示，臺灣方面似乎並未特別加以注意，雖則就事理而言，筆者認為頗有可待辯正的地方。比較令人感到興趣的，則是江澤民自己主動提到他的工程師背景，長期從事工程工作的經歷，並且進一步指出：「分析現在中國領導人的背景相當有趣。他們有許多人是學工程出身，做事講求實際。」平心而論，這比起當年「要紅不要專」的反智心態，「知識越多人越蠢」、「黨棍子決定一切」的時代，差距何其大！江澤民本身就充分體現這一變化，比如他之不太願意推動第三波文字簡化，且公開表明自己習慣用繁體字簽名，有時為了寫簡體字，還得問助手怎麼寫，這麼自述，正是「情理之內，意料之中」的誠實說法。搞革命可以出奇制勝，令人難以預測；但從事國家建設，則必須在相當程度內讓普通人可以預期從而做出相關的安排，情理之內、預料之中，是社會安定的必備心態，雖則打破常規往往是學術、科技與社會組織得以進步或突破的張本。當今中共領導人學工程出身者眾，正是海外華人對大陸的發展得以審慎樂觀的原因之一。同時開發中國家的發展經驗再三顯示，技術官僚當權，使得經濟更能加速成長，中國大陸十餘年以來的可觀成長，正是一個見證。

本乎昔賢「由小見大」、「見微知著」、「於不疑處有疑」的精神，不得不對江澤民受訪時說的一段話，獨持異議。江澤民說（見頁七十二）：

臺灣可以繼續維持資本主義制度，甚至保有自己的軍隊，大陸

的官員不會在臺灣建立領導地位，相反的，臺灣人可以在大陸當官，甚至出任中央政府職務，當然他們不能擔任中華人民共和國的國家主席。

這段話，不論是作為吸引臺灣和中國大陸統一的條件，或是臺灣與大陸統一以後的地位描述，均頗為不妥與不當，尤其是出諸政權領導人之口，當然若見諸於或載入正式的法律文書中，更屬不當。令人遺憾的是，這一類的話常是領導人物內裏思維的展露，最最值得警惕。

　　維持資本主義制度，保有軍隊，當官任職，能否做到是一回事，但在心理深層認定「當然他們不能擔任中華人民共和國的國家主席」，則是最關鍵性的歧視，也是漠視人的基本人權——參政權——的錯誤思想。人民共和國的國家主席排斥某一地區或某一族裔的人，而這些地區和族裔在法律上若屬於同一個國家，法理上如何站得住腳？簡單反問一句：假定臺灣真的與中國大陸統一了，為什麼臺灣人「當然」不能擔任中華人民共和國——假定統一後的國名如此——的國家主席？這是什麼心態！實際上藏人、蒙旗人士或苗族等，擔任中國國家主席的機會或可能性當然很小，即便如此，什麼人物、什麼機構或什麼法令，可以公開明言：藏、蒙、苗等人「當然」不能擔任國家主席？

　　中共的文告中照例會提到「我全國各族人民」，平等精神至少在口頭書面上是照顧到了。為了統一，中共標舉「一國兩制」，雖然在學理上和實際上均有不通，也許還可說是情非得已，再加上「一國兩民」，這成什麼國家？

——《美中新聞》，一九九五年十月廿日

紅裝勝武裝

　　毛澤東〈為女民兵題照〉七絕末句云：

　　不愛紅裝愛武裝。

在毛氏「盛名之下，其實難副」的詩詞當中，這句詩是不怎麼高明的。
此處予以倒轉借用，別有所指。

　　自三月八日起，中共集結大批軍力，先在臺灣海峽南北離臺灣本
島卅三、廿一海浬處，試射飛彈，隨後又舉行大規模的海陸空登陸作
戰演習。北京外交部發言人這次不再閃爍其辭，公開說明此項試射與
演習，用意在嚇阻臺灣走向獨立之途，擬以準軍事的動作影響中華民
國的總統選舉。

　　由於海峽兩岸的形勢有越演越烈的趨勢，美國、日本及東南亞國
家的首長政要，紛紛發表高見，或提出警告，或呼籲兩岸節制；政府
發言人不時召開記者會，針對最新形勢有所評論，進而答覆記者們提
出的敏感問題，表明官方的立場；平日專研東亞政治略有名望的學者
專家，或專攻軍事問題的能人高士，屢應文字與電子媒體之請，經常
評比分析；而主要報社如《紐約時報》、《華盛頓郵報》、《芝加哥論壇
報》、《洛杉磯時報》等，至於中文報紙更是如此，不僅連日來大幅報
導，且以社論表達意見者為數不少；新聞刊物如《時代週刊》、《新聞
週刊》、《美國新聞與世界報導》、《商業週刊》、《遠東經濟評論》等，
中文方面如《時報週刊》、《新新聞週刊》等，更是深入報導與解析。

　　在盡量閱讀這麼大量的資訊以後，卻發現反而有無從下筆之苦。

這真是「資訊爆炸」時代的一大反諷；由於資訊太多了，徒然增加了選擇的困難；另外一方面，由於資訊太雷同了，選擇與不選擇的差異似乎並不大，選擇甲與選擇乙之間的不同及分際，被模糊掉了。

然而，就在這段期間內，有幸聽到幾位來自臺灣的女士對臺海危機所發表的言論，反而有令人茅塞頓開之感，她們的觀點與見解，雖不是什麼驚天動地的宏論，也不賣弄任何學術理論，甚至發言者本身也未必能舉出正確詳細的數字，但卻本乎常識，合乎情理。然而這樣通達的言語，顯然不易見之於新聞媒體，為免遺珠之恨，爰略記如次。

例子一：某女子於電話中，懇切申明，中共既然能夠動員那麼多人力物力，為什麼不把試射飛彈的經費拿出去賑濟雲南地震災民？我們在這邊出錢出力募捐濟助震災，對方卻用飛彈威脅我們在臺的親友，使人家在出錢出力時反而有罪惡感！記得以前在臺灣時，常聽到國軍協助農民割稻等等，人民解放軍為什麼不開到雲南去協助災區重建？

補充說明：根據報載，試射一顆飛彈，費用約二千萬，就算是人民幣吧，中共至少打了四顆（指這次而言，去年試射者不列入），共計八千萬，用來賑災是很夠力的。芝加哥李連後援會二月間所辦活動，傾三百餘熱情僑胞之力，一夜之間募得五千餘美元救災，如何能與一顆飛彈相比？至於動員的兵力至少在十五萬（一說十七萬）人，以解放軍熱愛人民的「傳統精神」，派去救災誰曰不宜？雲南麗江的復建工作，有十五萬解放軍的投入，必定加速進行，這才真正叫作「為人民服務」。何況青海地區今年雪害特別嚴重，而外界報導又少，從十五萬人當中撥出一部分去默默行善，豈非更有意義。

例子二：日前於某一聚會中，有消息靈通人士表示，中共試射三顆飛彈以後，李登輝總統對選民說，這些飛彈是空包彈啦，安心免驚

啦！中共方面聽到以後，即宣佈改用實彈試射，並進行陸海空大規模登陸演習，還以顏色。某女士以自信而嚴正的語氣說：那這樣，中共豈不隨著李登輝的閒話一句而受左右了嗎？更何況，如果李登輝總統在臺灣對選民說，中共打的不是核子彈，大家不用怕，難道中共就把一顆核彈投過來嗎？語畢，一座啞然。

補充說明：演習雖非實戰，但也是需要時間準備的，人員裝備的調動均費時日，並不是即興演出，消息靈通人士的說法未必可信。至於李總統的「語言問題」，誠然是臺灣政壇的一大奇景。哈佛大學的杜維明教授，早在一九九四年十月就提出〈情緒反應與知己知彼〉一文，當作「對臺灣政治人物的言行的忠告」。李總統脫出演講稿本，改用土話俚語所講出來的言論，的確非常生動有力，極能引起平凡百姓的共鳴，但也很容易刺傷對方，引起許多不必要甚至不良的聯想及影響。（附帶一提，毛澤東就擅長運用土話俚語，平生講了許多喪氣話和不合理性的話，當時看來極富英雄氣概，及今視之，感受可能全然不同。）孫逸仙先生說「政治是管理眾人之事」，當今的臺灣，如何管理李總統的「語言問題」，可能已成為重要的政治課題。最重要的是：兩岸問題如果還會受到意氣用事的閒話一句所左右，那中國人的政治智慧也實在太低劣了。

以上所舉，自然是尋常女性的見解，然而一個社會裡頭，專家學者能人高士只是少數，平常人家的意見與感受才是最該重視的。一朝紅裝勝武裝，兩岸和平才牢靠。

——《美中新聞》，一九九六年三月十五日

統計數字與政治解讀

　　數字不會騙人，似乎是大家公認的。現代社會在各方面都盡量追求科學化，而科學化在相當程度上指的其實就是數據化，資訊轉成數字以後，便能加以比較和推演，也就是更為客觀。可惜的是，上述一般性的說明，適用到社會現象時，卻頗不精確，甚至可以說充滿陷阱，一不小心，便會被誤導，尤其有關政治與經濟的統計，往往同一套數據，竟可以產生不同的解讀，令人困擾及迷惑。

　　眼前就有一個具體的實例。這一次中華民國總統副總統的直接民選，依中央選舉委員會公告，四組候選人的得票率如下：

　　李登輝、連　戰：百分之五十四
　　彭明敏、謝長廷：百分之廿一點一三
　　林洋港、郝柏村：百分之十四點九
　　陳履安、王清峰：百分之九點九八

由於選舉自由而公開，並無任何不正常的投票行為，也沒有聽說什麼作票或舞弊的現象，電腦開票既迅速又確實，因此對這些統計，四組候選人均表接受，並無異議。換句話說，公告的統計數字具有不容置疑的公信力。

　　然而，針對這些數字而提出政治上的解讀時，竟可以生出不同的組合及含義，言人人殊。以下舉幾個實例，以資說明：

- 北京的中共政權及其研究臺灣機構,認為這次主張臺灣獨立的彭謝只得到百分之廿一的選票,證明臺獨聲勢減弱,不得人心。主張對臺灣強硬的軍方,甚至認為選前一連串的飛彈試射與軍事演習,業已達到目的,亦即使臺獨的氣勢被壓低,抬高了主張與祖國統一的勢力。
- 國立政治大學政治系的江炳倫教授則認為:中共演習前只佔百分之十幾的臺獨選票,後來直躍至百分之廿一,民進黨這百分之廿一臺獨基本教義的選票非常確定,這批人是不怕戰爭的,這對臺灣今後的政治發展將是極為重要的變數。

同樣一個百分之廿一的統計,江教授根據中共演習前所做的民意調查,彭謝的聲望一直與陳王相近,加上一般民意調查誤差率上下百分之三,江教授認為原本臺獨選票只有百分之十幾,並非全無依據,因此他把後來實際投票時躍升為百分之廿一,歸咎於中共的演習。然而中共方面的認知卻完全相反,認為演習才使臺獨選票降低,當然,北京為了自身的政治目的,必須如此認定,至於研究臺灣問題的機構(廈門大學臺灣研究所似乎稍微超然),則難免「政治掛帥」、「各為其主」之嫌。軍方的說法,當然是為本身的立場自圓其說,否則飛彈試射,十五萬人的大規模演習,費錢費事,所為何來?

然而,北京的解讀還有一個大矛盾在。中共對支持臺獨的選民做了一個比較嚴格而狹義的認定,亦即只限於支持彭謝的投票者。但是自去年六月以來,中共發動官方新聞機構和學術單位,嚴厲批評李登輝總統「明統暗獨」,那麼這次支持李連的百分之五十四選民,應該算是支持統一或是獨立呢?按照選後北京的說法,則這些選民理當列入「反獨」之列,或者更樂觀地(從中共立場言)說,他們是支持統一大業的,那麼支持統一的人把選票投給「明統暗獨」的候選人,在

政治邏輯上如何講得通？

另外一組有趣而相反的解讀，也與統獨有關：

- 民主進步黨籍的立法委員張旭成，選後對外國媒體（《紐約時報》就曾引用其觀點）再三表示，彭謝的百分之廿一，加上李連的百分之五十四，說明了臺灣的選民高達百分之七十五不贊成統一。
- 美國馬利蘭大學丘宏達教授評論此次選舉時表示，李連、林郝、陳王這三組候選人的得票率合計近百分之八十，顯示臺灣四分之三以上的人民反對臺灣獨立。

張、丘二人乃是同一時期就讀臺灣大學的，張讀政治系，丘在法律系。畢業後均赴美留學，丘得哈佛大學法學博士，張則為哥倫比亞大學博士。張曾長期任教賓夕凡尼亞州立大學，丘執教馬利蘭大學以迄於今。兩人雖為學術界素負名望的學者，但於實際政治不僅時有讜論面世，而且親身參與，丘曾任行政院政務委員，張則是民進黨現任立法委員。兩個人的出身背景頗為相似，但對同一組統計數字的政治解讀卻如此南轅北轍，追根究柢，乃是兩者基本政治立場不同所致。張旭成顯然是反對統一的，丘宏達則明顯是反對臺灣獨立的。

張旭成的說法，在理論上瑕疵較多，首先何以支持李連的選票必然就代表反對統一呢？憑據何在？敗選的一方，竟然把獲勝者拉入自身的陣營，坦白講，未免太過於一廂情願，甚至是一種阿Q式的精神勝利法。當然，張氏的觀點隱約含有視李登輝為自己人的心理因素，這種心態的反對黨，似乎並不夠成熟。相形之下，丘宏達的觀點比較合邏輯，但可能有執著於表相之嫌，選民的深層心理或許遠較複雜，值得進一步深入探討。

其實，同樣的統計數字卻能衍生不同或相反的政治解讀，正是政治永遠能夠吸引人的一大原因，此地予以點出，自然是希望大家看待政治現象時，眼光更為澄明。

——《美中新聞》，一九九六年四月十九日

走向民意謹守憲法

　　中華民國首次由全民普選所產生的總統副總統，訂於五月廿日舉行就職大典。這次大選，是在中共政權飛彈試射、大規模軍事演習的威脅下，招來美國航空母艦的航經臺灣海峽，引起全球的注目及國際新聞媒體的大量報導，在這樣一種氛圍下，就職大典也就比往常更受人重視。

　　其中尤其值得關心的，乃是有關總統就職演說的內容。不僅中國大陸方面極其關切，美國、日本和東南亞國家，也都至表重視。然而，在各界極端重視的情況下，反而使得演說的內容更難下筆，期望過高的結果，往往是令人失望，至少無法滿足各種立場不同的政權與人士。

　　海峽兩岸的官方與民間，如果認為一篇演說足可影響大陸與臺灣的和與戰，或者被看成兩岸是否甚至能否統一的關鍵，坦白講，乃是不切實際的。同時，這也是過去中國人「文學政治」的不當延伸，未免對政治語言產生某種程度的崇拜，在荒謬的推理下，甚至形成文章做得好即等於施政能力高的保證。從現代社會科學的觀點講，當然是沒有連帶關係可言的。臺灣過去之強調研讀總統（總裁）訓詞，中國大陸之把毛澤東思想視為一切的根本，把《毛語錄》當作舉國學習的對象，今天再來回想，總該有點不堪回首的覺悟吧！然而，目前大家之如此重視李登輝總統的就職演說，卻又彷彿過往的思想重見於今日，令人不無遺憾。國人也該醒醒了，即使中國文字歷史悠久，精妙絕倫，但明顯的事實是：人間哪有這樣的文章，可以承荷目前各界加諸於這篇就職演說的負擔呢！

　　與其事前刻意去強調演說的重要性，或於事後用顯微鏡、放大鏡、望遠鏡等等去解析本文，把每個字每個標點符號都詳加研究，做天馬行空式的推想，何如回歸常情常理，以平常心來看待，也許還能得其旨要，探得事理之平，反而更為有益。

　　李登輝先生這次獲得民意的支持，而歷史性地成為中華民族首位全民普遍選舉而產生的總統，事前事後，他所強調的就是民意與歷史使命。請就從這兩點說起。

　　民意是民主政治的根本，雖然民意的表達可以有許多種方式，但不記名且定期舉行的秘密投票，毫無疑問的是大多數民主國家所採納的方式。選舉的公開公正，足以影響民意的精準程度，已為大家所熟知。然而，「定期」選舉的重要性，更加不能忽視。因為「民意」會有變動與消長，政治人物在定期選舉的壓力下，遂無法挾持一次的「民意」，便妄想為所欲為。對實行民主政治經驗還不很夠的國家，這點特別重要，否則以這個「民意」去打壓那個「民意」的現象（其實是亂象），便難免發生。在當前臺灣的政治生態下，更應該強調一點：當政者宜順應民意，而不是把民意據為己有；最高當局所該做的是走向民意，而不是將民意拉到自己這一邊來。這麼一個簡單的諍言，就像是「走向上帝，而不是把上帝拉到自己身邊」的話，相信身為基督徒的李登輝總統早已有所體會才是。

　　感時憂國的精神，是近代中國知識分子思考國家命運的一大特徵，實際掌握權力的政治人物，其實也具有這份強烈的救亡圖存心理，漢奸、賣國賊的封號，說穿了其實大部分是敵對意識型態或政治勢力相互指責的把戲。從內心裡真想「賣國」的政治領袖，恐怕絕無僅有，因為國勢如此衰頹的民族、民生如此凋蔽的社會，對領導人而言，誠乃百廢待舉，其實是很難賣的。也因為這樣，近代我國的政治領導人物，幾無例外，人人都充滿著「歷史使命感」，和平妥協是為

了救國，抗戰更是為了救國，打內戰也是救國，「歷史使命」成了萬應靈丹，實在是國人的不幸。何況，徵諸往史，「歷史使命」也常常是人類浩劫的起因，「偉大的歷史使命」很容易造成「偉大的錯誤」。

從李總統的言行來觀察，他是頗具使命感的，不論是他自比為《聖經》故事中的摩西，或是「新中原」的說法，都可以強烈的感受得到。然而，本文不能不在天下滔滔的興論中，要發出一士諤諤的罪言。首先必須指出一點，總統固然是一國最高的權力中心，但這個職位是根據根本大法——憲法所產生的，其權力來源也是由憲法所賦予的，過去的政治人物喜歡說要「對歷史負責」，在政治學理上是不通的，而且流弊甚大，為了對歷史負責而置憲法制衡總統權力的規定不顧，殷鑒不遠，國人豈可輕易或忘。所謂「歷史」——尤其當權者口中和心目中的歷史，可塑性太大，對歷史負責等於對無形的東西負責，幾乎就是一個騙局。總統所要負責的是遵守憲法，別無所謂的「歷史使命」，歷史使命且由全民來料理，總統不應也不必去越俎代庖。請脫開「歷史使命感」的藉口，嚴守憲法的分際，總統如能做到這一點，其實就已經是國家長治久安的一大保證了。

在總統副總統就職大典的前夕，謹以上述兩點就教於國人，衷心希望獲得國人厚愛的當選人，於大家的祝賀聲中，經民意的不斷鞭策，成為名符其實的憲法規範下保國衛民的政治領袖，國族幸甚。

——《美中新聞》，一九九六年三月十七日

希望與前途能否共存？

　　創辦於芝加哥的「海外中山學社」，於七月廿六至廿八日舉行第三屆中山思想與當代世界研討會，匯集臺灣、大陸與美國地區的學者暨熱心人士一百餘人，大家共聚一堂相與論析，是本地僑學界的一大盛事。

　　會中邀請現任臺灣青年救國團主任、政治大學與臺灣大學教授李鍾桂發表主題演講。李教授口才便給，記憶力甚佳，往往能把國際大事發生的時間、地點及概要等轉述無誤，令聽眾印象深刻。在這次的演講中，她也提到：中國人的希望在臺灣，中國人的前途在大陸。這一說法或觀點，事實上臺灣的政界人物已說過多次，有時用詞會稍有變動，句型略微不同，但重點則是在點出：希望繫之臺灣，前途則存乎大陸，且透過這種陳述彰顯臺灣與大陸未來與共的關係，對內以平衡追求臺灣獨立的政治勢力，對外則盼望多少能消除中共對臺灣當局「臺獨」或「獨臺」的疑慮。

　　個人於此別有感觸，未敢十分贊同。

　　文字乃是統治的工具之一。古羅馬的統治者，早就知道，要領導統御麾下的兵士，文字是必須的手段。我國歷朝的皇帝，無不透過通文墨的百官來治理天下，官員的來源則主要藉由科舉制度徵選之，而科舉基本上是在文字功夫上見高下。民國肇建，封建的科舉制度已於清末廢除，但文官的考試制度則保存下來，當然，優良的傳統不必因為政治鼎革而加以盡數推翻，這本是健康而有自信的態度。不過，此處探討的不是文官考試制度，而是民國成立以後，政治人物所擅長的文字遊戲。

　　民國初年，軍閥彼此爭奪國柄的那一段時間，軍閥政客的上臺下臺，頻率相當高，而且大都伴以文詞典雅的通電文告，連權力角逐失敗被迫出國，也不忘發個出國聲明，叫人看得目不暇給甚至是莫名所以，實在是政治上文字遊戲的絕佳研究題材。其流風餘韻，抗戰期間又見之於汪兆銘身上，汪氏脫離重慶，後來與日本人合作而於南京另外成立「國民政府」，啟其端者是他於民國廿七年十二月廿九日響應近衛聲明而發表的「豔電」。其實，我國的政治領袖向來喜歡發表文告，國民政府如此，中共政權亦然，這種情況直到今天依然存在。

　　在現代社會中，文字非止用來溝通與管理，它的功能更擴大到許多方面。廣告與宣傳不僅商業上運用極多，政府的政策宣導，選舉時政黨的文宣工作，全都用上了，連慈善事業也不例外，證嚴法師的《靜思語》風行一時，應該是慈濟功德會聲名遠播的一大助力。文字在現代社會發揮多種不同的功用，這個現象本身無可反對也無從反對，本文在意的是政治上的文字遊戲。這類戲法方式甚多，其弊病在於不願直指問題的本相，反而有故意模糊真相的傾向，若把它盡量推演，很容易得出極端荒謬的結果。面對政治文字遊戲，必須敢於追問：它的實質內容是什麼？

　　蔣中正總統主政時，文告不少，有一段時間極力宣揚他的世界和平戰略觀，大意是說：世界問題的重心在亞洲，亞洲問題的重心在中國，中國問題的關鍵在臺灣。這種型態的「分析」，只要順其思路推演下去，毛病自現，比如接著說：臺灣問題的重心在臺北市與臺北縣的團結合作，北市、北縣能否合作關鍵在於垃圾的處理，難道我們可以因此結語稱垃圾乃是世界問題的核心嗎？更何況如果缺乏嚴謹的比較研究，世界問題的重心怎能斬釘截鐵的說就在亞洲呢？這樣的大前提是如何得來的？

　　另外一種政治文字遊戲則是刻意以抽象取代具體，中共政權精於

此道。目前中共對付臺灣，主要就是一再強調要回到「一個中國」的原則，但若追問要怎樣才算回到「一個中國」，卻又講不出具體而實際可行的條件或辦法，只好祭出「觀其言察其行」的老套。然而，並不是只有中共可以對他人觀言察行，他人一樣有權對中共觀言察行。況且若再進一步問：「一個中國」是怎麼樣一個中國，是造反有理革命無罪的文革式中國呢？還是不管黑貓白貓能抓耗子就是好貓式的中國？一個極權專制的中國，值得去「回到」嗎？一個言論不自由法制不健全的中國，憑什麼要求海外的中國人去「認同」與「愛國」呢？請問究竟是「中國」具有什麼內含重要呢？還是毫無理性地執著於「一個」重要呢？

依同一理路，回頭省視「希望在臺灣，前途在大陸」的命題，本文不禁要問：這種說法，真正的內容是什麼？同時，也不妨依照政治文字遊戲的手法，如果改寫成「前途在臺灣，希望在大陸」，請問後一句式與先前的句式有實質含義上的差別嗎？或者再用嘲諷的語調進一步質問：難道中國人確實是特殊材料製成的，有希望的地方沒有前途，有前途的地方沒有希望？這是後現代的語言邏輯嗎？

政客大人們自然偏好運用政治上的文字遊戲，有些精於此道者的表現，彷彿絕妙的廣告詞，的確使人過目難忘，這時自宜放寬尺度暫時予以欣賞一下。但國王身無一物赤身裸體，卻要大家相信他穿的是理想而華麗的新衣，這時候，我輩小民應該有權表達善意：別著涼了！

——《美中新聞》，一九九六年八月十六日

是怎麼樣的國民
選出這樣的總統？

　　臺北時間五月四日星期天，臺灣一百多個民間團體，發起「五〇四為臺灣而走」的大遊行，聚集了為數五萬餘的民眾，提出「總統認錯、撤換內閣」的口號，進行了一場震撼人心的群眾運動。

　　這次活動的直接觸媒，當然是知名藝人白冰冰之女白曉燕被綁架且遭殘酷撕票乙案，但去年十一月廿一日桃園縣長劉邦友等九人於官舍被槍殺，隨後民主進步黨婦女部主任彭婉如於高雄深夜搭計程車遇害，接二連三發生慘絕人寰、泯滅人性的凶殺重案，不僅破案遙遙無期，而且主政當局眼見治安敗壞，迄無具體可行的改善對策，各黨各派的政治人物，又祇是經常以無法兌現的承諾去討好民眾，日積月累，人心中久蟄的不滿情緒遂盈溢而出，終告爆發，這才是此次活動的主要激素。

　　警政單位，在一連串重案的壓力之下，早已疲態畢現，各級政府機構根本就惶惶然不知所措，大概連方向都有點掌握不住。這次遊行在組織者與現場領導人的指揮之下，反而能維持一定的秩序，避免了過去常見的政黨勢力插花的情況，兩相對照，真是「官不如民」。平日神氣活現的各類政治角色，可有愧疚之感？

　　然而，這次遊行所發佈的宣言，雖然辭意懇切而迫促，以新穎而技巧的口氣質問當政者，在相當程度上應可打動許多普通百姓的心聲，但對這份宣言所表露的思路，以及白曉燕案發生後各界的反應，本文有所異議。剛於四月廿九日病逝的知名新聞專欄作家麥克‧羅逸

科,身後美國新聞界、文化界悼念他,舉出他最大的特點,就是「激怒大家,機會均等」(equal opportunity offender / irritator),筆者不敏,頗願效顰。即使違逆時髦,甚至干犯眾怒,也在所不惜,因為新聞專欄的本旨,乃是在刺穿虛矯、虛偽、虛張聲勢,冷靜地設法顯露出真相與真實。所見若不利於當權者,固當奮勇前行;若不利於群眾或弱勢者,也應直言道出,一無猶豫。

　　一個社會治安之良窳,其責任當然在於主政者。近年來,臺灣的治安狀況屢屢出現紅燈,自應由國民黨負起行政與政治責任,誰叫你這麼喜歡長期執政呢?當權而又不必負責任,天下哪有這般便宜的事?尤其在一個民主的社會。然而,臺灣社會瀰漫的暴戾之氣,則似亦不必諱言,在野的民主進步黨難辭其咎。民進黨於早期有意向國民黨「奪權」的階段,所採取的活動與示威遊行,大多數遊走於法律與暴力邊緣;透過選舉程序而當選的該黨各級民意代表,即使是最高級的中央民意代表,在國會殿堂上用近乎暴力的肢體動作和暴力語言,以遂其所願,始作俑者是民進黨人士,直到今日,仍有不少該黨立委國代以此為吸引和保住自身群眾基礎的問政方式:凡此種種,乃是何其錯誤與不當的示範!臺灣的黑道勢力透過選舉漂白自己,進一步瓜分政經利益,精神上的「指導教授」其實是民進黨。國民黨的錯誤則是迫於反對黨的壓力,不敢也無能堅持原則,為了保住政權,不惜以更多的劣幣去驅逐劣幣,大家比爛,黑道寄身國民黨變成某種政治上的供給需求,甚至認為這就是「本土化」、「深入基層」、「向下扎根」、「民意如此」。在一個正常的民主體制下,反對黨雖然不必負行政責任,但它仍然要對國民負起社會責任與政治責任,大家千萬不能輕易放過他們。

　　每當遇有重大刑案發生,總會引來有關刑罰寬嚴的檢討。白冰冰女士在女兒遇害後,公開表示禍首係立法院,因為對刑事犯的罰則經

立法委員們一再修訂，已過於寬鬆，助長歹徒的僥倖心理。為數不少的黨政要員，也不斷向媒體表示，「治亂世宜用重典」。苦主的感受，我們可理解與尊重，但事關整個社會的體制與發展，卻不能不站在宏觀的立場來論析。高官顯要們最喜歡在慶典上誇耀臺灣的政經成就，簡直就是有史以來莫與倫比的太平盛世，怎麼突然之間臺灣又成了「亂世」？何況真正的亂世，法典的重輕早已不足論，還談什麼「用」！此處透露出國人法律思考的一大缺失；本意良善的法規訂定以後，若有人違犯該法，不去認真追究違法者的行為並依法辦理，反而忙著考慮如何重新解釋或修正法規，這種情形再三出現以後，法的權威蕩然無存，人們的守法觀念始終無從建立。為了防範黑道，於是本來民選的鄉鎮長建議改為官派；因為重大凶殺案件發生，於是把對人權較有保障的法律重加更改；類似的作為，所犧牲的是你我的權益。

這次「為臺灣而走」大遊行發佈的宣言，以一連串的問句，質疑臺灣的教育、經濟、司法、警政、政府等。恕在下直指本相，把責任諉罪於社會、教育、人心，乃是極其方便的藉口，同時也是不知道如何負責任而且不長進的人群之習用老套，因為任何時地場合皆可用。隔壁的小李才廿歲竟犯下搶劫罪，這是社會風氣不當、教育失敗、人心迷失所使然，這樣的解釋用之四海而皆準，但實際上等於沒說。臺灣的平民百姓當然有權要求「總統認錯、撤換內閣」，既已有此認識，何妨進一步自問：

是怎麼樣的國民，選出這樣的總統？

——《美中新聞》，一九九七年五月九日

聖·路西亞在哪裡?
—— 北京與臺北外交戰之荒謬性

　　八月間,北京與臺北為了聖·路西亞外交承認事,幾番交手,使得聖·路西亞這個小國的名字,再三出現於華文媒體的重要版面。某天,與友人碰頭,這位友人平日關心國事,國際知識與經驗頗為豐富,他以略帶嘲諷的語氣問道:聖·路西亞在哪裡?

　　妙哉此問,其間實有分教。稍知國際政治的人,要知道聖·路西亞位於何處,只需一查世界地圖,從古巴東邊的海地、波多黎各、然後沿一系列群島南斜,指向南美洲大陸邊緣的千里達,聖·路西亞就在這系列群島上。其實,這個發問,地理的含義不大。重要的無寧是政治心理上的質疑:在臺灣海峽兩岸的外交攻防戰中,聖·路西亞這樣的小國,應該放在什麼地位?

　　坦白講,像這樣類型的國家,除非發生嚴重天災,比如遭受威力奇強的颱風侵襲,或是發生軍事攻擊,比如美國派兵攻入格瑞納達(聖·路西亞南鄰);否則是很難變成新聞焦點的。即使以這次聖·路西亞與臺北斷交,轉而於九月一日與北京建交,除了華文媒體外,國際間是不會有什麼了不得的報導的。畢竟聖·路西亞面積只是二三八平方英里(六一六平方公里),人口近十五萬人,說穿了,約略等於臺灣或大陸的一個鎮市而已,在國際間談什麼影響力?同時又不是扼海峽之要衝,戰略地位上的價值也微乎其微。以上所述,並非看輕這個國家,而是事實如此。就經濟貿易而言,手頭無中國大陸方面的資料,臺灣方面,依經濟部國際貿易發佈的資料,雙邊貿易額為六十一萬九千美元——其中臺灣輸出占五十六萬,誠如經濟部所表示的,這

種貿易額甚至不如一家成衣廠的訂單。聖‧路西亞與北京建交後，貿易往來想必也不會有什麼了不起的增長，何況在大陸逐年成長的巨大貿易額中，其比例實在不足道也。講白了，只因為該國是聯合國會員國，臺灣才會設法盡量維持外交關係，一旦成本過高，也只有放棄。

根據報導，北京方面由駐聯合國秦華孫大使起頭，基於他與聖‧路西亞現任外長的交誼，不但訪問該國，且承諾給予一百萬美元援助，以興建醫院、學校等。另外還有報導指出，中共還允諾二千五百萬美元的友好貸款。看來，今天北京已經成為玩「金錢外交」的高手了。相形之下，臺灣因為受到民主體制的規範，要玩「金錢外交」會受到很多限制，民意代表對政府預算的監督，新聞輿論的批評指責，即使外交當局有意這麼做，也很容易動輒得咎。中共在這方面顧慮較少，既無名符其實的民意機構監督，新聞輿論界敢於發揮「第四階段」（或稱第四權）功能的機會，迄今仍然不多，而且要冒絕高的風險。

此外，則是資源比例的問題。臺灣在經濟發展上自然較為先進，個人平均所得也高出大陸甚多，但經濟的整體規模當然又遠比大陸為小，而政府所能動用支配的資源，不僅很難採取由上對下「命令式」的手段，而且其比例勢必低於大陸。如果全面性而不善加選擇對象，臺灣想以經貿外交來跟中國大陸競爭，長期下來是絕難樂觀的。這樣分析，並不表示北京便可以為所欲為，橫行天下。任何國家的資源都是有限的，用於甲則無法再用於乙，況且外交上的援助支出，對尚未達到高度開發國家水平的社會而言，事實上往往是有去無回的。中共在國際外交上「競標」，可能勝過臺灣的贏面很高，但回頭仔細試想，在一九九〇年時，認捐四十元人民幣可以讓一個失學孩童重新返校唸書，募得廿萬人民幣，可以蓋一間小學。為了十五萬聖‧路西亞國民，一百萬美元的捐助，可能使七、八萬大陸兒童喪失受教育的機會，二千五百萬美元（但願報導不正確）的低利或無息貸款，用到「希

望工程」去蓋小學，可以興建好幾百間，為什麼這樣的損失要由中國的貧苦大眾來承擔？為什麼加勒比海小國的百姓，每人平白賺了美金六、七元，貸款每人分得一六七美元？這些話頭，實在應該由大陸上的百姓向政府提出，恕筆者僭越，於此「干涉內政」一下。

目前與北京建立邦交的國家，已達一百五十餘國以上。臺灣努力推展務實外交，邦交國勉強維持在卅國上下，何況「彈性」很大，動不動甲地損了一個，乙地添了一個，而且不客氣地說，大都沒有什麼地緣戰略價值。雙方在外交形勢上的格局如此，對北京而言，增減幾個類似聖‧路西亞的國家，實在無關痛癢，費這麼大勁幹麼？當然，對臺灣方面的意義大有不同，執政者時時承受著來自民間的壓力，多幾個小國建交，可以多少提振士氣，說明臺灣的外交還沒有被中共「全盤孤立」，危機意識下的主權國家地位像是打了一劑強心針。臺灣外交之難辦，遠從蔣介石時代即已開始，在言論與新聞自由尚不充分的時代，要批評政府，最好拿外交部長開刀，因為這樣做最安全！如今益加民主開放，促使臺灣執政當局不得不「走出來」辦外交，否則連執政的地位都不保，除此以外別無選擇。中共在強力批判臺灣的務實外交時，若不能看清這點，終將為中華民族製造悲劇。

聖‧路西亞等小國可以收買，聰明的領袖大人，請告訴我，海峽兩岸的關係應如何收買法？

——《美中新聞》，一九九七年九月十九日

總統曾經是外國人
—— 為李登輝辯解

　　海內外批評李登輝總統的言論很多，個人也不例外，最近忍不住又提出〈異哉，所謂「沒有下來的權利」！〉一文（見《美中新聞》，一九九七年十二月十九日，頁六）。然而，在許許多多的批評中，有一點筆者至今始終感到不解，同時也一直難以接受，那就是針對李氏「廿二歲以前是日本國民」，所從而衍生的風風雨雨。最近，因為波羅的海國家立陶宛舉行總統選舉的新聞，不斷見諸芝加哥地區的媒體，重新勾起筆者在這方面的思緒。

　　剛以極小差距當選立陶宛總統的亞當卡斯（Valdas Adamkus），現年已七十一歲，去年六月才退休，退休前是美國聯邦環保署芝加哥區的頭號人物。亞當卡斯氏一家於紅軍入侵立陶宛之際逃往德國。一九四九年，他單身移民美國，在紐約上岸時口袋裡僅有美金五元，後來從伊利諾州理工學院畢業，分別於芝加哥和俄亥俄州辛辛那堤任職。他在共和黨陣營內相當活躍，環保署初成立，尼克森總統為酬庸他在政治上的努力，提名他擔任環保署芝加哥區副主任。一九八一年，雷根總統任命他為主任。亞當卡斯曾經為了密西根州水污染問題的報告，而與頂頭上司當時的環保署長安妮·柏茀產生嚴重衝突，後來他在國會作證時，抖出柏茀以行政力量改動報告內容，最後署長被迫下臺，這件事據說使環保署工作人員的士氣大為提升，也使他獲得共和、民主兩黨議員的聯合支持，柯林頓總統初上臺時，曾經有意改任民主黨人士取代他，遭密西根州頗有權勢之民主黨眾議員約翰·丁格爾反對而作罷。新聞界戲言，這位差點被柯林頓停職的人物，一夕之

間，變成國家元首，獲得白宮邀訪時，自當與柯林頓平起平坐矣！

　　亞當卡斯任職環保署芝加哥區主任後期，經常率團訪問蘇聯，每次都設法往立陶宛一行，逐漸於祖國建立人望。一九九○年起，每逢度假皆返回立陶宛，次年並購置公寓為住所，一九九二年重獲立陶宛公民權，並經該國法院判決合乎該國憲法居住條件的要求，終於讓他成為該國總統候選人。亞當卡斯擁有立陶宛與美國雙重國籍。在一九九七年以前，絕大部分時間住在美國。這位立陶宛的新科總統，不折不扣的曾經是（現在也可能還是）外國人。

　　其實，類似這種情形，並非沒有前例。以前讀以色列開國元勳之一，當過總理的戈達，梅爾夫人的傳記，便發現她八歲自俄國移居美國，與先行來美的父親在威斯康辛州密爾瓦基市團聚，後來接受教育和工作等，絕大部分以密爾瓦基、芝加哥、丹佛這三個大城為活動中心，成年後才矢志遷往巴勒斯坦，為猶太復國運動而奉獻。梅爾夫人當時也具有美國國籍，做過密爾瓦基市小學教員的她，英語事實上比意底緒語（猶太語）還流暢多多，極有助於她在美國進行募款活動。（以色列現任總理納坦雅胡，青少年時代一直在美國受教育，語言能力與梅爾夫人相似）更近一些的例子，可舉希臘一九八二至一九八九年的總理巴潘德里奧（Andreas Papandreou），他也曾經是美國公民，在著名學府擔任經濟學教授多年。

　　曾經當過外國人，而後成為其祖國的政治領袖，有什麼不對呢？有何不可或不妥之處嗎？何況李登輝總統廿二歲以前是日本國籍，根本不是出於自由意志的選擇，而是出生於當時受日本統治的臺灣之故。當然，有關這方面的爭議，始作俑者或許應該說是〈生為臺灣人的悲哀〉這篇對談錄。最近中華民國副總統連戰還指出，這篇訪談真是害死人的一篇文章。筆者最近又重新把這篇對談錄仔細閱讀一遍。

　　這是已故日本歷史小說家司馬遼太郎生前與李登輝總統的對談，

原文載於一九九四年春《週刊朝日》，原標題為〈場所之苦悲〉，而小字副標題才是「生為臺灣人的悲哀」。（李總統的「場所」論辯解，或亦本乎此）司馬遼太郎於中國有某種情感，否則也不會以太史公司馬遷為他的筆名，對中國歷史的瞭解並非泛泛之輩。同時，純就這篇訪談錄而言，司馬遼太郎言談中至少曾出現「（日本）把別的國家當作殖民地是一種真正愚蠢的行為……」、「……在那粗暴時代的日本……」等類句子，比起蠻橫否定南京大屠殺的日本人士，司馬其實是有自省之肚量的。不知道有沒有中國作家，在與西藏人士會談時，敢於指責中國對待西藏文明的態度乃是「一種真正愚蠢的行為」！同時，是在司馬問話時，他主動提到：「李登輝先生您是在廿二歲時由日本人成為中華民國的國民。」李總統自稱廿二歲以前是日本國民，應該不是出自這篇對談錄。（筆者閱讀範圍有限，一時無法查知李總統何時何處主動說出這句話）

韓國復國志士金九，越南獨立領袖胡志明，均曾長期在中國活動，甚至受到國民黨、共產黨的支持。（高棉的施亞努親王，長期在北京療養）一般國人提到這些事跡，多持肯定態度，認為是兩國關係或革命史上的雅事，不會視之為受外國卵翼。相形之下，李登輝一句「廿二歲以前是日本人」，竟帶來如此多的風風雨雨，從而衍生「媚日」（不要忘了，領導抗日的蔣介石以前也曾經被如此誣賴）、「反華」等莫須有的指控，令人失望之至。其實，這句話只是一項事實的陳述，李登輝老實說出一件事實，而有些人竟連正視事實的氣度都沒有？

——《美中新聞》，一九九八年元月十六日

人的定位
——從李登輝總統的談話說起

一九九八年九月二日，《紐約時報》刊出李登輝總統的訪談。這篇報導見於該報第一部分頁A4，並配上一幀李總統的相片，地位還算顯著。主要華文媒體如臺北《中央日報·國際版》、《聯合報》、美國地區的《世界日報》，也於同日以頭版頭條的方式刊登中文專稿。原稿係《紐約時報》駐東京特派員紀思道（Nicholas D. Kristol）於九月一日自臺北發出。紀思道曾任該報駐北京記者，與其華裔夫人伍潔芳合撰《驚蟄·中國》一書，對中國問題可說具有相當深入的理解。這篇報導頗受國際媒體重視，歐洲的《國際前鋒論壇報》即以頭版處理之。

個人最感興趣的是訪談中的下列片段（本文根據《紐約時報》原文，譯法與華文媒體略有出入）：

> 臺灣與中國疏遠的另一個跡象則是，民意測驗中有越來越多的臺灣人自認為是「臺灣人民」，而非「中國人民」。問起他怎麼看自己時，李先生一無猶豫。

> 「首先我是臺灣人，其次才是中國人。」他說道。「我們全部都是很久以前從中國大陸來的，一生都待此地，所以我們熱愛這個地方。不過，當然我們也都是中國人。」

隨後，他的助理顧慮到這種評論可能產生不同解讀，李先生再度回到訪談室，另外解釋說：「我是臺灣人，我也是中國人。」

　　這一段記述，相當生動，也是記者刻意描繪的重點之一。同時，對「身分定位」的敏感，不啻是臺灣海峽兩岸政治現實的反映。「臺灣」與「中國」（或說是中國大陸），不僅是地理上的指標，而且也是政治上聯想的溫床；「臺灣人」與「中國人」，在許多情形下，不但是族群符號，也涉及到政治效忠的立場。其間的糾葛纏繞，有時很難理清。

　　在臺灣尚未解嚴以前，強調「臺灣」的團體及個人，執政當局往往用異色的眼光加以看待，具體講，就是主觀上認為這種團體和個人不無「臺灣獨立」的色彩，以至於官方的宣傳品，只見「中華民國」而不見「臺灣」，連觀光海報，都不脫此窠臼。另一方面，主張臺灣獨立的人士，則又全力突出「臺灣」，有意將「臺灣」與「中國」嚴加區分，視為各自不同的個體，甚至對立。早期臺獨組織針對來自臺灣的省籍留學生，常常逼問：「你到底要當臺灣人，還是要當中國人？」彷彿兩者是互相排斥的身分，只能二者選其一。如果你選擇臺灣人，那你便不是中國人；如果你選擇中國人，那你便不再是臺灣人。

　　當然，這樣簡單的二分法，流弊很大。畢竟人在實際的生活中，不可能只有一個角色。舉個最常見的例子，你是爸爸的兒子，若已結婚，則也是兒子的爸爸，這時候便具有不同且多樣的身分及角色，此際再去逼問：你到底要當兒子還是當爸爸？便成了一個假問題，沒有多少意義。一個人在工作上可能是某大公司的研究部門經理，在工作以外的時間，他又是合唱團團長，只要不妨害其本職，則任職公司根本沒有理由來質問：你到底要當經理還是團長？所謂多元的社會，最具體的表現便是人可以有不同的角色與功能，並且不同的角色與功能彼此可以浮沉流動交換，妄加限制，只能戕害人的選擇和自由。

　　如果暫且擺脫政治上的聯想，則人的定位似也不必把它過度複雜化。長久以來，個人就是抱持一個相當淺白的看法：人，首先當然是以生物上的生命個體誕生而存在於這個世界，然後他是父母的子女，

接著擴大成為家庭的成員，由生活環境的周遭向外延伸，隨著生命的成長，以及思想意識的提升，他變成鄰里鄉鎮的一份子，再成為縣、市、省（州）的成員，再成為某個國家的國民和公民，而境界昇華到「在國家之上，還有人類」時，則最後他也屬於人類的一份子，這時彷彿又回歸到最原始的起點，最成熟最廣大的身分，到頭來與最始初最根本的生命而為一，生命的循環成為完滿的一個圓。

當然，不同個體會有不同的成長和境界，有的人終其一生可能只停留在某個階段，比如只停留在縣市省的水平，根本不太意識到他是一國的國民，但這無妨於人之所以為人。然而，站在一個廣大的圈圈，從而回頭去否定次級的圈圈，比如自認是國際人，於是否定他是某國國民；以某國國民自居，從而否定他是某一省人；以某一省人自豪，從而否定他是某個縣市的人；依此類推，到以父母的身分，從而否定子女乃是個獨立的生命個體；這種「以大制小」，則顯然是一種壓迫或壓制，不僅是政治上的壓制，也是文化上的壓制，個人是極表反對的。設使某君只想當高雄人，不想當臺灣人；或者只願當臺灣人，無意當中國人；對類此選擇，原則上應予以尊重，妄圖以種種權力打壓之，只會造成更大的不公道。依同樣的道理，禁止別人從較小的圈圈脫開去認同較大的圈圈，當然也是壓制。

李登輝總統於《紐約時報》的訪談中說，「首先我是臺灣人，其次才是中國人。」無非是就上述淺白的道理如實陳述而已。然而，即使這麼簡單的陳述，也敏感如此，足見人的定位，在政治的競逐與擺佈下，多麼容易遭受扭曲。

——《美中新聞》，一九九八年九月十一日

統一最忌強求，愛國就怕幫腔

　　一九九九年元月底，是中共政權發表《告臺灣同胞書》廿週年，江澤民「為促進祖國統一大業的完成而繼續奮鬥」講話四週年，後者即俗稱「江八點」。北京、香港以及中共駐外單位，奉命舉辦座談會。雖則，前新華社香港分社臺灣事務部負責人黃文放，公開撰文指陳：這些集會只是例行公事，宣傳多於實際，對內動員多於對臺施壓。然而，看到集會中的一些言論，未免離譜過甚，不得不稍事批評，以正視聽。予豈好怒哉，予不得已也。

　　香港的座談會，由新華社香港分社姜恩柱社長親自主持。不論是《告臺灣同胞書》或「江八點」，皆以臺灣為政策目標。然而，彷彿已經變成某種公式，談臺灣問題卻刻意排除真正有代表性的臺灣人士，才方便這類官式活動順利進行，這次香港的座談會也不例外。長達兩個半小時的座談，除港澳臺灣同鄉會副會長一人屬臺籍外，其餘發言者均為配合政策的「愛國人士」。與會的王祿闓君事後極表不滿，批評多名港人的措施激烈且情緒化，而其目的仍無非是在「突出自己」，對兩岸關係只有負面影響。會中有人大肆批判臺灣人不懂中國文化，屢有幼稚的行為，王君反問道：「我不相信臺灣人對中國文化的認識比他少！」

　　認真講，經過五十年共產主義的「教化」，大陸到底還有多「中國」，個人一向以為是值得存疑的。不過茲事體大，非三言兩語即可了斷，此處暫且引大陸著名作家張賢亮訪問臺灣後所寫的觀點，以資參考。張君認為臺北市「在建築形式上和人情關係上，我甚至覺得她比大陸的大城市更多『中國化』，比大陸保持的中華民族傳統還更濃

一些。」他又言:「臺灣對所謂中華文化的精心保護,僅從臺北的『故宮博物院』就可凸顯出來。」結尾提到:「如今有不少臺灣人到大陸來『尋根』,而另方面,又有不少大陸人會在臺灣找到自己的『根』的。」(均引自張賢亮〈野鳥原音〉長文)最後一點,尤其意味深永。

言歸正傳。為了標榜自己的「愛國」,為了誇顯本身的「認同身分」,凡於類此集會中聲色俱厲、慷慨陳辭者,連政府代表也不便啟齒的極端言論,高級官員聽來都不禁臉紅的肉麻話語,壹皆出於其人之口,惡形惡狀無以名之,姑且稱這種特殊人物為幫腔客。

此間亦曾於元月廿四日辦過同性質的座談會,很不幸地,竟也與香港的活動一樣犯上同類毛病。以下根據報紙的報導,就部分言論綜合後略加剖析,重點尚不在發言者誰何。

中共官方再三宣揚統一是大勢所趨、人心所向,視之為一種觀點或期望,固無不可,但若進一步以為甚或相信這是「歷史的客觀規律」,則是全無根據的玄想。長久以來,共產主義不是被宣傳為「不可阻擋的歷史潮流」嗎?而今安在哉?基本上,凡是誇口某種思想、運動係大勢所趨、人心所向,總是屬於政治宣傳的範疇,在知識上是站不住腳的。即便這類言論是由所謂的偉大思想家或政治家口中道出,同樣必須接受這一考驗。更何況,偉大的人物,始終存在著犯上偉大錯誤的危險。

在類此集會中,總有不少人最愛援引孫中山的話:世界潮流浩浩蕩蕩,順之則昌,逆之則亡。首先,依前段所言,潮流也者豈能輕率相信,即使出自孫先生之口,亦無需為賢者諱。但引這段話用以說明臺灣不與大陸統一,係違逆世界潮流而行,註定失敗,則未免推衍過當。孫中山在世時,臺灣尚在日本統治之下,先生無從預見他逝世後數十年,會有統一問題。

其實,孫先生講過這話很多次,他所謂「潮流」指的是什麼,文

證俱在，不容任意歪曲或擴大解釋。座談會中不乏熟知三民主義之士，可能格於社交禮節，未便當場釐正。個人涵養稍欠，只好據實以告：孫中山的「世界潮流」，指的是「民權」。如果無暇查閱孫中山全集，只要一讀演講本《三民主義》書中民權主義第一講，清清楚楚，了無疑義。用今天的話來說，無非就是民主與自由。孫先生說：「世界的潮流……現在流到了民權，便沒有方法可以反抗。如果反抗潮流，就是有很大的力量像袁世凱，很蠻悍的軍隊像張勳，都是終歸失敗。」許多人或有同感，最該聽取這段話的教訓者，非當今的中共政權莫屬。煩請大家回頭再讀這段話，把其中的袁世凱換成「中共」，以「人民解放軍」代替張勳，不是具備十足的現代意義，更能彰顯孫中山作為時代先知的偉大精神嗎？或許引用孫先生話的人，有其「隱喻」的用心，若然如此，這份膽識倒也令人欣賞。

他如舉「歐元」貨幣統一為例，當做海峽兩岸統一的旁證，殊無說服力，充其量只是「各取其譬以實其說」而已。世界上總是統一與分裂並行的；原共產國家如蘇聯、南斯拉夫，崩解以後分裂；民主國家加拿大，內部魁北克省早有分離而獨立的傾向；北愛爾蘭、波多黎各均有獨立運動；印尼所屬東帝汶；近日獨立的呼聲更形高漲且可能實現；識淺如筆者，立刻可以舉出這麼多實例。統一抑或分裂獨立才是「世界潮流」，正未易言。退一步說，假定「歐元」是個有效的例子，那麼便不能不承認，參加「歐元」體系的各國均為主權獨立的國家，沒有哪一國狂妄到不承認別國是個主權國家！中共可願仿此來提倡「華元」？

最最令人不以為然的，則是在此類集會中，偶見曾在臺灣住過的人，被封為「臺胞代表」或以之自居，表現出來的正是前面第四段所描述的幫腔客。個人的一隻耳朵實在不幸，於一九八九年六四天安門事件後不久，確實曾親自耳聞幫腔客放言：北京當局的鎮壓完全合乎

193

人心，果斷而明智，殺得好！幸虧鄧小平快刀斬亂麻，否則改革開放的成果必然毀損，穩定的局面一定受到破壞。聽到這種高論，實在懶得再去辯駁，心中迴旋不去的是一句臺灣俗諺：「別人的兒子死不完」。最近又有「臺胞代表」認為，九五年底和九六年春，中共對臺北、高雄近海的飛彈演習，實在充分表達了祖國統一臺灣的意志與決心。嗚呼，果真如此，這樣的統一丟進垃圾桶算了！日子會清淨些。

熱切希望兩岸統一的人士，切莫忘記，他們同樣有權譴責中共政權的錯誤，至少應與勇於指斥臺灣當局等量齊觀，否則贊成統一者全屬助紂為虐之徒，反而不利於統一號召。退而求其次，對中共一些劣跡昭昭的殘暴措施，保持沉默總可以罷？惜乎有些人不知道沉默是維護人之尊嚴的底線，此所以幫腔客越是慷慨激昂，越見其下流無恥。

有分教，正道是統一最忌強求，愛國就怕幫腔。

——《美中新聞》，一九九八年二月十二日

國際援助的心理糾結
——淺談臺灣援助柯索伏案風波

　　臺北時間六月七日下午，李登輝總統舉行中外記者會，宣佈基於人道考量，中華民國願意主動提供三億美元的無償援助，方式大致有三：一、提供流亡在外的柯索伏難民衣、食、住、醫療等支援；二、安排部分難民來臺接受短期技職訓練；三、配合國際長期復興計劃，提供對柯索伏地區之重建支援。李總統還特別指出，中共當局應該認同中華民國的這項作法，也希望北京一起參與人道援助。

　　這個大手筆的國際外援方案傳出以後，國內與國際間的反應，形成強烈的對比。當然，北約國家制裁南斯拉夫，進行了七十八天的轟炸，所費當在數百億美元，但和平協定簽署以後，柯索伏地區外逃難民回返家園以及日後的重建工作，在在需要外援，而這方面的經費實在很難自各國的國防預算中動用，顯然必須另編預算，臺灣方面的義助，不僅可以減輕少許負擔，同時也是受相關各國歡迎的號召，至少在向國會爭取經費時多了一項助力。歐洲議會讚揚臺灣的聲明，美國國會議員和輿論界，已有不少良好的反應，雖則消息的傳佈似乎在時間上還不夠快，但實已達致不錯的國際文宣效果。何況，援助本身不是開完記者會即了事，今後的具體措施與執行時機、方式等，仍然有機會塑造新聞價值。

　　國內的反應，則顯然不如國際間這麼順利，但這應該是預料得到的。畢竟付出者是國內的政府與百姓，而且金額又是史無前例的大，反對黨的民意代表紛予抨擊，實在也是替選民盡了看管荷包的任務。同時，決策過程有無瑕疵，也成為批評的焦點。外交部長由於先前曾

195

向立法委員透露援助金額不會超過三千萬美元，轉眼之間，卻由總統口中說出三億美元，差距未免太大，於是外交部長是否參與決策、是否被「架空權力」等質疑，遂越演越烈，對外交部長而言，真是好事成壞事，胡部長在這次援柯風波中，竟成了受傷最重的人。向來以反應機敏、口才頗佳著稱的外交部長，這次恐怕確實體驗到「禍從口出」的滋味了。事後，外交部與國家安全會議雙方取得協調，而由國安會秘書長殷宗文對外宣示援助柯索伏是「戰略議題」，以平息各界的爭議。高級官員一時的榮辱得失，比起政策的正確執行並產生實效，輕重之間應有取捨，如果部長認同該政策，則官員聲望在媒體上短期的升降，實在不必太在意。

依個人近日閱讀之所及，陸以正大使在六月廿二日臺北《聯合報》發表的〈走過外援，談援外〉一文，最具參考價值。陸先生長期主持新聞局駐紐約新聞處，中美斷交後回國，曾任駐南非大使等重要職位，現為無任所大使。他在新聞外交界歷練豐富，具有國際器識，由他來談國際援助的取予——即接受外援和提供外援，分量自有不同。陸大使認為，援科決定剛宣佈時，國民心理尚無準備，加上政黨與選舉的糾纏，惹出許多枝節旁生的爭論，現在大家比較心平氣和了，下面幾點共識是國人應該達成的：

一是我國應該援外，以柯索伏為對象亦屬正確，只有藉這樣全球關注的大事，才能使處境艱難如中華民國者，引起別國另眼相看；二是三億美元的金額並不離譜，依國民總所得用於援外的百分比，我國離別國還差一大截，至於決策程序，外交國防由總統主導，符合憲法精神；三是援外的目標，只要援助的主權操之在我，總會有收穫，「沒有說要這個人花錢請客，而桌子上不替他擺一副杯筷的道理。」四是援外工作的本質就是外交政策的工具之一，且無法一絲不苟地依詳細計劃行事，如此援助提供者手上才有牌可打；五是執行援外不是很容易的一件事，宜避免官僚作風，讓別國領略一下我國的高行政效率。

依他估計，整個計劃要四年才能完事，對國庫並非沉重負擔。

　　這次李總統宣佈援科三億美元，之所以招惹許多風波，不必諱言，多少也因為過去已有「政策急轉彎」的實例，政策宣佈所產生的「震盪」，也是大家記憶猶新的經驗。反對黨的民意代表，新聞媒體的意見領袖，在這方面本已有所不滿，因此批評的聲浪自必升高許多。不過，依事後對決策過程的報導，以及宣佈時機的採擇，顯然也絕非最高領導人一時興起的決定，宣佈時機則是為了趕在和平方案定案前，由總統本人宣達，以求擴大效果。用政治學上的術語來說，也可算是一種「理性選擇」了。

　　其實，這次援外案引起的風波，在相當程度上，反映了國人心理上的糾結，也是從接受援助國家變成提供援助國家的轉型之痛。基於近代中國的歷史經驗，貧窮而積弱的國家，對於外來的援助總有某種複雜的心理，再摻雜文化意識上的自尊心，接受外援難免產生欲拒還迎的心態。況且弱國的國民自顧不暇，對國界外的事態世局，往往只有漠視或忽略，即使經過一段時間的發展，本身國力經濟力已提高，仍無國際關懷的切身體認。這次的批評觀點中，有個相當流行的說法，即臺灣內部還有許多有待救援的地方，豈可如此浪費而把資源用之於援外？慈濟功德會濟助大陸災民，同樣遭逢這種質疑。不客氣地說，這些正是前述心理糾結的殘餘。

　　援助他人和他國，若要等到自己或本國達到某一理想境界時才為之，則人間將無援助可言。第二次世界大戰後，美國援助不少國家——臺灣身受其惠，當時的美國社會仍有許多尚待救援之處，其實今天也依然如此，哪一個國家不是這樣呢？恕筆者比喻不倫，當年臺北色情業相當有名的何秀子，曾經表示過她從色情業賺錢達到某個程度後，便要從事慈善事工作。國人應該趕緊摒棄類似這樣的想法。

——《美中新聞》，一九九九年六月廿五日

和平是統一的唯一方式

中共政權國務院臺灣事務辦公室、國務院新聞辦公室，聯名於二月廿一日發表《一個中國的原則與臺灣問題》白皮書，文長萬餘字。發表以後，引起各界的高度重視。

就美國官方的立場而言，由於發表的時機恰在副國務卿陶伯特率團訪問北京離開大陸才約六小時，事先又未被告知，在情緒上或許不無反感。中共當局為什麼採取這樣的方式，此地只能略予猜測，一方面是中華民國總統大選時機已近，北京不願完全自外於這場選舉；另一方面也可能鑒於去年七月李登輝總統應德國媒體訪問，提出兩岸之間為「特殊的國與國關係」之定位，事前亦未照會美方，一報還一報，以資平衡。後一說法當然屬於揣測的意味多，未必正確。

美方的反應不僅迅捷，而且強烈。國防部次長斯洛坎於二月廿三日向北京發出強烈警告，指出中共若把白皮書中言詞威脅化為武力行動，必將面臨「無法預料的後果。」白宮發言人洛克哈特早於白皮書公佈的次日即二月廿二日便已表示，任何威脅臺灣的舉動，美國均予以嚴重關切，呼籲臺灣海峽兩岸透過談判來解決統一問題的歧見。白宮發言人強調：「北京當局必須接受臺灣是一個民主政體，兩岸關係必須禁得起臺灣民意的考驗。」柯林頓總統本人則於二月廿四日的正式聲明中說：「我們將拒絕接受使用武力作為解決臺灣問題的一個手段，我們也會繼續明確表示，北京與臺灣之間的問題必須和平解決，並且獲得臺灣民眾的同意。」新聞界在報導這項聲明時，特別提及這是美國總統在正式的公開聲明中，首次把「獲得臺灣民眾的同意」，列為「和平解決」的附帶前提。

　　一九九八年六月廿五日至七月三日，柯林頓總統訪問中國大陸，曾經利用比較不起眼的上海座談會，由柯林頓提出不支持臺灣獨立、不支持兩個中國、不支持臺灣加入以主權國家為要件的國際組織。這個當時引起美國輿論界嚴厲抨擊的新「三不」說明，在這次中共發表的白皮書第三大項下，被解釋成美國政府「明確承諾」三不支持。若依相同的邏輯，那麼在正式聲明中確言「獲得臺灣民眾的同意」，從中南海當權者眼中看來，其效力該當如何？個人對這點頗為好奇。

　　輿論界反應相當多，主要大報的社論筆者讀過不少，基本上與《芝加哥論壇報》二月廿三日頭條社論「中國威脅臺灣」相去不遠，一言以蔽之，就是認為中共訴諸武力的脅迫令美國「無法接受」。著名政治專欄作家喬治・威爾在〈中共搞過頭了〉專文中，甚至籲請美國兩黨總統候選人高爾與布希，支持眾議院以四比一通過的《臺灣安全加強法》（該法仍須參議院通過且總統不予否決，才能正式成為美國法律），並把臺灣納入「戰區飛彈防禦系統」，偏偏這兩項正是中共極力反對的。《紐約時報》專欄作家威廉・沙懷爾在〈大躍退〉一文中直指中共此舉非理性，認為唯一解釋是中共領導層的分裂益趨擴大，開明派朱鎔基失勢，強硬派江澤民佔上風。筆者對這類分析向來存疑。

　　相形之下，臺灣的反應則節制多了，甚至有令外國觀察家誤會中華民國官民各界「麻木」的印象。事實上臺灣刻正進行總統大選，主要總統候選人的大陸政策均頗溫和且相近，民進黨候選人也再三透露向中間靠的構想。對中共白皮書的反應，脫黨競選的獨立候選人宋楚瑜，其回應甚至比其他候選人強烈，他表示臺灣國民堅持中華民國主權完整、獨立，民眾不是被嚇大的，並套用甘乃迪總統的名言稱：臺灣絕不恐懼談判，但絕不在恐懼下談判。中共官方雖曾公開指明有意嚇阻陳水扁的聲勢，外國媒體也多指稱中共較樂意連戰或宋楚瑜當選，這些說法實無堅確可靠的證據，反倒是白皮書的發佈反而使選舉

變動因素更形複雜，北京若有什麼預期效果，自也因此而更難掌握。

白皮書長約一萬一千字，但真正受到重視的乃是第三大項下的末尾一段話：「但是，如果出現臺灣被以任何名義從中國分割出去的重大事變，如果出現外國侵佔臺灣，如果臺灣當局無限期地拒絕通過談判和平解決兩岸統一問題，中國政府只能被迫採取一切可能的斷然措施──包括使用武力，來維護中國的主權和領土完整，完成中國的統一大業。」尤其是「無限期地拒絕」那段話，等於是中共政權自行加上新條件，怪不得美國方面認為北京有意改變政策，違反美中之間的公報與協議。其實這也是共產政權的故技，可以想見，加上新條件後，對「無限期」必又有新的定義，步步侵逼，美方對此有所警覺，才會反應又快又強硬。

坦直說來，「使用武力」才是一切問題的核心，萬源歸宗，這也是中共政權最大的毛病。以為武力是解決問題的最後憑藉，其實只有使統治者與強盜之間劃上等號。中共白皮書發表之際，個人湊巧正重溫一九七〇年代初尼克森總統訪問大陸後的變局，特別是海外華人政治立場的搖擺，事隔廿餘年，卻彷彿當前某些現象的寫照。當時香港的許冠三先生，對旅美華人知識份子的言行，曾以從「鍍金」到「掛紅」描述之，「掛紅」更是形象具體而生動。新儒家唐君毅的風骨和言論，個人尤表感佩。唐先生在一九七三年向香港中文大學的學生表示，以當時的大陸與臺灣對照，「中共要以武力取臺灣，內心能不慚愧羞恥？」期勉他們若只自覺是種族的生命意義上的中國人，而未臻達文化生命意義上的中國人，則「諸位作中國人，還未作到家。」

白皮書既已發表，中共大概不可能慚愧羞恥。但以一位不願「掛紅」者的立場，還是要大聲說出：設使臺灣民眾同意與中國大陸統一，則和平是統一的唯一方式。

──《美中新聞》，二〇〇〇年三月三日

當權者的神經過敏症

　　林海音女士，在海峽兩岸的文壇均享有盛名。除了她所創作的小說獲得頗高評價外，林海音主編《聯合報‧副刊》時，提攜了許多當時年紀尚輕的作家，不少人日後成為臺灣文藝界的重鎮，貢獻昭昭在目。但突然之間，林女士卻因故辭去副刊主編，引起不小的震撼。

　　如今時過境遷，林女士也已年逾八十，這起因刊登一首詩影射最高當局愚昧無知的事件，由於何凡（夏承楹，著名專欄作家）、林海音夫婦的女兒夏祖麗，出版了母親的傳記《從城南走來 —— 林海音傳》，而有了完整的披露。一九六三年四月廿三日，聯合副刊左下角登了「風遲」的一首詩〈故事〉。當天早上，該報發行人王惕吾先生，便接到總統府打來的電話，指出已經有人到總統府講話，副刊有篇東西不妥當，希望王先生迅速處理，以免總統看到報紙後問下來，就難辦了。惕吾先生即刻找上林海音，後者馬上表示辭職，免除報社和自己的麻煩。林女士明快果斷一肩挑的負責態度，報館主持人自表感激，事件很快告一段落。

　　倒是〈故事〉一詩的作者，雖然因此而入獄三年，但卅多年來，始終有「害了」林海音的歉疚，一直存著「負荊請罪」的心願。「風遲」顯然是作者本名王鳳池的諧音，但也會使人以為是「諷刺」的諧音。據夏祖麗親自訪查所述，這首詩是他讀了古希臘荷馬史詩《奧德賽》有感而作，詩中說從前有個愚昧船長，迷航漂流到小島，卻長期逗留島上，年華漸老，卻不知道寶藏就在自己的故鄉。作者原為小公務員，出獄後參加中學教師檢定合格，改以教書為業，現已退休。所謂的「船長事件」，輪廓大致如上（詳見《世界日報》二〇〇〇年十月

十六日副刊）。

　　不知道別人看過類似這樣的事件後感受如何，個人見到的則是當權者的神經過敏。為了進一步申說，此地不妨再舉更著名的柏楊事件為例。

　　由名作家柏楊口述，周碧瑟教授執筆的《柏楊回憶錄》，有相當詳細清楚的記載。（見頁二五二～二五三）一九六八年元月二日，臺灣的《中華日報》例行刊出一幀「大力水手」漫畫，這個漫畫系列全球發行，並不帶什麼政治色彩。但那天登載的，卻是大力水手被派和他的兒子，流浪到一座小島，父子競選總統，發表演說，在開場稱呼時，波派說：「Fellows...」依柏楊事件後的追憶分析，他如果譯成「伙伴們」，大難降臨的時間或延後，可是他竟把它譯作「全國軍民同胞們」（這是蔣中正總統文告的循例開場白），柏楊說：「心中並沒有絲毫惡意，只是信手拈來而已。」但不久，報社即向當時柏楊的配偶倪明華編輯說：調查局認定「大力水手」漫畫挑撥政府與人民之間的感情，打擊最高領導中心，在精密計劃下，安排於元月二日刊出，更說明用心毒辣。尤其出自柏楊之手，嚴重性不可化解。柏楊因此而坐了九年多牢。

　　早年，柏楊（郭衣洞）曾任職蔣經國主持的中國青年反共救國團。當年，《自由中國》半月刊曾發表〈那是什麼東西〉一文，質問各地學校掛的國旗下面，另外還有一面綠旗，它是什麼？這正是救國團的團旗，經國為此大怒，在例行團務會報上，他嚴厲地命令與會幹部告訴《自由中國》的朋友，「他們這樣做是反動的，要自負後果。」另外一件事，尤其能夠突顯當權者的神經過敏。那時候臺北上映一部蘇菲亞羅蘭與馬龍白蘭度合演的電影，最後男主角拿破崙退居小島，蘇菲亞羅蘭給他送換洗衣服。經國先生在某次團務會報上詢問大家對這部片子的意見，眾人不敢開口，他遂指責大家完全沒有深度，沒有政治

警覺，他認為這部電影明明是諷刺「我們退到一個小島，孤立無援，只剩下一個女人給我們送來破舊的衣服。」第二天，場場爆滿的電影就突然下片。在場的柏楊幾度想報告說：「這部片子是我們退到臺灣以前拍的，與臺灣毫無關聯。」（見《回憶錄》頁二一七～二二〇）個人只想補充一點：其實直到現在，臺灣也沒有重要到會讓外國人花錢來拍電影諷刺你！

從上面舉出的具體往例看來，的確是與現實狀況有若合符節之處，都是退居海島，與總統或最高當局相關，經國先生更是添上了維護自己父親權力和形象的心態。但是真正吃緊的地方還是當權者的神經過敏症，而其執行，往往則是情治機構及當權者手下幕僚人員「揣摩」上意所致。就《聯副》「船長事件」而論，報社最承荷不起的壓力乃是：以免總統看到報紙後問下來，就難辦了。至於真的看了以後，會有什麼反應，事先哪有人知道，於是，手下便給先辦妥了。不幸的是，這會形成一種惡性循環，當權者愈是受到「保護」，神經過敏越形猖獗，下屬也就越覺得自己辦對了。被犧牲的當然是一般人應有的權利。同時，當權者的形象事後無可避免地被污損了。

事實上，當權者都是經過大風大浪的人，他們是否這般「脆弱」，竟需無微不至地善加「保護」，令人不能無疑。臺灣政壇耆宿高玉樹，第二度以黨外身分參與臺北市長選舉（約為一九五四年），大家都以為他只是湊湊熱鬧，不可能當選。開票那天晚上，許多人嚇了一跳，主持選務的單位不敢公佈結果，因為高玉樹得票多過國民黨候選人，後來深夜報告蔣總統中正，他正色答說：「選舉有效。」（見《天下月刊》所編《走過從前回到未來》一書，頁十四～十五）如果選務機關依法先宣佈高先生當選，然後再向蔣總統報告選舉結果，難道他一定會說「選舉無效」嗎？

在風雨飄搖，國勢危殆的時期，當權者的神經過敏，或可略予曲

諒。但這總是對法治的踐踏，偶一為之，已屬不當，豈可長久？遺憾的是，全球各地的華人政治社會，當權者的神經過敏症，尚無全面消弭的跡象，能不警惕乎！

——《美中新聞》，二〇〇〇年十一月廿四日

不快樂的歐吉桑

　　臺北出版的《新新聞週刊》，在七月廿八日第七五一期，推出好幾篇專文，深入探討「歐吉桑世代」的成長歷程，心態和最近的動態。陳柔縉寫的〈臺灣歐吉桑有力〉，從宏觀的角度，剖析這一世代臺籍精英的人生體驗、思想構成，用蟬的長期潛伏形象地描述他們的生命史，直到歲月的遲暮階段，「其實，臺灣歐吉桑們此刻很像純潔的孩童，他們的心思一點也不複雜，祇是抱著很樸素的心願，寄望脫離臺灣的宿命，不再被任何外來政權或國家宰制，能有屬於自己的國家，他們因著這個夢想，而大聲高唱。」

　　該刊總編輯楊照撰有類似導言的短文：不要小看「歐吉桑」，指出這群大體出生於日本「大正」年間的「臺灣大正男」，到了退休年齡，彼此越走越近，相濡以沫，並加重指出別小看這些LKK的「歐吉桑」（多嘴一下，歐吉桑係日語，紳士之意，LKK是新新人類用辭，臺語諧音的英文縮寫，年紀老大之意），「他們年紀大了，可是他們的生命正因為經歷嚴重的挫折與扭曲，所以再老都還有一股過去無法釋放的活力，保留在他們人生的黃昏時刻等待爆發，李登輝成了『歐吉桑』的領隊後，這批『歐吉桑』要在哪裡、用什麼方式發洩積鬱了超過半世紀的活力，絕對值得我們仔細觀察！」

　　的確，前總統李登輝乃是「歐吉桑世代」的核心，也是目標最明顯的代表人物。尤其近幾個月更是動作又大又多，每一出招，萬眾矚目。李總統離職一年後，透過臺、日作者之筆，刊行兩部引起紛紛議論的回憶錄，繼又講出穩定臺灣局勢「八十五加卅五」的準政治公式——民進黨於下屆立法委員選舉獲得八十五席，加上另外卅五席的

配合，即可在立法院過半。最具體的實證自係前內政部長黃主文成立的「臺灣團結聯盟」，這個新政黨奉李登輝為精神領袖，完全把他當作最主要甚至是唯一的資源。長期追隨且李氏視之如子姪的蘇志誠，不無諷刺地譏之為吮吸李登輝這一老奶脯，但重點就在：李登輝居然仍有奶水而且願意被吮吸！「歐吉桑有力」，還有比這更具體的嗎？

請容許筆者「以華註臺」。（再次贅言，意即以中華觀點來註解臺灣觀點，或者說利用外省人的作品來說明臺灣社會的現象）個人耳聞目睹最近的種種情狀，腦海中浮現的有形畫面，竟是已故張繼高先生所撰名文〈不快樂的老人〉，此文原登臺灣《聯合報》一九九四年元月廿七日副刊，不久美國《世界日報》予以轉載，後收入《必須贏的人》一書。初讀此文，已有驚喜之感，佩服作者既能跳出傳統文化的窠臼，又能洞悉人情世事，實為人生的針砭。沒想到時隔數年重讀，含義尚可擴大至整體社會。

張繼高有感於中國社會，即使是功成名就的老年人，置身喜慶愉悅的場合，大多一臉不快樂的表情。「一出口總是不滿，看不慣這，看不慣那，最看不慣的是今天在位的人和年輕有成的一代」，但事業上又不能不用年輕人，必須溝通時根本放不下「心的身段」，「總是以家長或酋主口吻，在哄斥口氣中傳達其旨意。」而這些老人的成長過程倍極坎坷，人生經歷曲折多難。面對當今的新東西，泰半祇知其然，不能知其所以然，內心深處，恐懼無名。文中還舉宋儒朱敦儒「老來可喜」的哲學，深富同情之心勸言「想開點，別再不快樂了。」

不信任後起之秀，實在是許多事業大、權位高的老人的共同特徵，不管這些繼承者過去與自己多麼親近，李登輝在回憶錄內對連戰「無情」的評語，大企業家王永慶對兒子王文洋因婚外情爆發所做的「嚴屬」處置，透露出「歐吉桑」們的心態。同時，嚴謹地講，人性缺乏自我對照與反省的缺失，這種心態更給世人留下不易磨滅的教

示。上一代自身有好幾個配偶，下一代的婚外情卻用高檔的道德標準加以懲罰；上一代在鞏固本身權力基礎的程序中，自豪於道術手法的靈活運用，回想起來無比英雄氣概——當然這僅是客氣的描述，下一代接班稍較積極，無情無義的封號立刻上身。這種「選擇記憶」豈能算是有情有義！此地兩相對照，當然絕非在鼓勵婚外情或以無情無義為尚。

籌組新政團的傳聞初現時，親民黨副主席張昭雄便指出，上輩政治領導人對新一代國家領袖缺乏信任，可謂深中肯綮之觀察。個人一向不喜歡很多政治人物放言「使命感」，這次李前總統就目前臺灣政治的亂象放不下心，無法置身事外，竟然又是拿「使命感」做旗幟，聽來格外刺耳。其實，正在合法任期內當權的人具有「使命感」才更合理，就此而言，陳水扁總統既已就任年餘，其「使命感」之一也可以是：不需要任何人來當總統的Baby Sitter。

具有「使命感」的人物，多頗在乎自己的歷史地位和評價。如果李總統民間好友彭榮次先生所言屬實，李登輝相信doing nothing means doing something，那麼doing nothing的最佳時機不正是在退休之後嗎？不論是在臺灣或中國歷史上，退休總統的無為大概評價不會低。設使「去中國化」指的是清除中華性當中的某些不良殘餘，則以李前總統的個性，不妨放膽而行，想來對他的歷史地位也有助益。

在下身為臺灣子弟，當然多少熟悉「歐吉桑」世代，並且有相當程度的理解和同情，只是個人不敏，仍然還要保持獨立的思考而不忘批評。見到「歐吉桑」老來尚能活力充沛，高興之餘，更希望父執輩當個比較快樂的「歐吉桑」，少去重蹈「不快樂的老人」之覆轍。

——《美中新聞》，二〇〇一年八月卅一日

僑胞僑胞，誰在呼喚你？

為殘障華人說話

　　芝加哥地區有些大型的連鎖超級市場，隔不多久會用一些輕度殘障的人士，在付錢的出口替客人把購買的食物裝入紙袋或塑膠袋。每次看到這些患有唐氏症狀的青少年，穿上工作制服，做一些簡單的動作，內心總有一股莫名的感動。

　　曾經不只一次在美式連鎖餐廳內，見到社會工作人員，帶領一群或聾或啞或弱智的人，聚在一起用餐，既不喧囂，也無任何異狀，與其他的客人共享美食。正常客人乍然見到這一群人時，開始雖然不免有異樣的眼神，但隨即處之泰然，各不相干也好，彼此尊重也好，總之，這是一幅溫馨安寧的畫面。

　　光顧過芝加哥南郊區幾個大規模的跳舞廳，常常見到一位坐輪椅的男士，把輪椅停在舞池邊，不時隨著音樂揮動雙手，同時也見到某些熱情的美國女士，會站在他的面前與他共舞，這位男士的雙腳當然無法走下輪椅活動自如，但雙手仍可擺出舞姿，互相配合，每當目睹這一幕情景，就覺得這是生命的躍動。何況他對旁人的舞技，還不時予以讚美，更贏得大家的好感。

　　上述這幾個例子，總是使人憶起青少年時代故鄉臺灣的一些不愉快的往事，兩相對照，更增悵然。家鄉的父老，對生有殘障弱智後代的人家，往往認為這是「積德不好」所致，並且不時於言語上加以譏刺，甚至對著子孫講。筆者青少年時代對這點極表反感，認為如果這也是中國文化的一部分，那是很不人道的一部分。對育有殘障弱智者的家庭，照理應該給予支持和協助，而不是去歧視及鄙夷，然而冷酷的現實所呈現的情況，往往正巧相反。

　　有些在臺灣從事殘障社會工作的朋友，曾感慨繫之地表示，國人的「因果報應」觀念，竟是推行現代社會工作的一大障礙。因為在這種積習觀念下，不免把殘障弱智者的存在視為其先人惡行的報應，一旦有這種想法，多少會認為既然是報應，同情心自必減少許多。

　　其實，在我們的生活環境中，遠親近鄰好友相識而有殘障弱智子女者，總是不難遇到的，推己及人，應該是支持協助惟恐不足，又何苦用輕視的心態去慶幸「好在不是我家！」至於宗教上的因果報應，拿來針對現世的人，視之為略帶威脅性的社會教育方式，使本想為惡的人稍知收斂，懸崖勒馬，放下屠刀，倒不失為一種「止惡」的手段。但把因果報應的觀念用之於追溯既往，則顯然是不客觀不科學的。生物──包括植物與動物，哺乳類的人種亦不例外──的再生和生殖歷程，乃是極為複雜而神奇的，突變與異化的發生，原因多端，許多地方是目前人類的知識水平尚無法瞭解與掌握的。父母極為傑出而健康，雙方家族的晚近譜系也相當正常，但卻又生下殘障弱智兒女者，確有其例。平實地說，因果報應用之於防患未然還不失為一項略有效用的準則，但用之於追溯既往則是不合理的。再者，並非生來殘障，而是於工作上生活上受傷致殘，或罹患疾病所使然，則因果報應的說法更是不該適用。

　　殘障弱智人士及其家人，他們需要的是瞭解與尊重，同情、憐憫或施捨還在其次。瞭解他們的需要、限制與處境，尊重他們的人格及生存權利。以這個標準來衡量中國與美國的社會，不得不頗為遺憾地承認：故鄉的確不如人。

　　同樣令人遺憾的是：長居美國的華人及華人社區，在這方面似乎還沒學到美國人的襟懷，更欠缺相關的措施。昨日親自聽到某位女士以悲憤的語氣細述個人的遭遇，聞之令人動容。某女士之夫係美國知名大學博士，在科學研究上表現傑出，最近幾年因病而不得不以輪椅

代步，行動受到諸多限制。但偶爾因生活所需，仍得赴華埠餐館吃飯或參加社交活動，次數其實極為有限，然而每一次對坐在輪椅上的人來說，卻近乎羞辱。首先，華埠的店家或餐館即使設有停車場，也絕少會劃出位置專供殘障者停車。其次，從停車處通往店家大門的走道，不適合輪椅通行。他如餐館因陳設桌椅頗為擁擠，根本不方便輪椅出入，非出入不可時——比如入廁，則必然勞動客人起身移動坐位，對自重的殘障人士而言，寧可忍著而不去勞師動眾，至於廁所合乎殘障人士使用者，實在罕見。這位女士最後沉痛地說：殘障的人，應該也有權上華埠去享受中國菜吧！

相形之下，美國的公私場所，在設計和設備上，不僅方便殘障人士，更重要的是使其有受尊重之感。學校、圖書館、超級市場、大型餐廳等，例皆設有殘障者停車位，輪椅出入方便，廁所亦寬敞而有扶助把手。這些基本的設施，在華人聚集的社區竟難得一見。記得好幾年前南華埠富麗華餐廳開幕時，設有可供輪椅進出大門的通道，停車場亦劃有殘障者車位，當時甚感高興，認為這是可喜的進步。然而，時隔數年，似乎別無其他商家跟進，卻又令人不無失望。

對殘障人士的尊重並提供便利的設施，往往可以衡量一個國家或社區的文明水平。為了提升華人及華埠的整體形象，希望關心華埠繁榮與發展的公益團體，能針對此處指出的問題，集思廣益共謀改進。

——《美中新聞》，一九九六年六月十四日

僑胞不勝被宣慰

　　好多年前，在伊利諾理工學院荷蒙廳，觀賞臺灣來的歌星訪問團的演出。那時候，這類團體均由三大電視臺輪流組成，於雙十國慶前後分訪僑胞聚集的大城，每於華人社區造成轟動。演出前，循例有人致詞，臺上的人對演藝人員犧牲寶貴的時間，放棄豐富的收入，不遠千里而來「宣慰僑胞」，再三表達感謝之意。當時聽到「宣慰僑胞」這句話，聯想到短期內已經看過中華民國少年民俗訪問團、李棠華青少年特技團、中華民國青年友好訪問團等的演出，加上當年六月還有私人組成的歌星團來過，八月中旬中華青少年棒球隊在印第安納蓋瑞城取得世界冠軍，不論是球場上的比賽或是事後的慶功宴，都是僑胞人潮滾動，活動實在為數不少，於是面帶微笑以調侃的語氣脫口說出：「哎，僑胞已經不勝被宣慰了！」引起周遭友朋的一陣笑聲，但迅即淹沒在致詞之後的一片掌聲裏。

　　這段塵封的往事，最近竟又穿越時空的阻隔，重新浮現在腦海中。中華民國政府行政院於六月十日組成新的內閣，祝基瀅接任僑務委員會委員長。祝委員長隨即於傳播媒體上發表他的僑務理念，其中有一點令人耳目一新，就是他特別指出，過去「宣慰」僑胞的說法，多少含有以上對下的意味，不合時代的進步，今後的僑務應該更側重對僑胞的服務，諸如資訊、金融、網路等方面的協助等。祝先生係知名的傳播學者，獲有南伊利諾大學新聞學博士學位，曾任教南加州大學廿餘年。後來返國從政，歷任中國國民黨文化工作會主任及副秘書長，但他可以說不折不扣的正是一位僑胞，相信祝委員長之不喜「宣慰」一詞及其意涵，與他的出身背景不無相關。僑務工作的掌舵人有

這份深刻的認識,實在令人欣賞,並且也多少象徵著僑務政策的新方向,值得重視。

環顧世界各國,對移居國外的僑民暨留學生,以各種方式來照顧僑務,並且設有正式的政府機構執掌業務,而其位階相當於部會者,或許個人見聞有限,真是想不出有哪一個國家像中華民國這樣的。當然,全球華僑人數高達三千餘萬(也有估計說是五千餘萬,對華僑身分的認定標準不同,則統計總數自亦有別),比世界上五分之四的國家人口還多,也比臺灣本身的人口總數多,從這個角度看,成立一個部級的僑委會,並不離譜。但印度在全球的僑民也有二千多萬,印度似乎始終未設有相關的機構。美國人不論是經商、傳教或是派駐海外的軍事基地,人數雖無法與中印相比,但美國人的活動力遍及世界各個角落,國際間只要一有飛機失事,除了飛機所屬國本國的國民外,若有外國旅客,則以美國人列名其中的可能性最高,但美國國務院轄下連個專職僑務單位都沒有,中共政權的國務院至少還設有「僑辦」。

其實,真正的因素當然是基於政治上的需要,後來經濟上的需要——比如投資,也隨著社會的進化而愈益重要。尤其是國民政府退守臺灣以後,為了破除孤立,更是想方設法以種種方式來凝結海外的華僑,爭取其向心力與支持,一方面對抗中共的壓力,一方面轉成為支援自身發展的心理與實質力量,直到今天,甫上任的駐美代表還信誓旦旦地一再表示:僑務與外交,彷彿鳥之雙翼。臺灣積數十年的經驗,發展出甚多僑務工作的「軟體」,諸如舉辦華裔青少年認識中國文化的學習營、各地中文學校的輔導與提供教材、夏令營、演藝團體的不時訪問僑社、青年友好訪問團的遍訪大學校園、海外電子傳播等,早已形成一套具體而微的「網路」,細節方面自然有可待改進的地方,但大體而言,應該是達成階段性的目標了。事實上,中共政權今天許許多多的僑務措施,由於已有臺灣這個「先行者」,實在省掉

了不少摸索的時間與精力。中共目前在美國僑社的種種作為與活動方式，如果中華民國僑務委員會對它的「軟體」可以設定版權的話，中共駐外單位恐怕要對臺北交付相當不少的版權費用；當然，格於形勢，臺灣方面頂多只能期望北京當局偶爾唱唱〈感恩的心〉！且容筆者大膽預測，今後辦理類似的僑務活動，中共方面的聲勢與次數，必將凌駕臺灣之上，這不僅只是由於大陸外移的僑民與留學生人數越來越多，更是由於這類活動對他們還能夠發揮「慰」的作用，至於再過一、二十年，隨著中國大陸政經的發展，或許也會面臨今天臺灣僑務的處境。

對外貿易是臺灣經濟發展的主力，留學是提升臺灣學術界與工業製造能力的主要途徑，數十年的累積，使得在臺灣的國人，雖然外交孤立，但民眾的國際經驗卻相當豐富，親戚、朋友、同學中總有一些是移居國外的僑民。而從國外的僑民看來，則是隨時隨地都有與國內聯繫的機會與對象。目前的國際交通與資訊交換是如此的便捷：「故鄉」，一通電話便可觸及；「鄉愁」，機票一張即能解憂。在一定的程度上，目前從臺灣出來移居美國的僑民，已經不怎麼需要人家來「宣慰」了。

祝委員長對僑情的體認應該是正確的。面對著已經有所變化的新情勢，如何把僑務工作導引到新的境界，或將成為僑務委員會能否繼續有效存在的一大考驗。

——《美中新聞》，一九九六年八月二日

香蕉還是荷包蛋？

　　美國的亞裔社區，雖然政治意識的啟蒙稍嫌慢了一點，但目前卻是人口成長比率最高的少數族裔。最近，美國媒體大幅報導亞裔人士可能牽涉到非法政治捐獻的問題，新聞界越挖越深，甚至連中共駐美國大使館也被波及，漣漪蕩漾，短期內恐怕還會有後續的發展。在崎嶇的亞裔從政之路上，這當然算是一項挫折或阻力，但也不必因此而感到悲觀。

　　亞裔意識的抬頭，已經是不可逆轉的趨勢。美國本是一個由外來移民侵奪原住而組成的國家，原住民淪為幾乎可以予以漠視的弱小族群，並且完全喪失歷史文化政治經濟等的發言權以後，美國的主流社會長久以來自詡為種族之「大熔爐」（melting pot），這個以白人為主體的概念，近十年來已受到「沙拉碗」（salad bowl）此一不同概念的顛覆，沙拉碗固然雜拌著不同的菜色，可沒有被「熔」掉，仍然保有各自的風味與特色，而這個代之而起的新概念，似乎就是淵源自亞裔人士。

　　華人早已熟悉一些相關名詞，比如稱在美國出生長大的華裔為ABC（American Born Chinese的縮寫），對這些除了長相是中國人，但言行舉止與父母輩頗為不同，多數中國話並不流利，也不住華埠，意即外表像黃種人內裡則近似白人，這種人一般稱之為「香蕉」。然而，這批「香蕉人」長大以後，他們的想法與處境與上一輩有別，當其反省自身與主流社會的關係，卻又發現自己表現在外的語言等雖與白人差距甚少，但內在的價值觀仍然多少保有所屬族群的架構，因此自稱為外白中黃的「荷包蛋」。他們對指責渠等為「香蕉」者，反譏這些

指責者係FOBs（fresh off boat的縮寫，FOB本來是最常見的國際貿易術語——車船交貨價格或條件，此地則是指剛下船的新移民）。這些術語，自亦不限於華人使用，凡屬黃皮膚的亞裔大都通用。在語源上，當然是仿自指稱外黑內白的黑人Oreo一字，另Twinkie與「香蕉」同義。

伴隨著亞裔自我意識的覺醒，第二代的亞裔青年正逐漸發展出他們的思路，且勇於把想法觀感等表達出來。數年前以臺灣移民第二代楊君為主而創辦的《A雜誌》（初辦時為季刊，後改為雙月刊，去年被時代華納系統買入，列為旗下刊物之一），在美國亞裔青年中，似已取得全國性代表刊物的地位。此外，各主要都市也不乏亞裔的英語雜誌，雖則規模小、組織不全、發行量有限，但卻是他們心聲的表達。

華人家庭既已在美國生存發展，基於傳統的倫理，出乎天性自然的親子之愛，實在應該設法撥出更多心力去理解下一代的想法和觀念，這不僅有助於家庭內部的溝通，進一步避免無益的誤會與相互傷害，甚至有協助第二代發展前程之功。而絕大多數家庭選擇留居美國，不正是期待子孫能夠健康成長，進一步立足於美國社會出人頭地嗎？同時，眼光也不必受限於華裔事務，其他族裔的經驗一樣能給華人同胞帶來一些啟示。有時發現彼此均犯下雷同的錯誤時，似亦不妨打通族裔間的歧異，互相會心一笑。

洛杉磯的韓裔第二代，於一九九〇年出版英文《韓美月刊》（*KoerAm Journal*），目前每月發行量約一萬兩千份，員工非常有限，但因為擅長表達韓美人的意見，對韓裔社區事務敢於提出大膽尖銳的批評，比如認為韓裔銀行表現不佳，引起韓裔社區議論紛紛。在該刊撰寫專欄筆名為「香蕉人」的作家，針對某次韓裔與黑人的衝突事件，曾公開站在黑人的立場，指責韓裔女店東的不是。這位「香蕉人」專欄作家筆下幾無禁忌，極具獨立自由批判精神，受到美國主流媒體注

217

意，《大西洋月刊》一九九六年十月份，即載有訪問「香蕉人」的一篇專文。

「韓美月刊」數年前刊出連環漫畫，男主角被一群美豔的女士所綁架，將他帶往已被廢棄的倉庫，同時披露這群女士屬於某一秘密組織，「我們的宗旨是在確定一件事，凡係年輕的韓美人，無分男女，除了醫學、法律、商業和工程以外，其他一律不得沾染。言出必行。」任何有志當作家或藝術家的韓美青年，一旦成功很可能會帶領其他青年脫離正軌，因此該秘密組織計劃針對此類青年「加以處置」，不稍寬貸。

很明顯地，這乃是第二代亞裔青年藉著漫畫的形式，強而有力地批判父母輩的觀念。在一般華人的印象中，韓國人在性格上比較剽悍，但我們華人捫心自問，上述秘密組織的心態，其實或多或少一樣存在華人父母身上。大家不是拚命鼓勵子弟去讀醫學、工程、科技等收入較高就業較佳的學門嗎？雖然平日忙著督促子女學音樂彈琴，一旦真的產生興趣，子女立志以音樂為終生職業時，有幾個父母會內心高高興興極力鼓勵呢？就讀大學的兒子表示：他的志願是當維持治安的本地警察，他會贏得親友們真誠而熱烈的掌聲嗎？

「香蕉人」被訪問時感慨萬千：韓美人注定要被韓國人和美國人所誤解，他們有的只是韓美人彼此自己。這又未免太作繭自縛，被誤解並不表示不能增進理解。其實，不管下一代是香蕉還是荷包蛋，為人父母者的明智選擇唯有愛與支持而已。

　　　　　　　　　　──《美中新聞》，一九九七年三月十四日

美國華裔受惠於黑人民權運動

　　舊金山華人歷史學會前會長胡恆坤先生，八月廿八日晚間假舊金山市政府演講，介紹當地華埠的歷史。高齡七十五歲的胡氏指出，華人目前已成該市少數族裔的大宗，但許多人卻誤認為華裔以新移民為主，事實上華人定居金山大埠已有一百五十三年之久。一八四八年，第一批華人抵達舊金山居住，此後該市便經常成為新移民初來美國落腳的地方。華埠在同一地點存在已超過百年，無論如何，華人不應再被視為「外來者」。

　　發生於一九〇六年的舊金山大地震，對華埠影響甚大。強烈地震不僅讓舊金山受創至深，華埠的建築也近乎全毀，災後重建，華人聘請建築師興建具備中國傳統風味的樓宇，目前華埠幾棟重要的傳統地標，肇源於此。胡氏又提及，早期舊金山市仇視華人的情況非常嚴重，市府通過不少反華提案，使得當時的華人只能居住在「華埠」之內，一條隱形的界線，把華人與白人分隔成兩個世界。第二次世界大戰是一個主要的分水嶺，戰前華人待遇備受歧視，戰後華人權益逐漸獲得改善，其發展日見開闊，居住地點不再受限於華埠地區，所能從事的職業與行業，範圍擴大很多。

　　居美華人早期遭受極多歧視，文化與社會的背景自然無從忽視，但化為正式法規，則為最主要的因素。一八八二年，美國國會通過《禁止華人入境法案》，使得十九世紀下半葉的卅年時光，華人投入建築鐵路及開荒拓野的種種辛苦備嘗的努力，幾乎化為泡影。到了一九〇四年，這項歧視華人的法案，國會竟予以無限期的延長，形勢更趨惡劣。一八九〇年，全美華人約達十萬七千人，卅年後，減少到只剩

六萬一千人，有男無女的不平衡人口結構，尤其平添許多悲憤。這一惡法，直到一九四四年戰爭快結束時才醞釀取消。

戰後基於現實需要，一九四五年國會通過新娘法案，准許軍人的外籍妻子入境美國團聚。八年後，艾森豪總統簽署難民法案，開始有了少量移民配額。真正具有突破性的立法，自係詹森總統在一九六五年於紐約自由女神像下簽署的《麥卡倫移民修正條款》，以及一九六八年七月取消種族配額制，從此華人才得到遠較公平的移民權利。美國華裔的人口數量才又回復到六、七十年前的水平，並開始出現巨幅成長。先輩們的血淚畢竟沒有白流，而終於有了開花結果的一天。

比起東岸的紐約，西岸的舊金山、洛杉磯，以及加拿大的多倫多，芝加哥南北華埠的規模，實在小得多。但論起芝城華埠的淵源，也已長達百年。據傳早在一八六○年，即有三名華人由美西來到伊利諾州，可惜無紀錄可考。一八九○年代，芝城市中心南克拉克街與凡布侖街交口，已有華人聚居的雛型，並於一九○六年成立「芝加哥中華會館」，六年後遷往現今南華埠舍麥路與永活街附近廿二街。一九一○年元月十八日，國父孫逸仙先生應僑界邀請來芝加哥訪問，四月廿八日再來芝城，次年十月十三日抵芝（當時《芝加哥晚郵報》隔天曾予報導），實為早年華埠一大盛事。回首百年路，芝加哥中華會館，特別集眾人之力，在去年（二○○○）五月，刊印《芝加哥中華會館歷史紀實》一冊，內附珍貴照片，頗可參考。

在簡述美國華人的基本史實之餘，有一件事不能不提。胡恆坤先生在演講中也鄭重提到，華人權益之所以逐漸獲得改善，最主要是受到六○年代美國民權運動的影響。他表示，六、七○年代風起雲湧的民權運動，雖然是由非洲裔美國人所領導，但當時華人仍屬非常小的少數族裔，在非洲裔帶頭爭取權益的情況下，華裔社區也相對獲益。這個說法，合乎史實，也就是說，今天美國的華裔確實是受惠於黑人

民權運動，即使在運動之初，華人權益的提升並不是他們的主要關懷，但經過民權運動的奮鬥與爭取，華人權益終究得到改善，單憑華裔社區一己之力，醒覺既慢，又乏全國性領導人物，成效極可能有所不如。

今年夏天，舊金山舉辦了亞裔新聞從業人員會議，個人有幸從C-SPAN電視臺收看其中一場討論會，在眾多發言中，舊金山美華協會年輕的負責人，同樣講到亞裔得益於黑人民權運動這件事，令人動容。這年青年人還進一步說起，黑人民權運動使華人受惠，但華裔社區似未見有具體的回饋行動，不無遺憾之感。顯然，這位只會講英語的華裔青年領袖，仍多少保存有恩宜報的價值觀。何況從現實立場看，美國地區有不少華埠與黑人社會比鄰而立，為了睦鄰，或追求族裔社區的融洽，這項建議實在值得華人社區認真考慮。

具體的行動一向勝過千言萬語。並且，可行的方式方多面廣。除了對黑人政治人物的競選贊助，或如慈濟基金會對黑人的醫療與社區服務外，他如支助黑人大學聯合基金，對表現優良的黑人中小學教師，利用孔子誕辰予以表揚，或對品學兼優的黑人學生發給獎學金等等，這些只是臨時想到的一些例子而已，且全與教育相關。再多花點心思，一定會有更好的點子。華人社區可朝這方向多做深入的思考，提出實際做法。

——《美中新聞》，二〇〇一年九月七日

221

華人的形象

　　最近幾天，美國最主要的華文印刷媒體《世界日報》，連續針對紐約地區的華人社會動態，做了相當詳細的分析報導。在筆者看來，這些現象會總結為居美華人的形象問題，值得一談。

　　二〇〇二年七月廿日報導美東地區華人經營長途巴士，業務蒸蒸日上，雖然規模還不足以涵蓋廣大地區，但有些業者已擁有廿輛左右的豪華巴士，對歷史悠久的灰狗巴士公司顯然不無威脅，因此該公司特別派人觀察華人巴士公司的經營手法與實況。總的說來，其實華人業者的不二法門還是低廉的票價，從紐約曼哈頓下城華埠，開往費城、華府、維吉尼亞州和波士頓，票價僅為灰狗公司的一半或更少，以最旺的紐約—費城線為例，甚至低到近於十分之一。這麼大的差距，不僅華人乘客趨之若鶩，連其他族裔的人士尤其是年輕人，也紛加利用。

　　然而，低成本經營必有的後遺症，諸如服務欠佳、脫班等，勢不可免。不過，令人側目的還是彼此惡性競爭所造成的不法行為。前兩三年，費城地區華人巴士業者由於競爭過於激烈，不斷傳出為了搶生意而鬥毆、砸車、燒車的暴力事件，終於引起治安機構的重視，並逮捕肇事者。華人經營者為了提高管理水準，遂聘用穿制服的「老外」司機，與老外公司合作，如此一來，發車時間比較準時，乘客的信任程度也得到改善。

　　七月廿一日則報導大西洋城賭場，對一毛不拔的華人不表歡迎。事情的緣由大致是：賭場為了招徠華人，定時於華埠備有大型巴士，載客前往賭城消費，並發給可換領現金的招待券，且有時還提供免費

餐，或赴附近教堂享受免費午餐、扣除車資（有些地區則連車資亦免），還有得賺。如此一來，數以百計的華人便經常利用這種機會，在賭場方面看，這些一毛不拔的所謂客人，不但是個負擔，有些人的行為更是不雅，比如有銅錢掉落地板，趕忙衝過去搶拾，在吃角子老虎機器間遊蕩，伺機而動。這類行徑日子一久，人數一多，其實不難看穿，賭場工作人員包括警衛等，難免多少會看輕這樣的華人，最後賠上的當然是一般華人的形象。

在這些現象的背後，其實也代表著美國華人社區結構的改變。誠如大家都已知道的，影響結構的最大因素，乃是來自中國大陸移民的注入，不論其入境方式是合法還是非法，人數之多遍佈之廣，則為不爭的事實，有研究者指出，光是非法入境者，每年即達五萬人以上，以這等數量和速度，十幾廿年下來，美國華人社區的組成自必改變極大。在這些新移民中，缺乏良好教育及專業技能者為數不少，只要往大城華埠的職業介紹所一看，就能具體感受到這點。當然，合法移居者也有很多是受過高等教育的留學生，其奮發向上的努力與成就，令人讚佩。可惜的是，這群人當中於求學就業過程中，犯下殘暴凶行者，比率似乎超過其他國家留學生，也超過臺灣、香港和東南亞地區來的華人學生，而在現代媒體的傳播下，這類案件往往舉國皆知，大陸留學生本可提升華人形象的合成效果，為之大打折扣，提出這點除了遺憾外還是只有遺憾。

大陸移民人數激增，基本上成為北京當局駐外機構的群眾基礎，使得中共使領館所辦慶祝活動和遊行示威，場面愈益可觀。然而，人多好辦事只是其中一面，連帶而來的種種問題包括法律上的糾紛衝突，更值得重視。從政治效應言，中共駐外單位或許努力爭取原先支持中華民國的傳統僑團僑社，分化之爭取之，見縫插針，但論起真正服務僑胞，無論如何均應以這些新移民為主要對象，也許較低層者可

能變成駐外機構的沉重負擔，但這些人才真正需要協助，與其沾沾自喜於又促成某位僑界大老轉向，還不如花更多心力在這些遠較辛苦的僑民身上。

其實，最足以代表及影響華人形象的，當然是大城的華埠，因為它始終在那兒，跑也跑不了，普通人對華人社區所產生的印象，絕大部分以華埠為焦點。個人不久前才去紐約一段時間，曼哈頓下城的傳統華埠，法拉盛的華人商圈，布魯克林第八大道的新興華埠，全都到過，尤其法拉盛的商圈更是走過許多回。比起舊金山、洛杉磯、多倫多、芝加哥中國城，實在髒亂多了，第八大道的紙片飛揚，處處塗鴉，曼哈頓堅尼路上不遑多讓，法拉盛緬街一站，人頭攢動，潮來潮往，熱鬧極了，除了幾名印度、巴基斯坦、拉丁裔點綴，及間雜一些亞裔人士外，其他全是華人面孔。尤其到了黃昏，三處中國城街邊堆滿垃圾包，臭氣沖天，店家用水沖出的魚腥溢流人行道。而匯豐銀行法拉盛分行開幕式，便在街頭人行道舉行，當地轄區議員、臺灣駐紐約辦事處處長夏立言及銀行高級職員，西裝革履正在或正待致辭。鏡頭轉向堅尼路的華埠，過幾條街後，就是小義大利區，只見一群外地來的美國青年嘖嘖稱奇歎道：為什麼只隔幾條街，這邊卻乾淨多了！

族裔刻板印象的形成，有它的過程。歧視自須大力反對，但對自身製作而引致刻板印象的行徑，同樣要盡量設法破除，否則刻板印象牢不可撼，華人的形象也就好不到哪裡。

——《美中新聞》，二〇〇二年七月廿六日

媒體不會消失

一輩子的新聞記者

　　一九一九年五月四日以北京大學學生為主導的五四運動，開啟了國人追求自由、民主與科學的漫長而艱苦備嘗的歷程，直到今天仍未竟全功。「美國華人新聞協會」於五四之次日，在芝加哥正式成立，可能只是一項巧合，但心頭產生些許歷史的聯想，也是頗自然的事。

　　從新聞協會的成員來看，其實只是芝加哥地區部分華文媒體從業人員所組成，冠以「美國」，當非寫實，而是企圖心的表示，但願有朝一日能夠茁壯到足可涵蓋全美。主事者技巧地安排在不同時段，分別邀請國府與中共駐芝加哥官員到場致賀，類似的處理方式，也反映了海外華人面對兩岸政治現實所不得不採取的手法。

　　中共與國府官員的致詞，其實多少說明了兩個政權基本理念的不同。黃東璧總領事強調「團結、合作」，烏元彥處長則順便發揮了「新聞自由」。平心而論，不論就國族的未來發展或徵諸近代中國爭取言論自由的班班痛史，烏處長的致詞才是切題的。一個新聞協會的成立，若不能堅守新聞業最根本的立場──新聞自由，則這種社團有什麼存在的理由？成立社團難道只是方便給政權或官方代表去踐踏嗎？

　　新聞自由就是新聞自由，什麼「國情不同」、「中國具有特殊的條件」、「會影響社會安定」、「大家應該團結合作」、「要往前看，不要往後看」、「多報導光明進步的地方，少提陰暗落伍的亂象」……諸如此類，全部都是政權或當政者箝制新聞資訊的藉口。在這方面，在臺灣的中華民國政府，過去的紀錄並不怎麼光彩，否則也不會遲至一九九五年才被「自由之家」列入「享有新聞自由」的國家。至於北京的中共政權，則其紀錄更不堪入目，根本就是新聞自由的反面教材。尤

其令人反感者,則是中共派駐國外的官員,即使置身於美國這種充分享有新聞自由的環境,對華人新聞工作者在報導有關中國事務的消息時,動輒表現「霸權主義」的身段,充分暴露對新聞自由的不尊重與無知橫蠻,其駐美大使與駐聯合國大使皆曾有過這種拙劣的表演(但從北京的立場,可能卻會認為充分維護祖國的立場,真乃「中外有別」,惜乎這種「有別」乃是違逆時代潮流的)。即以芝加哥為例,不久前有關西藏獨立的報導。中共駐芝單位不是曾經「召見」芝城華人記者(見《神州時報》一九九五年三月卅一日),而且「並斥所刊有關藏獨文字之不當」(見《華報》一九九五年四月六日第二一四期)嗎?

假定前引本地報紙所述屬實,則中共政權似已在美利堅大地上進行違犯新聞自由的惡行。作為官方的代表,對於新聞報導的不實,當然有權也應該提出澄清或抗議;至於「召見」新聞記者並「斥」之,是可忍,孰不可忍?當然,新聞記者也是人,人性的優缺點兼具,或者有人以被「召見」為榮,以被「斥」當作關係密切的證明,假定真有類此事例,很可能只是迫於威勢,並無損於新聞自由的理想。

中共政權在表達反對意見時,最喜歡套用「十二億中國公民是不會同意或坐視的」、「這種政策是傷害絕大多數祖國人民的感情的」等說法,北京當局自以為「義正辭嚴」,且不無以數量壓人的姿態,但卻經不起分析,幾乎與謊言欺騙無異。沒有新聞自由,人民的意見是發現不到的,全無民意或共識可言,如果形式上彷彿有這一回事,那也只是政權指揮棒下的官意!更可悲的,欠缺新聞自由,人民連感情的自然流露也被壓抑,在最惡劣情況下是沒有感情可言的,何傷害之有?當然,共產政權其實也很會利用「新聞自由」,但其目的卻往往是利用「新聞自由」來消滅新聞自由,尤其在奪取政權之前的鬥爭階段,更是如此,事證俱在,能不慎乎?

汪精衛在擔任國民政府行政院長時,與當時的新聞界相處不佳,

227

竟有意控制新聞報導，當時名報人成舍我說了一句鏗鏘有力的名言：

你不可能一輩子當行政院長，我卻可當一輩子的新聞記者。

駐外人員的任期是很短的，沒有一個人是長期待在一個地方的。寄語駐外高官，在作踐新聞自由之前，請三復斯言！更寄望「美國華人新聞協會」的成員，在面對官方的有形無形壓力時，請以「一輩子的新聞記者」自居，這就已經是站起來的中國人。

——《美中新聞》，一九九五年三月十九日至廿五日

以總統夫人為師

　　《芝加哥論壇報》派駐中國大陸的記者麗芝・史萊，最近寫了一篇很有趣的通訊，標題為〈希拉蕊・柯林頓──模範宣傳家〉（見該報一九九九年三月十三日第一部分，頁九）。共產黨原本靠宣傳起家，如今禮失而求諸野乎？

　　源由是這樣的：大陸的中國社會科學院，媒體與溝通研究所所長Yu Quanyu，曾經深入研究美國總統夫人希拉蕊的演講，近日將他的發現寫成論文刊布，認為希拉蕊的演說技巧和溝通手法，乃是中國共產黨各級幹部應該師法的楷模，希望大家學習她，因為她的宣傳技巧，確實足資典範。文中特別舉例，一九九五年世界婦女大會於北京召開，希拉蕊發表一篇不到五分鐘的講辭，獲得熱烈的掌聲竟達八次之多；反觀中共領導人，平均每場演說長達兩小時，但掌聲稀落，甚至沒人鼓掌，反而使聽眾昏昏欲睡。這位所長找到的答案是：希拉蕊的句子簡短而能激勵人，所以掌聲不斷；但中國人卻有發表長篇大論的習慣，句子冗長而煩人。

　　總統夫人希拉蕊，不論就學識、才幹、能力而言，俱為一時上選，口才也很不錯，但在美國的政治界，溝通技巧比希拉蕊高明者，其實大有人在。她丈夫柯林頓總統，就是一位博覽群書，隨時能夠侃侃而談的人，他的演說經驗與水準，比夫人自又更勝一籌，美國新聞界封他為「偉大的競選家」，不是沒有原因的。大陸上不學習柯林頓本人，反而以他的夫人為對象，基本上是因為柯林頓發表過許多中共官員不同意的觀點及言論，學習起來諸多不便，希拉蕊的演講大半不具備實質的政治性內容，卻又能夠吸引聽眾的注意力，學她後遺症較

少。這個態度可算「選擇性的學習」，原無不可，但我國古語云「取法乎上，僅得乎中；取法乎中，僅得乎下」，中共方面的學習胸襟，實在可以更開闊一些。

嚴格講起來，雷根總統素來被稱為「偉大的溝通者」，照理更該成為師法的楷模，當然，他強烈的反共立場，訪問大陸期間，不理會主人可能產生的感受，對中國大學生照樣大談他的美國價值觀，猛力推銷自由、民主與人權，自然不合中共口味。如果北京的權貴們懂得「向敵人學習」，其實更應該認真研究雷根的溝通技巧，不過，事實上這種期望或許失之過高，未免不切實際。話說回來，中共官方的主要智囊機構「社會科學院」，敢於公開倡導向希拉蕊研習宣傳手法，畢竟具備突破教條框框的勇氣，還是值得喝采的。

中國大陸領導人物的重要演說，個人親自領教的機會極少，除非錄製成影帶，或由美國電視媒體予以轉播，才有可能親耳聆聽。但事後把重要演講透過印刷媒體公開刊布，則閱讀經驗甚多，不能不同意社科院那位所長所言，句子的確是冗長而煩人。中共的重要文件動輒以萬言計，句型複雜，表達方式有時確實太過於夾纏，套用太多政治術語作為限定條件，讀起來頗不暢達，某些地方只要使用簡單的說法即可講得清清楚楚，何苦繞個圈子採用否定又否定、間接又間接的句式表達之！當然，這主要是因為數十年來的政治生活體驗所使然，演說、講話和文件，即使是純技術性質者，日後照樣成為政治鬥爭的材料，能不慎乎？日積月累，遂形成這種具有「中國特色」的風格。不僅此也，即使是異議份子或民運人士，由於長期生活在中國這個大醬缸之下，難免會染上類似的習性，讀他們發出的文件，竟也產生雷同的感受。

當年雷根與卡特競選總統時，最有力的一句話是：「你比四年前過得更好嗎？」二度競選總統時，雷根比他的民主黨對手孟岱爾老很

多，年齡成為選戰話題之一，他說：「我不想把對手的少不更事，當作政治問題來剝削他」，二兩化千斤，迎刃而解。他在柏林圍牆前發表名震一時的演說，被認為是終結冷戰的重力一擊，大家記得的是那雷霆萬鈞的一句：「戈巴契夫先生，拆掉這堵牆吧！」柯林頓首次競選總統，以簡短的一句口號，「笨蛋，經濟才是關鍵」，把爭取連任的布希總統，打得還手無力！這些傳誦一時的名句，全都簡要之至，很少超過十個英文字。你如果有機會聽著名佈道家葛理翰牧師證道，即使你的英文不夠好，依然聽得懂他傳的福音，他絕少用罕見的字眼，更少用一口氣說不完的複雜句式。

假定你是死硬派的民族主義者，那也沒關係，在這方面，真的是不必專學洋人，甚至也無需學古人為例。毛澤東「槍桿子出政權」一句話，何必賣弄什麼社會主義的科學分析，人人都知道他的意思。「革命不是請客吃飯……」這一段話，經常被西方學術界、新聞界引用，雖然用到典故，但術語不多，反倒顯得簡潔生動！鄧小平「不管黑貓白貓，能抓耗子的就是好貓」，甚至比還算精簡的「實踐是檢驗真理的唯一標準」，流傳更廣。何必挾洋自重嘛！

三月上旬，北京召開第九屆全國人代會，江澤民主席在聽取演講之餘，大概內容太單調無聊，海外傳媒捕捉到一個珍貴的鏡頭：江澤民在他的座位上，把玩或研究西裝鈕扣長達十分鐘！如以總統夫人為師，這個時間，足夠讓希拉蕊‧柯林頓發表兩篇掌聲不斷的演講了。

——《美中新聞》，一九九八年三月廿日

雜誌的命運

一九二〇年代，在美國雜誌史上有它的重要性。《讀者文摘》於一九二二年二月創刊；同年，《外交事務》問世；《時代週刊》第一期在一九二三年三月三日出版；《紐約客週刊》於一九二五年二月廿一日發行第一期；《商業週刊》則於一九二九年刊行。這五份雜誌影響深遠，直到今天仍然定期出刊。

關心出版業發展的人，也許早已注意到一個現象：自從電子媒體日趨普及以後，不論是廣播、電視或電腦網路，對印刷媒體造成一波又一波的衝擊。反映在業務上最明顯的便是：讀者群的逐漸流失，廣告量的不易成長。以報紙為例，除了極少數如《紐約郵報》外，大都會地區的晚報先後宣告停業，早報和日報，有的一市難容兩份報紙，於是兩報合併成一報，生存下來的主要報紙更是飽嘗訂戶逐漸減少的威脅，直到最近兩年，報紙的讀者才有回升的情況，但比率仍偏低。以美國而論，全國性大報的發行量以一百八十萬為上限，很少有報社會超過此數。《芝加哥論壇報》在一九五〇年代中期發行量為一百一十萬出頭，今天則只剩七十萬左右。《紐約時報》、《洛杉磯時報》（該市僅有一份主要報紙），一九九七年的發行量也只與《芝加哥論壇報》頂盛時期相當。同時，主要報業集團早就進入廣播、電視、網路等領域，若非採取多元經營的策略，不僅業績難以擴展，連報紙的存在都成問題。

雜誌業比起報紙，情況近似，有時甚至更艱苦。《讀者文摘》美國版（該刊以十六種語言在全球發行），去年發行量約為每月一千五百萬份，比巔峰時期減少將近四分之一；《國家地理雜誌》每月九百萬份，已低於一千萬；主要的新聞雜誌，《時代週刊》去年每期將近

四百一十萬份，一九八三年之後幾年，曾高達四百七十萬份；《新聞週刊》約為三百一十萬份；《美國新聞與世界報導》二百卅五萬份；這三份新聞雜誌在一九九〇年代訂戶始終沒有什麼成長，連帶影響廣告收入。今年（一九九八）三月八日，《時代週刊》舉行冠蓋雲集的酒會，慶祝創刊七十五週年。然而就在同一個時間內，也傳出《紐約客週刊》虧損嚴重的風聲。一喜一憂，更加使人關切雜誌業的現狀及其未來。以下就《時代週刊》與《紐約客週刊》為例，試做簡要評析。

幾年前，《時代週刊》的負責人察覺到出版業的大環境、讀者的世界觀和品味，均已產生巨大的更動，因此便排除萬難進行改版，一時之間頗令讀者不易適應。事實上，在《時代週刊》的歷史上，重大的變化並非家常便飯，主要者如同共同創辦人布里敦・海頓在一九二九年突然染病去世，另一位創辦人亨利・魯斯完全掌舵，直到一九六七年二月他去世為止，魯斯的意志貫注到這份刊物，他在一九四一年寫下〈美國的世紀〉這篇著名論文，尤其具體而微地代表了他的根本精神，繼魯斯而起的海德利・唐納文，可以說是大幅修正了魯斯的主見或成見，使得《時代週刊》更為平民化，在報導與評論上益顯客觀而平實。最近一次改版及革新，到去年終於有了相當可觀的成果。純就業務方面而言，專業雜誌《廣告週刊》最近指出，一九九七年最熱門的雜誌，《時代週刊》排名第一。據《廣告週刊》列出的統計數字，去年《時代週刊》營業收入增加九千三百六十萬美元，增加率高達百分之廿一點三；廣告頁數增加率為百分之十六點二；發行量提高百分之一點三。廣告頁數的增加，關涉雜誌營業至鉅，該刊享有百分之十六點二的成長率，大概會使其他刊物為之眼紅。然而，也不能不注意到，發行量的成長實在有限得很，雖說在印刷媒體整個大環境下，發行量沒有減退已是幸事，但成長如此微小仍然是一項警訊，不應掉以輕心。

《紐約客週刊》則是美國現代文學史上卓有貢獻的刊物，現代及

當代的美國知名作家，出身該刊者甚夥。圈內人視之為「作家的刊物」（a writers' magazine），誠屬名至實歸。比起其他刊物，《紐約客》可能是被人談論、憶述最多的一份雜誌，這類著作充滿個人感情，對該刊備極推崇，趣人趣事趣聞，成為美國現代文化史的重要內容。但十三年前，弗萊希曼家族把該刊轉售給新東主紐豪斯，編務於一九九二年交由蒂娜‧布朗主持，該刊的發展方向產生很大的改變。《紐約客》本來不以發行量傲人，紐豪斯主政以後，大力促銷，去年訂戶高達八十萬（過去大都維持在五十萬上下），可惜以廉價手段爭取來的新訂戶，續訂率偏低，以致無法藉此賺得利潤。據說新東主接手以來，該刊已虧損近一億美元。其實，在轉手時，《紐約客》仍然是賺錢的刊物，雖則利潤已在減退之中。紐豪斯有意扭轉形勢，刻意想把它變成有利可圖的消費者雜誌，沒想到適得其反（紐豪斯家族擁有廿五份中小型報紙，最近將旗下最大出版社藍登書屋賣給德國媒體鉅子柏提爾斯曼公司，得款十四億美元。又 *Vanity Fair, Vogue* 等時髦刊物，也是該家族的產業）。

　　《紐約客》向來的傳統是編輯部與營業部互不干涉，保持編輯部門的獨立與尊嚴。在創辦人哈洛‧羅斯和繼任者威廉‧蕭恩主政時，放手讓作家與編輯發揮長才，而不汲汲於利潤多寡，結果不但刊物編得令人喜愛，贏得各界的推崇，而且雜誌本身的財務也很健全而成功。這次《廣告週刊》主編在論及《時代週刊》的優異成就時，還特別強調：「編輯工作永遠居於第一位，然後才轉化到市場上。」老實講，一份刊物編得好，仍然不免出現曲高和寡的情況，未必能在市場上有傑出表現；但編得不好，則一定難以生存下去──這大概是印刷媒體無法逃脫的命運。

──《美中新聞》，一九九八年四月十日

印刷媒體的轉型

　　發行遍及美國與加拿大的湯姆生報系，於二月十五日正式宣佈，除了該報系所屬旗艦報紙《多倫多環球郵報》將予以保留外，旗下所屬五十四份日報全部有意脫手。業界觀察家認為，這是報業有史以來最大規模的一次日報拋售，成交金額可能會超過廿億美元。

　　湯姆生報系自加拿大起家，全盛時期報館分佈三大洲，五年前仍居全球最大報系的龍頭地位。目前它所擁有的五十五份日報，約有一半係在美國威斯康辛、印第安納和俄亥俄三州，發行量絕大多數低於五萬份，換句話說，除了像《環球郵報》這一大報外，地區性小型日報為其主力。但該報系自一九九〇年代中期以來，很明顯地改變它的經營策略，有意從大眾型的報紙脫身，而專注於分眾型的媒體。（按：有些分析家喜用小眾型一詞，筆者偏向使用分眾型，因為隨著通訊科技的成長進步，傳播受眾的分類更加細密，而某一專業型態的傳播媒界，其對象人數並不在少，無法以小眾形容之。）具體講，湯姆生報系本著利潤動機，刻正努力朝向法律、財經、醫藥和其他專業領域提供資訊服務。

　　以一個年營業額超過六十億美元的報系而言，採取如此大的商業轉型動作，受人矚目自不在話下。該報系熱烈擁抱網路與電子資訊傳遞當然是順應潮流之舉，今天那一家像樣的大報沒有自己的網路版？以臺灣兩大報為例，聯合報新聞網與中時電子報，早已出現；中央社、《勁報》、臺灣電視、《商業週刊》、《新新聞週刊》、《皇冠雜誌》、《天下月刊》等等，也早就推出網路版了。這一趨勢的出現，其實是繼廣播、電視的出現後，對印刷媒體的新一波電子挑戰。

　　報業受到一再的衝擊，明顯地產生了如下的幾個趨勢。一是大都
會區的午、晚報，以美國地區為例，幾乎已經完全消失；二是報紙的
發行量，成長極為緩慢，甚至有負成長的現象；三是社區報紙反而是
報業的主力所在，以芝加哥地區為例，最近幾年真正享有可觀發行擴
大的便是社區報，例如西郊的《每日信使報》。

　　發行量乃是報社生機所繫，也是廣告收入所依賴的憑據。依手頭
現有的資料（來源為發行稽核局），截至一九九九年九月卅日止，美
國前十名報紙的週日（星期天除外）發行量如次：《今日美國報》──
一七六萬份，成長率百分之零點七；《華爾街日報》──一七五萬份，
百分之零點七；《紐約時報》──一〇九萬份，百分之一點八；《洛杉
磯時報》──一〇八萬份，百分之一；《華盛頓郵報》──七十六萬
三千份，零點六；《紐約每日新聞》──七十萬二千份，負成長二點
九；《芝加哥論壇報》──六十二萬六千份，負成長三點九；《新聞日
誌》──五十七萬五千份，零點四；《休士頓記事報》──五十四萬
五千份，負成長一點三；《達拉斯晨報》──五十一萬份，一點三。

　　必須進一步說明的是：上列資料並未包括星期日發行量，而就廣
告業務而言，星期日版最最重要，此所以稽核局的發行量是把星期日
單獨計算的。以前舉十大報來說，第一名的《今日美國報》與第二名
的《華爾街日報》，均係全國發行，並且沒有星期天版。以一九九九
年三月卅一日截止資料計，星期天版前十名（《紐約時報》、《洛杉磯
時報》、《華盛頓郵報》、《芝加哥論壇報》、《紐約每日新聞》、《費城
詢問報》、《底特律新聞與自由報》、《達拉斯晨報》、《休士頓記事
報》、《亞特蘭大憲政報》）中，第一名成長百分之二點三，第二名成
長零點零二，微不足道，其他八家星期天版全呈負成長，《費城詢問
報》負成長更高達百分之七點九。不論是週日或星期天版，發行量均
成長有限，甚至產生負成長。

　　面臨這類變局，報紙為了生存發展，當然必須有它的策略。以
《芝加哥論壇報》為例，一九五〇年代中發行量高達一百一十萬份，
當時的主持人邁克梅克曾自豪地宣稱是世界最偉大的報紙，目前的發
行量相形之下只約全盛期的一半多，但該報卻早已收購廣播電臺、電
視臺、職業球隊等，利用多角化經營來分散風險及擴張業務，湯姆生
報系這次的大動作，值得重視的是有意脫手社區報紙，而過去這幾
年，社區小報正是報業利潤的主要來源，《芝加哥太陽時報》控股公
司，近年積極收購社區小報。阿拉巴馬州伯明罕市的社區報紙控股公
司，則在去年成為九十六家日報的老闆，名列第一。

　　印刷媒體受到新一波電子媒體衝擊者，自然不限於報紙，書籍、
期刊皆無法置身事外。目前由於種種因素，電子書就像有聲書一樣，
仍然未能真正普及，但像百科全書等體積龐大的書冊，則已被電子版
取代。儲存於小小磁片的資料，攜帶方便，使用快捷，大部頭書籍當
然全輸給它。《大英百科全書》完成專設網站以後，網路使用者群起
利用，一時途為之塞，這個景象正說明了大量資料的處理，電子媒體
取代印刷媒體的優勢。

　　過去電視出現時，大家普遍認為廣播大概會沒落，初期的確也出
現這種情形，但經過一段時間的調整，廣播找到本身利基，不僅使得
廣播業沒有消失，近十年來且呈復興之勢。印刷媒體在短期內應無消
失的可能，電子媒體的出現，乃是讓人增加更多的選擇，如何使人們
願意選擇印刷媒體，當然是絕大的挑戰。

　　　　　　　　——《美中新聞》，二〇〇〇年二月廿五日

社論卡通易惹事

近年來，美國報紙讀者流失嚴重，尤以青年讀者為最，雖然間有一些報紙可免於這一現象，但整體而言，卻幾乎可說已成趨勢。處於此種局面下，報社之間爭取讀者及廣告市場的努力，其實相當激烈。不過，彼此為了保持風度，在表面上極少攻詰對方，即使某報犯了重大錯誤，報導固然會出現，惟措辭總盡量少用批評語氣。這項不成文的報業守則，最近在芝加哥報界似已雅緻而客氣地有了例外。除紐約外，芝加哥是目前美國大城中仍然維持兩份主要日報的少數都會區，而這次「例外」焦點則是社論卡通。

《芝加哥論壇報》今年（二〇〇三）五月卅日，在社論版刊出一幅卡通（臺灣也常譯作漫畫，兩者相通，卡通為英文音譯，漫畫日本味濃），主題為中東的衝突。畫面上呈現的是連接中東險峽的一座橋：橋左端有位鷹勾鼻的胖子，西裝上有大衛之星（以色列民族的象徵）；橋右上角則是雙手抱胸、腰佩手槍、頂戴阿拉伯頭巾的人等著；橋面上有個穿西裝的人（其眉毛耳朵神似現任美國總統），左手捧厚厚一疊現金，右手把錢幣一張一張鋪在橋上，從胖子腳下鋪起，朝右上方鋪去。身佩大衛之星的鷹勾鼻胖子云：「再思之下，通往和平的途徑現在看來更光明一些了。」作者是甚富盛名的卡通畫家Dick Locher。

這幅社論卡通裡面的主角，普通人一看即知分別是美國布希總統、以色列現任總理夏隆和巴勒斯坦強人阿拉法特。而人物造型透露出的信息，大部分人也很容易會意。整幅畫所要傳達的信息，明確之至。《芝加哥論壇報》一經刊出，全城振動。抗議電話、電子信件立刻湧入該報，反彈大得很。該報競爭對手《芝加哥太陽時報》，在六

月一日發表一篇社論，題為〈卡通謀殺〉，超出報業默認的常規，正式公開以社論批評對手。《太陽時報》雖然措詞婉轉，表示提出抨擊情非得已，但鄭重表示：「這幅卡通的信息！即以色列謀求和平的興趣，不是由於終止流血的欲望，而是因貪圖美國的現金所激發——則係一項謊言，超出合法的評論，而淪為毫無根據的辱罵。」結尾聲稱：「刊印它，乃是干犯所有芝加哥人的眾怒。」

其實，從《論壇報》刊出的讀者投書量和語氣來看，這篇社論卡通引起的反響實在極為熱烈。六月一日即見抗議投書，六月三日全部十二則投書都談它，到了六月八日，還有半數以上投書談此事。雖有一位阿裔人士認為該畫信息屬實且有效，部分讀者為社論版編輯辯護，此外多數投書均嚴厲指責該報，最常見的句子是Shame on you（貴報應引以為恥），並多要求《論壇報》「道歉」。某位曾任該報記者的猶太裔人士，則建議該報編輯部門應內部仔細檢討，何以未能分辨這幅卡通的信息乃是肆無忌憚地不恰當的。

《芝加哥論壇報》本身的回應倒也非常明快。六月一日該報公共利益主編Don Wycliff，即已為文說明。（這位黑人主編原為《紐約時報·社論版》副主編，其後轉來《芝加哥論壇報》任同版副主編，後升任主編長達九年）據他自述：積九年的社論版負責人之經驗，爭議最大並且使編者個人焦慮最多的，全都來自社論卡通。社論卡通在它本身的環境內，始終是一位永遠的陌生客。就文字撰述的素材言，不論是社論、評論甚至連讀者投書，編輯部門都可以妥為修改調整，讓文章恰如其分。相形之下，最好的社論卡通，卻皆具有眼睛裡頭有根棒子的味道和微妙。但他也承認，即使最不客氣最露骨的社論卡通，仍有它不應跨越的界限，而本報星期五社論版的卡通，已逾越所有界限。文中還具體指出，由於社論版現任主編Bruce Dold公差出城，且該報暫無專職社論卡通畫家，其挑選由副主編及投書版主編代行。這

只是加以說明，殊無指責代行決定者的意思。

當然，也有投書指出上述的回應不無喪失立場之處。平心而論，意見不同跟侮辱兩者之間還是有其分野的。何況政治卡通向來不能要求它「政治正確」。他們之所以被人喜愛或引起重視，往往有賴於把人物與事件突出或誇大，以產生特殊的效果。這次的社論卡通風波，主要是因為它加強了反猶太人的情緒和刻板印象，比如猶太人貪財好利又陰險等等。同時把布希總統的中東和平努力（在初上任時，則普遍被批評他對中東糾紛置身事外），描繪成撒錢來鋪路，且有點「跪求」以色列的模樣，許多美國人——特別是支持總統者——看來真是不爽。

從實招來，個人很喜歡看政治與社論卡通，也常看《新聞週刊》的每週優良卡通集錦，因為他們屢有畫龍點睛之妙，令人於意在言外而生會心一笑。英語俗諺稱「一圖抵千言」（不僅指圖畫，也包括難忘的新聞攝影相片），政治及社論卡通足以當之無愧。追溯起來，遠自十九世紀中葉，社論卡通即已成為英文報紙與雜誌的重要一部分。一八四一年起，英國著名幽默刊物Punch（國人有譯作「笨拙」者），開始出現這類作品。到了一八五〇年代，美國的週刊也開始刊登。十九世紀末，社論卡通（editorial cartoon）例行性的出現在日報上。一般而言，報紙卡通不重細節，但較為自由，由於日報在時效上更為便捷，評論時事快得多，雜誌界的社論卡通漸趨式微。不過，創刊於一九二〇年代末的《紐約客週刊》，直到現在仍以諷刺人生世相的卡通漫畫著名於世。自一九二二年起，新聞業最重要的普立茲獎，開始設有社論卡通類的獎項，除偶有不發的情形外，年年頒發不誤。

由這次《芝加哥論壇報》社論卡通造成的風波，筆者深以這一新聞門類未出現於華文報業為憾。雖說現代意義的新聞媒體源自西方，但中國報業從滿清末年開創起算，至今也已百年，興興滅滅的報紙為

數也不算少，就是始終沒看到哪一份報紙，在社論旁邊以同等地位刊登社論卡通，評點社會百態和政情世局，更別提設置專職的社論卡通畫家了。急起直追，雖已落後一個半世紀，但不試則永遠落在人後。

——《美中新聞》，二〇〇三年六月六日

看完電影有話說

《麥迪生之橋》的情與慾

挾帶著暢銷三年賣出九百萬冊的紀錄，美國言情小說《麥迪生之橋》改拍成電影，由大牌明星克林特伊斯伍德（也是該片導演）與梅莉・史翠普主演，刻在美國各地上演。

最近抽空觀賞該片，雖然片中的情慾鏡頭拍得相當優美脫俗，有點夢幻意味；愛荷華州玉米田和小丘陵的景致，健康而秀麗；男主角的造型稍嫌過老但肌肉仍然「強壯」，伊斯伍德在戲中談吐文雅，一改他在西部武打片和警匪片的形象；女主角是當代最有天分的演員，外型雖然不挺亮麗，但對角色舉止和內外感情的把握，卻少有人能及；但整體而觀，影片節奏緩慢，有沉悶之感。電影的詮釋當然不如小說文字表達得如此細緻──雖則不少文評家認為原著文字俗豔並不可取，但這是兩種不同藝術工具表現方式有別，似也不需苛求。

令人意外的是：走出戲院，環顧四周，竟然發現我們是觀眾當中最年紀不大（不敢說年輕）的一對。從身邊男男女女的凝重表情看來，顯然電影情節已在這一群銀髮族的心田投下一些漣漪。使人猛然領悟到：在一個日益高齡化的社會，以中年愛情為主題的小說和電影，顯然有它的市場，同時也滿足了某種社會需求。愛情的火花，已不再限於青少年，也不全然是青年俊男美女的專利。自社會學甚至市場行銷的眼光而言，今後《花花公子》、《藏春閣》等異色刊物，內中裸露胴體的男女，年齡也日漸成長，或者針對較高齡人口，另行出版適應他們的類似刊物，應該不足為怪才對。

不論在書中或影片裏，女主角法蘭西絲卡才是真正的英雄。對農家生活稍感疲乏的是她，尤其當丈夫和一雙子女離家前往伊利諾州參

觀州觀摩會（State Fair，即全州級的農工商展覽和觀摩活動，次一級者為郡觀摩會〔County Fair〕），屋內收音機播出的樂聲，益增寂寥；與《國家地理雜誌》從芝加哥來的攝影師不期而遇，邀他進屋的是她；在有屋頂的木橋上貼紙條，引起一段短暫卻又刻骨銘心、永生不忘的纏綿，始作俑者是她；家人歸來後，在大雨滂沱的十字路口——也是人生的十字路口，瞥見攝影師，雖然內心波濤洶湧，但卻在車內由丈夫掌握的方向盤而把人生駛往相離的方向。寧願於百年之後，把骨灰從麥迪生橋上灑落，與先已逝世的攝影師的骨灰，在空中追逐更其縹緲的遇合。法蘭西絲卡當然不是所謂的「女強人」，但對自身的命運，顯然不僅主動而且善於掌握。對家庭，盡了責任；對一己的回憶，添染了瑰麗而幽遠的色彩。她的子女初則不肯接受，隨後由承認而欣賞，最後完全遵照她的遺囑而行事，法蘭西絲卡一生的句點，主要是由她寫下的。完美與否，何妨留待他人評說。

閱世稍深，不免產生一些偏見，恐怕有不少人會認為：中年人只有慾何來情。清純的愛，對已經在現實社會打過滾的人，即使不加嘲笑，也會有人間何處覓的淒楚。你能想像羅蜜歐是個四、五十歲的大公司高級主管，茱麗葉是四十好幾、假日在高級服飾店選購衣物的女強人嗎？如果梁山伯是穿梭海峽兩岸大腹便便的董事長，祝英台必須定期染髮才能使青絲永遠烏光水滑，又當是何等光景？這種情景，會殺死多少文學想像的細胞？

然而，《麥迪生之橋》的出現並廣獲迴響，卻打破了前述的偏見，且擴大了文學想像的空間。其實，只要生命猶在，男女之間的情慾交結，不論年紀多大，仍然有可能存在。英國名劇作家蕭伯納，曾經問過他八十好幾的老母親是否對男人還有興趣，其回答為：「這是什麼問題，當然有興趣！」

不可否認的是：中年或中年以後的情愛，滲入了更多的責任因

素。目前因為《麥迪生之橋》所引起的爭論，大體就是圍繞在：法蘭西絲卡既然深愛攝影師羅伯，為什麼沒有勇氣追隨他，去營造「幸福」？名作家叢甦女士日前為文細予剖析，見解高明深入，最後歸結稱「生命何其殘酷，又何其溫柔。」的確，如果女主角真的像革命女性一樣，為了完成「自我」而拋家別子，可以想見，在現實生活的衝擊下，不僅「幸福」渺不可得，且必然是以悲劇收場。短短四天的濃烈情愛，稀釋為三年、四年甚至更長時間的調整適應，還會有半點味道嗎？還值得花一分一秒去回憶嗎？法蘭西絲卡在十字路口心頭可以翻滾忐忑，但選擇卻是一項理性的行為，她的選擇是正確而且合情合理的，既保住了一家人的幸福——就算是廉價的幸福也罷，又留住了濃烈的記憶，但卻只能隱藏心海，死後方生。

　　且讓我們超越原來的佈局，提出另外一種可能：假定法蘭西絲卡的丈夫與子女，在這段愛情爆發不久之後便有所發現，情況又當如何？想來會與她在劇中曾經愛情出軌過的女性朋友一樣，普遍受到社區人士「不守婦道」的歧視。那麼，能不能說即使親如夫妻，某些靈魂深處的東西還是應該永遠隱藏，而不必也無需相互交代？人的一生，真如臺語歌曲常強調的，「活在世間，只有一次真正的情愛」，真是如此嗎？對法蘭西絲卡的抉擇，世人何時才能擺脫道德的譴責，而能公開的予以讚揚她對丈夫與子女的貢獻？堅持原有的愛情與親情，更應該是生命之鹽吧。

——《美中新聞》，一九九五年七月七日至十三日

花木蘭是日本人？

　　今年暑假，影視媒體巨擘迪士尼公司推出卡通影片《花木蘭》，票房成績相當可觀。自六月十九日迄今，首輪戲院仍持續放映中，前三週全美收入超過五千兩百萬美元，雖然比起鉅片《鐵達尼號》，顯有不如，但後者製作成本超過兩億，卡通影片能達到這樣的成果，已足以驕人。暑假期間與耶誕節前後，乃是電影業最重視的兩個熱季，電影製作公司無不設法利用這兩次檔期推出重點影片，以期有所斬獲。迪士尼公司自稱，《花木蘭》是過去幾年所製作品中「口碑最佳的一部影片」，誠屬名不虛傳。

　　就旅居美國的華人而言，這部影片尤其具有切身之感，主要是它的題材家喻戶曉，第一代的華人移民，多數在母國接受基礎教育時，便已熟悉花木蘭代父從軍的傳說故事，即使是此地出生成長的第二代，如曾經就讀中文學校，國民政府僑務委員會提供的華語教材，也有這個故事，就像「愚公移山」的寓言一樣，對小孩子來說，《花木蘭》很容易留在他們的心版上。西方的主流影片，以純中國式的題材為情節者，以往並不多見，《末代皇帝》述說清朝最後一位皇帝溥儀的一生，榮獲多項奧斯卡金像獎，確實難能可貴。大部分與中國和華人相關的影片，不論是早期的《花鼓歌》，或是幾年前的《喜福會》，均帶有強烈的移民故事的味道。從文化交流的角度看，《花木蘭》能夠以其中華文化本色得到美國觀眾的喜愛，還是甚具意義的。當然，不能不承認，迪士尼公司的美式包裝手法，功莫大焉，但影片本身仍以中華文化為骨幹，也是不容否認的。

　　最近幾年，華人影藝人才晉身美國電影業者，不論是影星或導

演，多有令人刮目相看的成就。其中自也有它歷史環境的因素，比如香港的回歸大陸，對當地影劇人才立志流向美國，至少就是一大外緣因素。成龍的影片較早投入美國市場；周潤發的《替身殺手》，雖然影評不高，但票房尚可；楊紫瓊的〇〇七影片集《明日帝國》，則是口碑與票房均佳；李連杰最近幾天才上映的影片《致命武器第四集》，頗受注意；這些於香港成名的明星，如今似已在好萊塢佔有一席之地。導演方面，來自臺灣的李安，經過低成本製作的《推手》、《囍宴》、《飲食男女》等國語片累積的經驗和表現，終能執導《理性與感性》、《冰雪暴》等英語影片，合作明星如艾瑪‧湯普遜（曾得奧斯卡獎）等，頗富名聲；來自香港的吳宇森，本來就是獨樹一格的動作片、武俠片名導演，挾其「暴力美學」進軍好萊塢，《斷箭》表現不差，《變臉》更足稱道，善與惡之間的交換糾結，最後以收養仇人之子做結局，頗具東方哲理，共事明星如約翰‧屈拉伏塔、尼可拉斯‧凱吉、克利遜‧史雷特，全是當今紅極一時的大明星。《花木蘭》雖係卡通片，但幕後配音、製作人員等，華裔不在少數，同樣可以視為華人影藝人才日趨重要的旁證。

七月初，此間華文媒體曾經報導，有一群關切華人權益的人士，認為《花木蘭》影片中，人物的造型、神態與服裝，太像日本人了，為此特別致函迪士尼公司抗議。然而，參與製作這部影片的華人工作者，卻深不以這種說法為然，他們表示，在前製作階段，事實上有過相當深入的考據，最後以唐朝服飾為主要憑據，唐俑則為參考實物。工作人員不無憤慨地表示，臺、港、大陸製作的許多電視古裝劇，根本不做研究考證，其粗製濫造大家習以為常，照樣租回家觀賞，可從沒聽說美國華人有什麼抗議。

個人初讀這一報導，不無愕然。事實上，由於第二代的極力推薦，在《花木蘭》上映不久，就已觀賞過這部卡通片，走出電影院，

還對這部長僅八十五分鐘的影片深懷好感。迪士尼公司的此類影片看過不少，該公司慣用的公式──諸如故事溫馨、情節簡潔但又靈動、對話通俗而帶點小幽默、在始料未及之處給觀眾一些驚喜等，《花木蘭》也都有，但似乎欠缺一首令人琅琅上口可以流傳一段時間的主題曲。事後回想，當時哪裡有絲毫念頭，認為片中人物是大和民族，花木蘭太像日本人了的疑問？

其實，影片一開頭，就是北方匈奴單于率兵攻長城的鏡頭，長城是最能代表中國的象徵（至於誇口說，從外太空看地球，唯一可以辨識的建築實物即為長城，則是不實的說法，長城雖然長達幾千里，但寬度很有限，依工程界的估計，外太空是看不到它的），片中也處處提及中國，觀眾怎麼可能產生誤會？況且最重要的應是觀眾的認知及感受，而不是一部分華人秉其有限的歷史知識，而對影片提出枝節上的指控！電影作為商業產品，當然不可能是純學術性的考驗，花錢拍製，非考慮娛樂性不可。影片情節、文物、服飾合乎歷史自然最好（已故胡金銓導演，所拍武俠片多以明朝為背景，他在這方面就很講究），吹毛求疵，並無必要。最近柯林頓總統訪問中國，首站西安，中共以唐朝古禮歡迎他，報載有歷史學家指出，此一古禮乃係「諸侯來朝」儀典，美國方面被耍了云云，個人根本不相信中共有這個意思，如果真是如此，那才真正有失泱泱大國之風！

沒有人會誤以為花木蘭是日本人，可歎的是有一部分華人的心態太容易自我扭曲。

──《美中新聞》，一九九八年七月十七日

終生成就獎的爭議

　　第七十一屆美國影藝學會奧斯卡金像獎，已於三月廿日星期天頒發，這是步入另一個千禧年與新世紀之前的最後一屆，已有百年歷史的電影業，也將邁進一個新時代。

　　一如往常，頒獎典禮的電視現場轉播，普遍受到全球各地的注意，收看這個節目的觀眾，高達十億人。單從螢光幕上看，當然盡是一片巨星名流的衣衫倩影，明星穿著服裝設計師的作品爭奇鬥豔，受獎者的狂喜，致謝詞的內容與神態，女性得主尤其容易激動得語不成調，譜成一幅活生生的戲劇。電視轉播所未能傳達的則是：這次頒獎，其實也上演著一場爭議性頗高的對抗，甚受美國知識界和輿論界的重視，實在是這次奧斯卡金像獎的外一章。幸好，印刷媒體在這方面有所報導，彌補了電視轉播的不足。

　　自從美國影藝學院今年公佈終生成就獎得主為大導演伊力·卡山（Elia Kazan）以後，便引起不小的爭論。焦點不在卡山的藝術成就，而是在於他過去的歷史。一九五〇年代，以蘇聯為主導的共產勢力，乘第二次世界大戰後的幾年動盪時期，席捲了東歐許多國家，亞洲的中國、北韓、北越也落入共產黨的統治，一時之間，美國國內產生一股極其強烈的恐共與反共情緒，而其頂峰則是美國國會成立「非美活動委員會（Un-American Activities Committee）」，調查共產黨勢力滲透美國的情形，在政府方面以國務院為重點，於學術、文藝界則以亞洲學社和好萊塢影劇界為主。當時明尼蘇達州參議員麥卡錫，加利福尼亞州眾議員尼克森（後來擔任總統），主持雷厲風行的調查與作證會，風聲鶴唳，諜影幢幢。麥卡錫參議員更是作風強悍，不稍寬待，

日後遂有具貶義的「麥卡錫主義（McCarthyism）」一詞的流行，麥卡錫於一九五七年英年早逝，這種激烈反共而欠寬容的思緒才漸告消弭。麥氏一生的功過，直到今天仍有爭論。

伊力‧卡山就是在一九五二年四月十日於眾院作證時，具體供出同僚八人為共產分子。據卡山自己在回憶錄中陳述，當時電影巨子廿世紀福斯公司老闆柴納克勸他：你不供，別人還是會把名單供出來，難道你想去坐牢嗎？這種解釋，當然很難被身受其害的人接受。這些名字上了「黑名單」的人士，其中有相當部分是劇作家，不僅事業被無情摧斬，而且為了逃避政治上、社會上的迫害及不公平待遇，不少人選擇放逐異國的生涯，一生困頓，他們怎會輕易採信卡山的推托性說法！這批人目前還在者尚有其人，聞知卡山得獎，他們便積極發動抗議活動，且不無乘機教育下一代莫忘歷史的用意。頒獎典禮當天，場外就有正與反陣營的示威遊行。

典禮上，卡山是在大明星羅伯‧狄尼洛和導演史可吉西的攙扶下領獎的，他的致詞非常簡短，隻字不提這段不愉快的往事，高齡八十九歲的卡山，很快的便以「我可以悄悄告退了吧！」結束致詞。現場並無騷動跡象，據知名影評家羅傑‧伊柏特在現場的估計，當時約有百分之四十觀眾起立致敬，包括大導演史匹柏、大明星華倫比提等人，不過仍有不少人並未起立也未鼓掌，其中還包含部分被提名的知名影藝界明星。比起過去頒發終生成就獎時，全場起立致敬的情況，氣氛自是有所不同。

純就電影上的功績而論，伊力‧卡山的成就是不容抹殺的。影評界大致同意，《君子協定》、《慾望街車》、《查巴拉萬歲》、《碼頭風雲》（或譯《岸上風雲》）、《伊甸園東》是他的五部代表作。卡山本人也因執導一九五一年的《慾望街車》、一九五四年的《碼頭風雲》，兩度榮獲奧斯卡最佳導演。美國影藝學會去年（一九九八）六月十六日遴

251

選百年來的一百部經典名片,《碼頭風雲》名列第九,《慾望街車》第四十五名,這兩部黑白影片,個人曾經觀賞過,《慾》片偏重心理戲,比較不容易懂,《碼》片則劇力萬鈞,令人一睹難忘,絕對夠資格列入經典而無愧。

在冷戰初期的年代,吐露共產黨員名單者豈僅卡山一人而已,為什麼他反而成為「集眾惡於一身」的影藝界象徵性人物呢?比那些咄咄逼人的審查者如尼克森等更討人嫌呢?影評人麥可・威明頓相信,可能是因為:在此之前他是「集眾寵於一身」為大家所最愛的人。自認被卡山出賣的友儕認為,以他當時的實力和威望,卡山應可頂住壓力而生存下來,但他卻沒有這麼做。歷史的轉折、嘲弄與悲劇,竟延伸到這次頒獎典禮。

在這次爭議中,個人至表欽佩的則是卡山的同代人──大劇作家亞瑟・米勒,他的《推銷員之死》,久已變成當代經典,他本身則是受害者之中名望最高的代表人物。針對此事,米勒發表了一份言簡意賅、用心良苦的聲明(全文〈卡山與苦難歲月〉載《國家週刊》,三月廿二日,頁六)。(文首米勒贊成另一位列入黑名單劇作家道頓・川博的觀點,認為在那場爭鬥中,「沒有英雄,也沒有壞人,只有受害者。」米勒與卡山雖然政治立場有別,卻能夠欣賞對方的成就,聲明結語云:「於劇場和影片方面,伊力・卡山做出了許多非凡的工作,足以榮獲大家的認可。我們很少人是全無瑕疵的完整一塊,有如川博所意謂者然。也許頂多只能寄望在那內心深處,對一個人的優良成就知所讚美,而對他悲劇性地失敗之處知所譴責。」

在卡山於舞臺上說出「我可以悄悄告退了嗎?」(他用的是slip away),數十年來的論敵米勒之聲明,彷彿為他們那個時代劃下了意味深長的句點。

又及：米勒自述，當時美國軍中禁演他的作品*All My Sons*。多年後他才發現，不祗是這部而是他所有作品均遭禁。「簡言之，這不僅是把冒犯性作品而是把整個人列入黑名單，這可不正是蘇聯常幹的勾當嗎！」令人喟歎的是：「禁整個人」的現象，迄今在神州大陸恐怕仍所在多有。

——《美中新聞》，一九九九年三月廿六日

從還珠格格到妹力四射

讀報，除了獲取及吸收各類資訊之外，有時也頗具娛樂價值，某些報導讀後使人捧腹大笑，開懷不已。

最近一個月來，中共政權的主要批鬥主題，以法輪功和兩國論最受重視。由於神州大陸的各種媒體均為官方所控制，媒體的報導評論無不紛紛「配合政策」，於是一手打法輪功，一手罵兩國論，傳播受眾除非拒絕收看，否則對這番全面轟炸式的洗腦、洗眼、洗耳現象，很難倖免。然而，一般人並非全都具備高度的思辨力，也未必能夠牢牢把握官方的正確路線，從而產生一些誤會和笑話，勢所必有。當年中共雷厲風行地推展「憶苦思甜」運動時，廣東某老嫗在群眾大會上，正經八百地講說她思的甜乃是陳濟棠主政廣東的年代，憶的苦則是人民政府成立後的歲月，與官方的立場恰好相反。幾天前，北京的電視臺為了打擊法輪功，訪問一位老者談他的觀感，這位老先生脫口說出：「李洪志練兩國論是不可原諒的。」（見《世界日報》八月十六日報導）法輪功與兩國論統一起來了！

極權政體對傳播工具的掌握絕不肯鬆手，圖的就是想形塑人們的思想，以利統治。不過，從另外一個角度來看，也不妨視之為官方有意「打造流行現象」的一種企圖。在中國古代，皇帝喜歡環肥或燕瘦的女性，往往可以變成當時的風尚，至少在京城一帶是如此。只是到了現代社會，官方若想領導流行，便越來越難了，政府插手成功率不大。在多元的現代社會，流行的文化現象，比如服飾、熱門歌曲、電視節目等，往往別有來源，而政權不與焉。

根據近日的報導，臺灣製作的電視連續劇《還珠格格》，風靡回

歸中國兩年後的香港。香港的不收費電視臺，向來以無線電視為主力，收視率佔八成的優勢，另一個亞洲電視臺瞠乎其後。沒想到亞視引進臺製《還珠格格》以後，竟然大受歡迎，收視率高漲，當然廣告收入也就滾滾而來，迫得原居龍頭大哥地位的無線電視，不得不急著臨危應變。這個現象，甚至引起輿論界和學術界的深層探討。其實，十幾年前，港劇曾經風行臺灣，港星亦紛往臺灣發展。如今臺灣從文化輸入一變為文化輸出，竟然引起港人嚴肅地從各種角度，檢視本地的媒體和經濟發展前景等問題，說明了香港人具有自我反省的能力，還是令人佩服的。

《還珠格格》的原作者瓊瑤，自從高中畢業發表小說《窗外》以後，四十年來於通俗流行文學的領域，雖略見浮沈，但不可否認一直佔據重要地位，她的小說盛行於所有華人聚居的地區，有中國菜的地方，必然也有瓊瑤的小說。其後，她又涉足電影與電視劇的製作，彰響益見擴大。學術界本來對通俗文學不無成見，對瓊瑤自然會有批評。不過，平心而論，她的文字極為流暢，較少受西方文藝的左右，「中國味」頗濃，故事情節的安排雖然偶見荒誕之處，但卻善於把捉國人在親情、愛情方面的感受和期盼。學術殿堂既然可以堂而皇之地研討金庸的武俠小說，則對瓊瑤的作品似也不必慣性地有意忽視之！

最近另一個廣受矚目的流行現象，則是臺灣歌手張惠妹的「妹力九九」巡迴演唱會，地點包括北京、上海、廣州、香港和昆明。她在北京的演唱會，購票入場者超過五萬人，盛況空前，《洛杉磯時報》還以頭版的地位刊載此事，香港旅行社為安排港人赴廣州參加張惠妹的演唱會，不惜打起官司來。她在大陸巡迴一趟，聽眾當在廿五萬人上下，真是妹（魅）力四射。張惠妹的北京演唱會，大陸公安機構派了不少人維持秩序，也與聽眾產生一些小型的衝突。當她循例感謝文化部門等的協助時，竟於現場引起一片噓聲。其實，這些都是正常現

象，官方無需做過多的聯想。

以一個出身於臺灣臺東山地的少女，張惠妹受知於不幸因車禍去世的歌手張雨生（〈我的未來不是夢〉為其成名曲之一）。不到幾年的時間，她狂野而不失純樸的形象，配上性感的「小可愛」，歌聲卻征服了兩岸三地的中國人社會，海外的綜藝節目也不時看到有人傳唱她的歌曲。〈姊妹〉是張惠妹這兩年來名噪一時的曲子，個人倒是更喜歡她的〈原來你什麼都不要〉，這完全是私人的偏好，無從爭辯。筆者早已過了非去聽某場熱門音樂會不可的年齡，對所謂「老歌」當然也存有熟悉感，但仍然雅好一些新出的歌曲，雖則有些人認為新歌新詞囉嗦，可是新歌不乏叫人耳目一新的句子，同時想像力的豐沛，遠非老歌可比！

流行文化的現象，自然不是什麼新鮮事，宋朝柳永的詞曲，盛行於歌臺舞榭，凡有水井之處便聽得到柳永的詞調。一代一代，總有歌星或作家管領風騷一段時間，有時甚至引起衛道之士的打壓。流行會過時，但也不能忽視某些帶領流行的人物，卻有相當長久的持續力，貓王艾維斯‧普里斯萊、影星瑪麗蓮‧夢露等，直到今天，依舊散發著無窮的魅力。流行文化對整體社會的影響，乃是細水長流式的，它可能不會造成立即的變遷，但聽著看著它而成長的一代人，多少都會受其感染（或污染）。在現代社會，政府已無能力「領導流行」，流行的文化現象改由民間社會領導，這正是社會得以比較平衡而健全發展的因素之一，值得慶幸。

——《美中新聞》，一九九九年八月廿日

一一道盡人生

上星期六（十月七日）晚，赴芝加哥大學校區觀賞臺灣導演楊德昌的影片《一一》，可以說是近幾年來看華語電影經驗中，感受與評價兩兼其美的罕見體會。

其實，《一一》已於今年（二〇〇〇）坎城影展中，獲得最佳導演的大獎，這次參加第三十六屆芝城國際電影展，並不是志在角逐任何一個獎項，而是應主辦單位邀請列為觀摩影片。幾年前，芝加哥藝術學院電影中心舉辦過楊德昌個人電影展，當時楊導演本人親抵現場答覆觀眾的問題，本地影劇界對他應不陌生。八月下旬，個人有幸參加印度電影展，於印度駐芝總領事所辦盛大酒會中，藝術學院電影中心負責人，還特別向與會貴賓宣佈楊君榮獲坎城影展最佳導演一事，視之為該中心慧眼識英雄的實例，也是該中心確實享有國際電影人脈的憑據之一。

臺灣影片參加芝城影展，最近三年成績不錯。前年蔡明亮導演的《洞》，得到最佳劇情片金雨果獎；同年，來自大陸的著名女星陳沖導演的《天浴》，雖未得獎，但頗受重視；去年鴻鴻導演的《三橘之戀》，則被選為最佳短篇劇情片。這些電影，個人有幸全部觀賞過，對導演們在資源非常有限的情況下，仍然能夠做出耀眼的成績，至表佩服。但不可諱言的，這些影片即使是外行人也看得出全是低成本製作，難免令人覺得「廉價」之感。當然，藝術作品的成敗與價值，動用經費多寡絕非唯一的決定因素。但電影屬於綜合藝術，資金、技術等的比重較高，作品的精緻與粗糙，容易顯現出來。相形之下，《一一》比起上述得獎影片，就不會使人產生「廉價」之感。而究其實，

257

楊德昌這部影片乃是日本資金投入拍攝的，這點想起來不勝欷吁。

《一一》的背景就是今天的臺北市，由於現代都市生活的普世性，即使外國觀眾看來多少會有異國文化的殊異，但隔著一層的情況業已降到最低，對華人尤其有過臺灣生活經驗者而言，幾乎是一無所隔，觀眾要進入情況，非常方便。同時，影片的企圖心也很早就讓大家理解，它具體而微地呈現了家庭、愛情、親情，商界的投機取巧，人間的生老病死，情慾的詭譎甚至暴力結局，臺灣教育的虛偽面等等，導演有意藉有限的場景與情節，用以觀照生命與生活的整體，其實是相當明顯的。此間美國人士評論稱，該片簡明而略帶戲弄的風格，畢竟蓋不住主題的嚴肅與深度，實在是知片之言，恐怕絕少觀眾走出戲院後會否認，這部電影的確很有深度。

影片故事的主軸環繞著身為電腦公司總經理的男主角，他的家庭，太太對生活空洞的省悟進而上山求道，岳母突得病昏迷不醒，長女對祖母昏迷的自責和在愛情上的青澀嘗試，男主角在事業逆境中與卅年前女友的重逢，以及藉赴日本東京洽商而與女友共度一週，穿插其間並不時以稚語呈現人生哲理的則是靈巧又不失頑皮的小兒子。故事的副線主要有兩條：一是男主角小舅子的婚姻與婚外情，綴上一些金錢及商場的糾葛；二是鄰居女主人及女兒，與英語家教間的情慾糾纏，女兒的男朋友且曾一度移情男主角的長女，最後這位青年疑心英語家教跟他女朋友有染，竟殺死家教而以暴力醜聞悲劇為結局。故事固然分主軸與副線進行，但導演的敘述很有條理，不會讓觀眾迷失而抓不到線索。更難能可貴的則是：在這部將近三小時的影片中，大家不會產生沉悶感，對劇情的下一步發展始終抱著期盼的心理。

片中有兩幕戲，個人極受感動。一是男主角的妻子，對著昏迷不醒的母親，為了刺激其意識，每天都向母親講述自己的生活，不久便發現自身的生活是多麼貧乏而渺小，坐在床沿淚流滿面地向丈夫哭訴，丈夫

卻又愛莫能助！至於這位妻子後來竟暫時拋開家庭入山證道，似乎片中並沒有交代她之何以如此。二是男主角安排與從前女友在東京會面，彼此彷彿都有重續前緣之意，卻以女方不告而別作結，過往與現在之間的交戰，幻想和現實之間的矛盾，形成了相當強勁的張力，返回現實自然是人間世必有的邏輯，追憶則依然含帶著絢麗的色彩。

對生命的反省，最有深度者竟出自稚齡的小兒子之口，甚至連人類看不到另外一半的自己，也透過他以專拍人們背後的相片具象地表達出來，猜想該當是導演刻意做這樣的安排，這有點超現實，真實世界絕難找到如此一位用童言以傳達哲思慧語的小孩，但他卻是貫穿全局不可少的人物，祖母喪禮上最後的告別也是他寫的一篇文章。另外，片中對商界的爾虞我詐也著墨不少，真正代表商場信義的竟是一位日本人，不無諷刺。此外，全片多以國語進行，但男主角與舊情人間的對話，則穿雜許多臺灣話，不知道導演是否別有深意？

《芝加哥論壇報》當家影評人麥可·威明頓，於眾多影展片子中，給《一一》最高評價，他甚至這麼說道：「任何人看完這部電影，若還無法瞭解到楊德昌乃是世界上的偉大導演之一，那麼這個人便是瞎了眼。」這部《一一》，對白簡明，含義深永，即使置身電腦資訊時代，一樣需要就生活與生命從事反省，像這般一一道盡人生的好電影，又有誰會去當瞎眼觀眾呢？

——《美中新聞》，二〇〇〇年十月十三日

江湖上　臥虎藏龍

　　李安導演的電影《臥虎藏龍》，終於在耶誕節前的星期五（十二月廿二日），開始在芝加哥地區公開放映，比美國東西兩岸都慢了一點。在下也趕緊去看了一場。

　　說這部武俠片為各界所矚目，一點也不誇張。自從在坎城影展首度露臉以來，有關的消息一波一波出現，而且多半是捷報頻傳，在本片出資者新力電影公司和亞洲哥倫比亞影片製作公司大力主導下，《臥虎藏龍》的造勢活動相當成功，目標當然是以奧斯卡金像獎為主。重要大報、影評人幾乎普遍給予高度評價，個人尚未看到低於四顆星的評分。尤其難能可貴的，兩大新聞雜誌《時代》和《新聞週刊》，竟不約而同地在十二月四日這一期，分別各以三頁篇幅連同照片，介紹這部純以華語（普通話）發音的影片。

　　就該片的導演、編劇、武術指導、演員、配樂等人員而言。除了李安的老搭檔James Schamus任執行製片和三名編劇人之一外，《臥虎藏龍》的製作，可謂集當今國際華人影藝人才之大成。武術指導袁和平本係香港電影界名家，自己導過不少影片，這次令人印象深刻的功夫動作設計，以及化導演的念頭為實際畫面，袁氏居功最偉，美國傳播界評論本片時，一律不會忘記提到他的貢獻。與故事情節配合良好的音樂，則是出身大陸的名音樂家譚盾作曲，片中流瀉而出難以忘懷的大提琴聲，則是馳名世界的大提琴家馬友友所奏出的。（倒是主題曲主唱李玟，不易察覺）主要演員周潤發係香港大明星；楊紫瓊出身馬來西亞，但電影事業發跡香港；張震是臺灣年輕一代的演員；章子怡是中國大陸新一輩的藝人。（美國影評大都只提這四位，但片中演

貝勒爺的郎雄，戲分不輕，於全片情節有承轉作用，他是臺灣演員，李安的華語影片迄今為止均有郎雄演出。演壞人的鄭佩佩，戲分頗重，為早期港臺武俠女星。）周潤發、楊紫瓊更已晉身為國際級的影星，至於全片的首腦李安則是臺灣國立藝專畢業，留學美國伊利諾大學和紐約大學。本片主要華人工作人員的構成，似也有某種象徵性。

　　本片改編自民國初年王度盧的武俠小說。對華人觀眾而言，武俠小說慣見的替師報仇、追逐名聞天下的兵器、少年俠客闖蕩江湖的歷練等情節，其實是武俠必有之義。但在編劇和導演的安排下，卻又賦予這些基本情節一些稍較現代而又不失深刻的含義。片中舖陳出兩路不同型態的愛情，李慕白（周潤發）與俞秀蓮（楊紫瓊）間的中年之愛，默默含情且受道義約束，大漠半天雲小虎（張震）與京城小龍（章子怡）間則是狂野罔顧一切的青年熱戀。兩代之間，慕白有惜才之意願傾囊相授並相助，年輕一輩則表現背叛權威的性格。同時本片女性的比重超過男性。這些地方，都是美國影評人和觀眾容易察覺的地方。加上李安也導過《理性與感性》、《冰風暴》、《與魔鬼共騎》三部純西洋背景電影，西方影劇界不無把李安視為出入中西文化並予以融合的代表性導演，或許這點可以說明何以頗具傳統風格的武俠片，竟能在西方引起如此大的迴響。

　　武俠片而無打鬥鏡頭，那就不足以稱為武俠電影了。《臥虎藏龍》在交代故事背景後大約十幾分鐘，暗夜於貝勒爺府大院展開一場拳腳交加的打鬥，鏢局女主人（楊紫瓊）與盜劍蒙面飛賊的雙人過招，由地面打到屋頂牆垛，動作敏健俐落，在屋頂上牆角間，施展輕功，身輕如燕，甚至有一葦渡江、點水飛越的畫面，這一場驚心動魄但又不見血的武打，看得全場觀眾屏息以待，打鬥告一段落後，大家忍不住鼓掌拍手叫好。（似乎各地皆然）這一幕戲，等於是在電影演出廿分鐘後，就給全片定了調。後來小俠去鏢局挑館子，再度激烈交手，這

261

次女鑣頭被寶劍刺到而輕微見血。

　　片中當然隨時有零星的武打鏡頭，但主要的大場面除了上述外，還有兩場。一是小龍（章子怡）化妝成少年俠士在客棧中的一場惡打，以一人而敵數十人。這幕戲，顯然是師心已故導演胡金銓的手法，他早期的《大醉俠》片中已有類似的場景。影評人指出，李安的確受惠於武俠電影先行者胡金銓、張徹等導演，自屬中肯之言。倒是本片普遍引起注意的竹林上頭的一場比劍，個人反而覺得有話要說。坦白講，這場戲恐怕困難度最高，但效果與所花精神是否成正比，或可商榷。胡金銓的俠女電影，在竹林中（但非竹林上）持劍追擊，氣氛凝重、懸疑而專注，殺機處微露禪意。相形之下，《臥虎藏龍》中的竹上比武，由於離地六十英尺，演員要立腳竹子竿頭，平衡便必須動用幾十名工作人員運用鋼絲，表演者維持平衡成了第一關切，面部表情體態姿勢等，焉能再予苛求？就特效角度言，這幕景達成目標，但就戲論戲，氣勢風神卻弱了！

　　《臥虎藏龍》的成功，絕非偶然，乃是大家努力的結果。周潤發向《時代週刊》表示，「頭一個工作天，有幕戲我便重拍了廿八次，只因為國語不夠標準。在我一生當中，從來沒有發生過這種事。」楊紫瓊中文更差，但她說，她為了跟李安合作，都已等了十五年。李安雖然是很溫和內斂的人，但要求卻很高，可貴的是周楊等國際級明星均肯尊重他，對這部實現童年夢想的影片，李安耗盡心血，但他接受《新聞週刊》訪問時，依然謙遜地說：「本片並不是完美無瑕疵。我們不是無所限制的。我們的確住在一個具有地心引力的世界。」（按：美國影評家常說片中人物的行動似乎不受地心引力的規範，名影評人羅傑・伊伯特即為一例。輕功，洋人心中總認為違反地心引力原理。）

　　其實，中西文化的鴻溝不易填補。江湖譯為Giang Hu、女鑣頭譯做 female security chief、臥 虎 藏 龍 譯 成 Crouching Tiger, Hidden

Dragon，雖已盡了翻譯之能事，但味道畢竟少了很多。電影中唯一提到片名的，是慕白講的一句話：「江湖上臥虎藏龍⋯⋯」。在國際電影界這個大江湖之中，歷經多年的辛苦努力，華人影藝人才，的確已經可以說是臥虎藏龍了。

　　　　　　　　　　　　——《美中新聞》，二〇〇〇年十二月廿九日

奧斯卡獎肯定華語影片

　　收看三月廿五日晚間奧斯卡金像獎頒獎典禮的華人，想來自然會把注意力集中於華語影片《臥虎藏龍》上面。李安所導演的這部武俠名片，真可以說是「轟動武林，驚動萬教」，獲得美國影藝學會十項金像獎的提名，當晚又榮獲最佳藝術指導、最佳攝影、最佳配樂和更重要的最佳外語片四個獎項。成績僅次於聲勢浩大的《神鬼戰士》，該片共得五個獎項，包括最佳男主角及最佳影片等大獎。以華語發音配上英文字幕的影片，有此佳績，實在足以自豪。何況這是華人電影工作人員與華語電影電影首度得到奧斯卡金像獎的肯定，具有開創的歷史意義。

　　第七十三屆奧斯卡頒獎典禮，全球估計約有八至十億觀眾收看，雖然不如奧林匹克運動會收看者多，但規模也夠大的了。不過，本屆收視率就美國本地而言，卻不怎麼高，媒體分析家表示：一則由於各種頒獎典禮太多，觀眾產生疲乏現象；二則因為去年電影界似無特別突出的業績，無法挑起大家高度的興趣。也就是說，問題不在頒獎典禮本身。事實上，各界對主持人喜劇明星史提夫・馬丁的功力，大都給予高度讚揚。依個人觀賞多次的經驗，這位滿頭銀髮的明星，比琥碧・戈柏、大衛・雷特曼還要好，幾可踵接主持奧斯卡獎經驗最豐富的比利・克里斯朵。馬丁台風落落大方，以個人幽默的話語貫穿前後，時間的掌控相當得體，怪不得事後不少影評家認為他應可再度主持下屆典禮。

　　每一屆的奧斯卡獎，都會留下一些令人難忘的鏡頭。照筆者管見，榮獲最佳女主角的朱莉亞・羅伯茲、就是新例。她穿上以黑白為

主調的晚禮服，設計典雅，雖然舉步維艱，但委實是明豔照人。這次主辦單位為了防止得獎人致辭太長，特別用一部名貴電視機來獎勵謝辭最短的受獎者，主持人在現場也藉機宣佈這項規定。朱莉亞上臺以後，表示家裡已有電視機，無意接受這等拘束，寧願暢所欲言，雖然她的致謝有點失序，但那份難以掩藏的喜悅，經由她寬闊無比的一張笑嘴表現出來，真是燦爛極了。此次她演《永不妥協》女主角愛倫‧布洛克維支，片中的她穿著性感而低俗的衣服，把雙峰挺立出來，私人的生活困頓雜亂，言語粗魯，但遇到人間的不公不義，竟然鍥而不捨、窮追猛打，終能伸張正義，對女性的生命價值賦予強力的詮釋，動人之至。朱莉亞‧羅伯茲被提名三次，本屆如願以償，她在頒獎典禮上的小小「出格」，觀眾恐怕還是欣賞佔絕大多數。

華文媒體對於李安未獲最佳導演、《臥虎藏龍》未得最佳影片，不無微詞，就最佳導演部分言，本屆得獎者為史帝芬‧索德柏，他事實上是近年極受重視的導演之一，光是本屆就有《永不妥協》與《天人交戰》兩部影片入圍，角逐最佳導演，雖然事先有人分析認為這種情況會使他的票源分散，但在有資格投票的影藝學會會員心目中，也有可能因為提名兩部皆屬同一導演而分量倍增，由索德柏榮獲最佳導演，應屬實至名歸。當然，一時瑜亮，李安不免因此吃虧而失去最佳導演的榮譽。不過，李安的成就事實上已從其他方面取得確認，金球獎、獨立製片協會和美國導演協會的最佳導演獎，全部頒給李安，尤其是後者，等於是得到美國電影界真正內行人的肯定，談何容易！這份肯定的斤兩，應該不會遜於奧斯卡金像獎。

次就最佳影片言，《神鬼戰士》的得獎，恐怕就多少得利於文化背景的因素。這部以古羅馬史詩為骨架的影片，製作成本高，格局宏偉，得最佳男主角的羅素‧克羅，演技沉穩，對無常命運加諸於人身的考驗折磨，表現頗有深度。華人媒體對美國影藝學會捨《臥虎藏龍》

265

而取《神鬼戰士》，多少以為仍存有「本位主義」，不容「異己」——即英語影片外的其他語系。是否確係「本位主義」作祟，自然不易認定，但文化背景的因素，則是很難避免的。西方文化為背景的影片，美國人觀賞起來更切身而能深入領悟，自是無從否定的事實。一般而論，藝術無國界的說法，未必屬實，但藝術比較容易打破國界的阻隔，則是可以接受的，但一旦具體落實到獎項的頒發肯定時，大概又不是那麼容易了。何況有投票權的會員多屬高年齡人士，他們對新異事物的包容性與接受度，未必與年紀成正比。

雖然《臥龍藏龍》沒有獲得最佳影片，但該片在電影史上業已取得一定的地位。迄今為止，票房收入已超過一億美元，穩居外語片收入的第一名，比居次的義大利影片《美麗人生》高出許多，而許多首輪戲院所上演的《臥虎藏龍》，目前仍有不少尚未下片，使得它已經晉入有史以來最暢銷的前一百部電影，這份成績更是不容忽視。三月廿三日李安接受全球媒體訪問時指出，此係對非英語電影的一大肯定，對好萊塢帶來震撼及刺激，打開了文化交流的大門，加深了他的根本信念——電影是拍給人看的。他又提到連十七歲以下的年輕人，也很喜歡這部電影，打破了年輕一代不接受配字幕電影的迷思與禁忌，外語片的觀眾層面為之擴大。

他認為這是好的影響。其實，青少年遠較喜歡動作片，不分國界，國人耽讀武俠小說不都是從少年時代開始的嗎？美國電視上頗為虛假的摔跤節目，觀眾絕大多數是十餘歲的少年，都是明證。如果李安拍的是《紅樓夢》，能否像武俠片這般吸引青少年，是很可懷疑的。

《臥虎藏龍》獲得奧斯卡金像獎的肯定，值得大家高興。這部電影的成功，說明了文化交流，應朝抵抗力小的地方下手，才比較容易收效。

——《美中新聞》，二〇〇一年三月卅日

歧異多變與表達自由

　　第七十四屆奧斯卡頒獎典禮，已於三月廿四日在好萊塢本地新設的柯達戲院舉行。這是自一九六○年以來，電影界最高榮譽的金像獎首度回到影城。柯達戲院富麗堂皇設備新穎，但座位只有三千一百席，比起過去常用的場地洛杉磯神廟劇場（七十六年老，六千三百位），少了一半以上，不僅一般影迷向隅者多，連業界中人也有很多未能參加盛會。

　　負責電視轉播的美國廣播公司，光是播放典禮本身即已長達四小時廿一分鐘，加上每年於典禮前必播的芭芭拉‧華特絲女士的明星專訪節目，同時大概有很多觀眾跟筆者一樣，還不時交替收看諧星瓊恩‧芮弗絲母女評明星服裝的節目，一個晚上下來，雙眼盯著螢光幕五個半小時，實在有點吃不消。事後新聞界的報導評論，全都指出這是有史以來最長的一場頒獎典禮，言下之意正是不妨精簡縮短些。

　　這次典禮，紐約九一一事件的影響貫穿全場。節目一開始，由偶像巨星湯姆克魯斯致詞，這位馬上就滿四十歲的英俊小生，傳達了影劇界的共同心聲：他先是自問，遭逢此一人間悲劇，我們應該慶祝電影帶給人們的歡笑與奇妙嗎？緊接著，他斗膽回答，現在比過去更應該予以慶祝。影壇怪傑伍迪‧艾倫的出現，令全場為之驚訝，這位能演、能編、能導的全才，向來視奧斯卡獎的榮譽有如浮雲，每逢典禮舉行之際，寧可置身紐約酒館自顧自地吹奏薩克斯風，這次為了他所至愛的城市，終於破例現身，曾得最佳男主角的凱文‧史貝西，在悼念去年辭世的影劇人物前，請全場起立為九一一罹難者默哀。節目最後，主持人黑人女星琥碧‧戈柏，則身著背後配有支持紐約字母的服

裝，背對鏡頭，為頒獎典禮劃下句點。

毫無疑問，黑人明星是本屆奧斯卡最耀眼的焦點。主持人甚至戲謔地說，今年大家丟的泥巴太多了，所有的被提名人看起全都黑黑的。的確，不論是事先的提名，或是實際得獎的成績，黑人明星的表現最出色。備受矚目的最佳男女主角，分由丹佐・華盛頓與荷莉・貝瑞摘得，模特兒出身的荷莉・貝瑞，更是頭一位得最佳女主角的黑人，丹佐・華盛頓追踵薛尼・鮑迪之後，捧回第二座金像獎最佳男主角，但中間的時間差距卻隔了四十年。

荷莉・貝瑞在喜極而泣的感謝辭中說：「這是獻給每一位無名的、面貌模糊的有色人種女性，現在她機會來了，因為今晚大門已開。」從史實上看，在曠世名片《飄》裡頭演黑人胖女僕的海蒂・麥克丹尼爾，早於一九三九年榮獲奧斯卡最佳女配角，替黑人首次贏得殊榮，但激進的黑人團體並不領情，而她本人的演藝事業，也侷限在被設定的刻板角色中。這次黑人明星的成就，誠如名影評人麥可・威明頓的分析，其意義在於如實地彰顯黑人的生活，有好人有壞蛋，有懦夫有英雄，善惡交雜。換句話說，便是打破了刻板印象與角色的制約。

依個人淺見，本屆獎項的分配，頗稱公允。《魔戒》得四個技術獎，《紅磨坊》兩個，《美麗心靈》也得四項，但包括最佳影片、導演、女配角，倒都符合影片的性質。朗納・霍華德這位童星出身的導演，電視影集《快樂日子》中較乖的中學生，在已成禿頭的四十八歲中年，榮獲最佳導演，可謂名至實歸。本屆還新增了最佳動畫人物獎，得最佳電影歌曲獎的冉迪・紐曼，被提名達十五、六次，終於了卻心願，他致詞時開玩笑說不需要大家的同情。最佳音效成就獎被提名十五次之多的凱文・奧康納，這次依然未能上臺領獎，成了被提名次數最多而未得獎的人物。

美國影藝學會（即奧斯卡主辦單位）前任會長亞瑟・希勒導演，

得到琴恩・賀休德人道獎，領獎時備極謙虛地說：「做本就應該去做的事，竟因而得獎，受之有愧。」這是美國影劇界的優良傳統，行有餘力則從事公益，為人間的不平發出怒吼，堅持本身的信念行所當行。即使立場相左，如保羅・紐曼與查爾敦・赫斯頓之分別為自由派及保守派，不妨各為其理想而效力。他如巨星李察・基爾為西藏文化與人權之保存改善，出錢出力出時間。這些均是使人敬佩不已的範例。

本屆終身成就獎之一，頒給年已七十五的黑人影藝前輩薛尼・鮑迪。他在致謝辭中慨言：廿二歲入好萊塢，時代與今天何其不同。當時全無前輩留下的軌跡可資依循。新聞界認為他的演講最好，有尊嚴、有宗旨，視野佳且表達出真誠的感謝。個人觀賞過他許多電影，直到今天仍然認為除演技佳外，他的身材比例之挺拔勁秀，無人可比。但他乃是溫和型的人，有一段時間頗受激進好戲的黑人民權運動領袖所排斥，與爵士樂名家路易・阿姆斯壯一樣，被列為與白人既得利益階層過度妥協的人物。他之得獎，令人備覺欣慰。畢竟爭取權利，除了激進的一方外，同樣需要溫和的一方，才能持久進行下去。

另外一位終身成就獎得主，則是筆者青少年時代的偶像勞伯・雷福。這位漂亮男星，演而優則導，在功成名就之後，致力於環境保護。同時為了提攜後進，更在一九八二年創辦Sundance Institute（應係取名自他與保羅・紐曼合演的名片*Butch Cassidy and Sundance Kid*，中譯《虎豹小霸王》，主題曲*Raindrops keep falling on my head*。自一九六九年起，傳唱至今），同名的電影節，為缺乏資金但堅持理想的年輕電影人，開了另一扇窗口和門徑，他在受獎致辭中，特別強調歧異多變與藝術表達自由的關鍵性，事實上，這正是電影業的圭臬；唯有秉持電影藝術的表達自由，容許歧異不同的存在並讓它發展，電影業才能生生不息，精益求精。

269

莫讓公安長住心頭

　　臺灣海峽兩岸的文化交流，這一陣子頗為引起大家的注意。由於文化上的往來較少受到政治因素的拘限，有時反而走在政治與經濟政策之前。繼商人登陸發展，臺灣文化界人士前赴中國大陸開創事業者，不僅多有其例，有些人甚至已經產生某種影響力。至於向來被視為流行文化之尖兵的演藝活動，更是早成氣候，臺港影歌星紛紛到大陸舉行演唱會，而大陸著名歌手獲得臺灣重要獎項，也日漸增多。

　　不久前，從華文報紙影劇版中得知，臺灣演員倪敏然等到中國大陸表演相聲，造成相當大的轟動。近日筆者從網路上閱讀六月二日臺北的《聯合報》，竟然刊載了兩篇有關兩岸相聲的報導。一篇報導談出身柏克萊加州大學的賴聲川博士，由他領導的表演工作坊，在北京成立了一個新基地——「北劇場」。賴聲川所導演的戲劇，對提升臺灣劇運頗有貢獻，他的「今夜，我們說相聲」，更是促成了原本民俗意味重的相聲表演步入現代化。這個新基地雖然規模不大，經營起來可能還有不少困難，但兩岸劇場活動的互相激盪切磋，至少有了一個遠較固定的場所。

　　另一篇報導則是談及臺灣相聲紅到大陸，引起大陸人的好奇。臺灣的相聲在前輩魏龍豪、吳兆南等人的耕耘下，從無到有，魏氏多年前去世後，吳氏為了傳承，近年廣收弟子。事實上，兩岸的相聲市場均有萎縮的現象，復興的責任已經轉交給新一代的藝人了。比較起來，臺灣相聲界新生代普遍比大陸學歷高且年輕，近年聲譽鵲起的馮翊綱、宋少卿（個人只聽過他們的錄音片），畢業於國立藝術學院，馮君並得有藝術碩士學位。馮君表示：「臺上說相聲的人年齡多大，

臺下聽相聲的人平均年齡就有多大。」《聯合報》記者引述這句話後評道：這相當程度反映兩岸相聲市場的差距。

同篇報導還提到名演員侯冠群的觀點，尤足發人深省。侯君演「李祖惜」（諷指李登輝主席），傳誦一時，侯冠群曾拜吳兆南為師習藝三年，依他看，臺灣相聲登陸引起彼岸民眾的關注，說明了大陸民眾的好奇和不滿。好奇的是：看他們能演些什麼？不滿的是：對大陸政治言論的限制，他抱怨說，臺灣相聲過去以娛樂為主，如今則承受本土化及意識型態壓力，市場開拓相當不易。反觀大陸的相聲，則缺乏相聲藝術最重要的基本性格——即諷刺性，偏重政治上的「報喜」功能，無新創作，從業人員素質未能有效提升，而逐漸凋零。侯冠群形容說，兩岸相聲發展的關鍵差異在於：大陸相聲演員腦子中住了一個「公安」。

這真是一語中的的批評。並且可以廣泛適用到其他方面。個人曾經觀賞過來自大陸與臺灣的京劇和特技團表演，總印象是：大陸演員的訓練似乎比臺灣演員更嚴格而精準，但臺灣演員的演出較有創意而幽默。以京戲的孫悟空為例（演給美國人看，經常有他），大陸演員動作難度更高且相當優美，臺灣演員卻好笑得多。記得臺灣「雲門舞集」創辦人林懷民先生，在舞團中斷的艱苦時日，曾自我放逐到紐約，抽空往觀大陸劇團的演出，有感而發地寫了一篇文章，旨意在彰顯「沒有自由，哪有藝術」。的確，有自由未必能有藝術上的成就，但沒有自由，則要臻達藝術上的成就，實在近乎渺不可得。

這幾天適逢六四天安門事件十三週年，美國各大都市多舉行紀念活動。曾經被控「間諜」罪名而遭中國大陸關押半年的高瞻女士，在六月一日於首府華盛頓的紀念會上沉痛地訴說：她今晚帶著慚愧，為她過去多年加入集體遺忘隊伍，而向天安門前倒下的同胞懺悔，拿「六四綠卡」，吃「人血饅頭」的她，等到親身經歷苦難後，才清醒過

來。「難道昨天沒發生到你身上的，今天、明天就不會發到你身上？」高瞻大聲疾呼地呼籲幾萬名拿「六四綠卡」，吃「人血饅頭」而依然集體忘卻的人，重新擺脫使中國大陸長年沒有民主的集體遺忘。

其實，這正就是海外中國人心中腦中住著「公安」所使然。依個人觀察，一般而言，越是離開大陸越近越短的人，「公安」盤據的影子越大，這一現象甚至連迫不得已託身海外的異議人士也不能免。但艱難之中，仍有一絲希望。月前，個人參加一次以大陸人士為主的家庭式聚會，大家聊天話題總會多少談到政治，個人跟這些人初次見面，自然是多聽少說，剛抵達此間的人，對中國的批評絕少，甚至或多或少替中共政權加以辯護。其中有位居美近廿年的中年男士，則勇於表達自己的見解，當他鏗鏘有力地說：「毛澤東對中國人所犯的不是什麼過失，而是罪行！」似乎是當晚最鴉雀無聲的一刻！對筆者這樣背景的人，這句話近於常識，但大陸人士的沉默與表情，彷彿此中別有消息：於無聲處聽驚雷。

文化交流，自己人之間照樣有其需要。旅居海外的大陸人士，更有機會也更可以自然地與故鄉親友通心曲談觀感，在海外獻身民主運動的人士，不妨把「莫讓公安長住心頭」當作初步的起手點。（寫於二○○二年六月四日）

——《美中新聞》，二○○二年六月七日

愛情電影永不過時

　　美國影藝學院自一九九八年六月十六日公佈百部經典名片開始，此後每年六月另取電影主題為類別，公佈百年來的一百部名片。今年（二〇〇二）以愛情電影為對象，由導演、演員、製片公司主管、影評家等約一千八百人，自被提名的四百部影片中，選出一百部愛情佳構。名單揭曉後，似乎沒有四年前那麼轟動，畢竟當時接近世紀末和千年末，各種名單紛紛出爐，熱門得很，如今已經跨過門檻，大家的興致及注意力有些退潮了。

　　這回愛情片名單刊出後，跟四年前一樣，筆者又自我統計一番，查查自己看過多少部，結果發現觀賞過的片子計為四十四部，居然與四年前的統計甚為接近。四成半的比率，究竟是多是少，一時不易判斷，但如果名單是文學、傳記、歷史、自然與社會科學、哲學、經濟和企業管理等方面著作，相信其比率一定比電影低得多。況且，恐怕大多數人情形也差不了多少。由此觀之，電影和現代人的關係，可以說相當密切。自然，這未必表示就影響力與重要性而言，電影勝過其他領域，但談到與一般人日常生活的貼近，電影確實很突出。

　　觀賞電影，似乎也反映了人生不同階段的境界。以個人為例，從高中到大學時代，尤其是「由你玩四年」的大學生涯，一年看上數十部電影，等閒事爾。但一旦結婚成家，特別是兒女陸續出生後，整年難得入電影院，如是者十餘年。等到下一代長大到開始對電影產生興趣時，為了理解下一代的想法和流行品味、語言等，乃追隨他們去看他們熱衷的影片，圖的不僅是拉近親子距離，也在建立雙方共同的話題，於是看電影的次數又逐漸小幅成長，但是仍然難以恢復大學時代

的盛況，「青春」真的是「不再」了。兒女另組家庭後，看電影的「教育價值」頓失，看與不看，大概也就不必那麼操心了。

　　凡是由人所挑選的名單，公佈之後總是會惹起一些爭議。這次的百部愛情影片，把《大金剛》列為第廿四名，便遭到很多譏諷。《芝加哥太陽時報》還做過非正式的民意調查（見六月十二日，頁五十六），列出讀者認為漏列的名片，如《人性枷鎖》、《雙城記》、《羅密歐與茱麗葉》、《拳王洛基》、《美麗心靈》（此片可能因為去年才發行，尚未被列進考慮名單）等。但共識還是有的，比如《大國民》一再被列為經典名片之首，這部電影頭一次看或許不太能體會到何以名氣如此大，但多看一兩次，該片的偉大即不難理解，若再閱讀資料，明白它在電影製作史上的種種開創性，就更不容置疑了。再以愛情片的第一名《北非諜影》為例，這部由亨福利・鮑嘉和英格麗・柏格曼兩位巨星主演的黑白片，於經典名片列為第二名，問世六十年來，享譽不衰，專為該片舉辦的欣賞會，世界各地屢有所聞。愛情片的名單，有一部分與經典名片重疊，只是名次位序不同。

　　每回這類名單發表後，筆者總設法「補看」好幾部過去失之交臂的好片，並且迭有意外的驚喜，是一項非常愉快的經驗。經典名片第九十名的《爵士歌手》，早於一九二七年發行，是頭一次有片段真實人聲的製作，情節的進行透過打出的字幕來交代，今天看來當然是古意盎然又落伍，但影片描述一位猶太青年醉心爵士樂，不惜將臉孔塗黑假冒黑人在舞臺上巡迴演出，其行徑造成兩代失和，背離猶太教傳統，幾經波折，才被家庭和猶太社區勉強接受，代價極昂，對「人間的條件」有相當感人的呈現。

　　這次愛情佳構前十名中，似乎有兩部從未觀賞過。一是一九五七年的名片《金玉盟》（當時個人年紀小，只能看看日本《宮本武藏》之類的武士片），可能曾經看過卻忘了。倒是名列第十的《城市之光》，

近日有幸自社區圖書館借到，觀後至為激賞。這是電影史上不朽的喜劇泰斗查理・卓別林自編、自導及自演的代表作，是一部尚無人聲的黑白片，一九三一年元月卅日洛杉磯首映。片中故事結構簡單，一位無家可歸的小癟三，於街角看見一位美麗的盲眼賣花少女，同情心油然而生，想盡方法去濟助她，而賣花女誤以為他是一位家財萬貫的富豪。後來，偶然自報紙中得知奧地利維也納有名醫能開刀使盲人復明，遂使上他所能夠做到的手段送賣花女出國手術，不惜入獄。片中一名醉後富豪企圖自殺被他救起後，雙方攀上交情，但富豪清醒時分則勢利無比，對上流社會的荒淫諷刺不遺餘力，這是卓別林甚具社會主義精神的一面。片中卓別林身材矮小、蓄小髭、手杖在握、踩外八字走路的形象，早已成為他的商標。片尾復明後的賣花女，撫摸小癟三雙手相認的鏡頭，實為賺人眼淚的不朽畫面。

　　好的電影藝術，徵諸於這次愛情佳構的名單，的確是超乎時間與時代的。前十名最晚者為一九七三年。五年前製作成本高達兩億多美元的《鐵達尼號》，雖然票房紀錄絕高，但在名單中列為第卅七名。當然，愛情電影是不會自銀幕上消失的。愛情與人類同其古老，實在是個老得不能再老的東西，但對一代又一代初次陷身的男女而言，卻永遠是個體生命中全新的體驗，怎麼會過時呢？

註：愛情巨片前十名為：一、《北非諜影》（*Casablanca,* 1942）；二、《亂世佳人》（*Gone with The Wind,* 1939）；三、《西城故事》（*West Side Story,* 1961）；四、《羅馬假期》（*Roman Holiday,* 1953）；五、《金玉盟》（*An Affair to Remember,* 1957）；六、《往日情懷》（*The Way We Were,* 1973）；七、《齊瓦哥醫生》（*Dr. Zhivago,* 1965）；八、《風雲人生》（*It's a Wonderful Life,* 1946）；九、《愛的故事》（*Love Story,* 1970）；十、《城市之光》（*City Light,* 1931）。

275

——《美中新聞》，二〇〇二年七月十二日

「英雄」無用武之地
——電影《英雄》觀後感

　　昨日觀賞大陸名導演張藝謀新片《英雄》，看完以後，心頭立刻泛起「英雄無用武之地」一句話。只是其含義跟這句常用成語稍有假借，另有聯想。

　　純就電影論電影，《英雄》給筆者的初步印象，與不少中國大陸拍製的名片頗相近，即舞臺劇的味道很重，人物有限，情節並不複雜，所想強調的主題與對人物的取景，常見誇張的手法，片中雖然有一些浩大的場景，比如軍容壯盛、萬箭齊發的畫面，但以目前的製作技術，也許使用電腦動畫的方式，照樣可以達到同樣的效果。舞臺劇雖以呈現的壯麗山河及美景，片中拍得壯闊優雅，但除掉這些景致，大概無損於電影所擬表現的內容。至於運用大片鮮豔的顏色和浪動的布幃，當作人物間互動、衝突及劇情推展的背景，似乎已經成了張導演個人的特色之一。

　　也許是個人的偏見，觀賞大陸導演在海外放映的影片，自然有很多可供欣賞甚至讚佩的地方，但若拿來與臺灣香港導演的電影參照，大陸導演的作品志在「得獎」的味道重得多，張藝謀、陳凱歌（如《霸王別姬》）等皆然。臺灣方面像侯孝賢、楊德昌、蔡明亮、林正盛等（個人看過的畢竟相當有限，無法盡舉），他們的作品固然也獲國際電影節大獎，但對好評審與觀眾的用心不明顯，往往堅持本身的藝術觀點，當然也可能因而在票房營收方面不易取得好成績，間接造成電影業的危機。香港方面如吳宇森、王家衛、許鞍華等，吳宇森偏向商業電影，目前已是甚具票房魅力的國際名導演，王、許兩人近乎臺灣同

行的風格。這幾年聲譽鵲起的李安,《臥虎藏龍》得過奧斯卡最佳外語片獎,但他的作品比諸大陸同行,影片呈露的「得獎」雄心可沒那麼明顯。由於李安先已拔得頭籌,張藝謀的《英雄》或許時機上有吃虧之處,能否獲得國際重要影展的獎勵,似乎無需以得失論高下。

其實,《英雄》目前正引起華人社會的絕大爭論。電腦網路上,臺灣與大陸影迷網友還為它掀起論戰。不少議論批評該片抄襲日本導演黑澤明(主要指敘述手法模仿《羅生門》一片)、王家衛、李安等。然而,大陸網友也不是沒有異聲,「羊城網友週刊論壇」上郭農撰寫的文章,即逕以〈奴才張藝謀〉為題,雖則作者坦承看了《英雄》的簡介後,大失所望,就再也沒有觀看該片的興趣了。平心而論,爭論乃是以《英雄》呈現的思想或意識型態為焦點,具體講,在批評者看來,影片顛覆中國人歷來的歷史認知,把秦始皇的暴政美化,而「一統天下」的無條件認可,使導演被視為向現在的中共政權投靠而露出「奴性」的本色。

依筆者見聞所及,比較深刻而全面的評論,或屬香港《開放》雜誌本年(二〇〇三)二月份的專輯,總題為:中國文化精英的墮落,內收十三篇文章,外加總編輯金鐘的按語。這十三篇的標題如下:〈張藝謀中邪為大一統辯解〉,〈中國文人寵物化的典型代表〉,〈獻給薩達姆和金正日的影片〉(按:指的是伊拉克和北韓當政者),〈張藝謀從民間走向宮廷〉,〈九十年代部分中國禁片〉,〈大陸媒體批《英雄》〉,〈自古英雄兩條路〉,〈《英雄》:暴君的知己〉,〈勸君少刺秦始皇〉,〈要人不要《英雄》〉,〈改寫歷史:荊軻護秦王〉,〈香港專欄作家評《英雄》〉,〈地下導演張元浪子回頭〉。光從題目應可略知梗概。(筆者只從網路印下幾篇閱讀,尚無機會全部看過)

《英雄》一片的首映禮,是在北京人民大會堂舉行的,這恐怕是罕有先例的特殊待遇。據報導,此片在大陸的票房收入超過兩億人民

幣，在臺灣、香港和東南亞華人社會，成績也不俗。北京電影學院崔衛平教授，於前段所列〈獻給〉一文中，不無憤怒地評道：能夠在這種地方宣傳，完全不是商業電影的思路，亦非商業力量能夠完成的。該片取得的票房收入證明，在中國要走商業電影的道路，必先走政治電影的道路，換言之，在中國，「最大的商業電影只能是政治電影。」這應該是行家的解釋了，作者指出，凡是為暴君翻案者只有一個目的：為自己逆天下潮流而動來尋找藉口。電影中透出的「法西斯美學」，尤其備受斥責，最後結語云：誰要是低估了觀眾的水平，誰就失去了中國電影的今天和明天。

大陸網上有人提到該片「粉飾苛政，美化暴君」，連《紐約時報》也看得出這部電影「諂媚」中國當今權貴。〈走向宮廷〉一文作者蔡詠梅，甚至引述大陸某文化人的觀點，直指《英雄》不但媚俗，更是「媚上」。（按：此文對大陸電影製作的官方限制著墨多而具體，中共政權想方設法以委婉包裝的方式，利用電影作為推銷其「中國觀點」的有效工具）而從影片本身的內容來檢驗，一言以蔽之，「天下一統」的觀點與政策，正是「美化」、「諂媚」、「媚上」的關鍵。

而大多數批評也都能聚焦於辯正這一觀點。〈中邪〉一文作者許行解釋劇情不合邏輯之處，在於最後不殺秦王的理據，並進一步評道：秦王所講的天下乃是一人天下，而非天下人之天下，不分清這點而妄言一統天下，實際上等於給皇朝的大一統觀念辯護。崔衛平也提到：「天下」即「天子」的治下，為天下著想即是為天子著想。影片對這一點毫不掩飾，且通過秦始皇口中說出來——沒想到「最瞭解寡人的」、「與寡人心意相通的」知己，竟是本擬殺王的刺客殘劍。後者因為體認及此，才自己放棄也勸更有心機的刺客男主角無名。個人至感高興，許多批評都能指出這點。感慨殊深的是，明末清初的大儒顧炎武，早在《日知錄》書中便已闡發「天下」與「國」的不同。亡國

有別於亡天下，幾百年來中國人的觀念進步在哪裡？

當然，《英雄》的中國風味貫串全片，無名、殘劍、飛雪、長空、如月等名字，有其寓意，「意念」交戰把人間的虛實摻雜在一起。然而，整部電影中個人最看重的還是秦王領悟的劍道最高境界：心中無劍，手上無劍，即和平，殘酷的是，轉瞬之間，秦王在形式上應千軍萬馬「殺無赦」之請，下令萬箭穿心殺死無名。個人雅不願評之為中國人的「嗜血慾望」。但照應到現實，日本民間教科書刪改史實，日相參拜靖國神社，中國人強烈抗議，而對刪改歷史正義的《英雄》，則以最高票房來歡迎它，這是何等心態，令人沉思。

無論是視秦王──統治者──為英雄，或是視敢於反抗暴政的刺客──異議者──為英雄，讓英雄無用武之地，無寧最稱上策。準此，請容筆者更動《菜根譚》的名句，轉贈世人（主要著眼於中國人，但也包括急於攻打伊拉克的美國人）：戰事如棋局，不著的纔是高手；統一似瓦盆，打破了方見真空。

註：《菜根譚》原句為：世事如棋局，不著的纔是高手；人生似瓦盆，打破了方見真空。

──《美中新聞》，二○○三年二月廿一日

文學擦邊球

看張
──懷想張愛玲女士

　　一九七六年，臺北皇冠出版社刊印張愛玲所著《張看》一書，書名本身奇突，等於是說明她對所處的時代與人間，始終是站在看的立場。最近張愛玲女士去世，後死者懷想她的文學成就與平生，冠以「看張」為題，模仿其實是對原作的最高敬意，庶幾近之。

　　九月初，張愛玲出於自然的原因而去世，遺體在幾天後才被發現，至於真正的忌日是那一天，恐怕如同她晚年的生活風格一樣，神祕而不欲為人知。有人也許會悲痛她走得這般孤寂而淒清，想起她作品中愛用的「蒼涼」、「荒涼」等字眼，而生人如其文的悲歡！但她早就聲明過，這類的意境遠較具有美德與人性，為她自己的一生寫下這麼一個句點，在悼念之餘，不免憶起弘一大師圓寂前偈語「華枝春滿，天心月圓」，而有一種「完成」之感。

　　美國《世界日報》報導張愛玲去世的消息，以頭版頭條的地位處理，對作家而言，備極尊崇。而在同天同一個版面，用一個小篇幅登出四星上將劉安祺高齡辭世的簡訊。劉將軍戎馬一生，在國民政府兵敗如山倒撤退大陸的時期，以及初抵臺灣亟待喘息而安頓軍民的階段，劉安祺的治軍和戰功，對奠定臺灣四十餘年來的安定與發展，有一定程度的貢獻。《世界日報》在美國發行，對發生在洛杉磯著名華人作家的謝世，自然關心，但新聞處理的比重，也頗引人深思。從某個角度看，或者也是曹丕〈典論‧論文〉：「文章，經國之大業，不朽之盛事」的現代詮釋，何況張愛玲以短、中篇小說命世，並及長篇小說和隨感短章，新聞取捨所透露出來的價值觀，後世說不定視之為文

化變遷的線索，亦未可知。

在中國大陸，由於官方意識型態的排斥，張愛玲久被定位為資產階級墮落腐化的代表作家，經過長年的禁絕，不僅知音難覓，恐怕知道中國近代有這位傑出小說家的人也不多。但文學作品就像壓不扁的玫瑰花，雖受政治高壓的摧殘，卻也總能綻放出絢爛的姿彩。張愛玲去世的消息，在大陸不受重視，但《北京青年報》於九月十五日以文化紀念專刊的方式加以披露，據說已使她的作品成為「張迷」搶購的對象。

至於臺灣、香港和海外華人聚集的地方，張愛玲卻享有盛譽，作品被視為當代經典。此中夏志清教授獨具慧眼的品題，最是關鍵，有如賞識千里馬的伯樂。一九六一年，夏先生發表其開山力作《中國現代小說史》，特闢專章以數十頁篇幅析論張愛玲的著述，認為單就她的短篇小說而論，比起英美現代女文豪絕不遜色，肯定她是「今日中國最優秀最重要的作家。」六、七十年代，臺灣知識界、藝文界喜愛張氏作品者，大有人在，有人且認為張愛玲夠資格得諾貝爾文學獎。

當然，最主要的是張愛玲的確具有原創性。她的文字深受《紅樓夢》及傳統通俗小說的影響，卻又富於現代精神。小說中的人物，盡屬俗物，而且頹唐腐敗，她偏能從這些人物的心理與際遇，去解析中國舊社會的人性，洞察中國的人情世態，既深入而又能曲盡其精微。以英文撰寫後再回譯成中文的《秧歌》、《赤地之戀》，對共產黨政權之割裂人性，則是姜貴的《旋風》等作品外，少數具有文學價值的著作。張愛玲以她極具魅力的文字意象，構建了一個與眾不同而獨具個人風格的世界——這正是一切偉大文學家共具的特徵。

論者曾經指出，張愛玲的主要著作，似乎在她青年時代寓居汪政權轄下的上海和戰爭期間的香港即已完成。中共淹有大陸數年後，自大陸脫身暫居香港，除了撰述前述兩部英文小說外，還寫了幾部劇

本，也為美國文化機構今日世界社從事翻譯工作。但移居美國以後，似乎就絕少創作，訂正舊作，評點吳語小說《海上花列傳》，變成主要的成績。不知道張氏身後是否留有豐富的遺稿，否則總是令人有「未盡其才」的遺憾。

張愛玲與任汪精衛政權次長職的胡蘭成，有過一段情愛糾葛，有人視之為亂世才子佳人的愛情原型，卻有更多人把胡氏看作「文化漢奸」，為張愛玲香花蒙塵而惋惜。至於她與美國男士的第二次婚姻，外界所知極少。近卅年來，張氏過的是極端隱遯的生活，臺灣文化界便有人以為張氏晚年似有精神異常的現象。張愛玲的長期自我孤絕，類似寫《麥田捕手》而成名的美國作家沙林傑。

然而，作家的價值畢竟寄託在作品中。張愛玲的《傳奇》、《傾城之戀》、《第一爐香》、《半生緣》等書，〈紅玫瑰與白玫瑰〉、〈金鎖記〉等小說中的人物，半世紀來滋養了一代又一代的作家，她的餘蔭顯然會長期存續下去，甚至會擴展到逐漸開放與自由化的神州大陸。對張氏崇敬有加的名作家朱西寧，以「終點其人，起點其後」追悼她的去世，可謂得其神髓。

在中國現代文學史上，作家不是成為左派、右派等政治意識型態的宣傳工具，便是在強烈的高壓下摧折，作家要堅持自我，往往成為一項奢侈。張愛玲卻連死亡也堅持自我到底，她的一生本身就是一件作品。

——《美中新聞》，一九九五年九月廿二日

繼承未來

　　一九八九年六月四日天安門事變後，中共政權發出的學生運動領袖通緝名單上，排名第一的是當時就讀北京大學歷史系三年級的王丹。不論從照片或從紀錄影片中看來，王丹都是青青子衿的樣子，年輕而且有點稚嫩。由於未能及時脫逃，事後不久便遭治安機構逮捕，在北京著名的秦城監獄關了四年。

　　臺灣出版的《聯合文學》月刊一九九六年四月份，選載了王丹的一首詩、六篇散文和十二封獄中家書。這些作品雖然為數不多，已可見出王丹的好學深思。筆者對他的家書尤表重視，因為詩與散文，有時為了追求藝術的技巧與表現，往往有「曲達」的痕跡；家書針對的是自己的親人，下筆時主觀的限制較少，更能直抒胸臆，將內在的思維和盤托出。

　　關切中國命運的人，總是難免要對歷史的走向傾心注意。在近代史上，一波一波的轉折或運動，時常又以青年知識分子為主軸，他們的想法與識見，自然值得觀察與理解。本乎此一認識，筆者對王丹於家書中所透露的訊息，便認為有它深遠的含義。

　　一九九二年十月六日的家書中，王丹向家人表示每天完全用以看書的時間雖然長達十三小時，仍嫌不夠用，他說：

> 在這種情況下，我當然希望能讀一些好書，這樣時間過得更有價值。比如《林語堂文選》，讀來親切自然，智者之諄諄聲聲入耳，直入心底，就看得我悠然而忘處境、忘時間、忘凡事，甚至忘了自己了。

這段話之所以令人感懷不已，不是作者述說讀到一部好書時生動的描寫，而是在於他所舉的著作及其作者林語堂。林語堂雖然在西方世界大名鼎鼎，對溝通東西文化貢獻卓著，至今難覓取而代之的「替人」，淺見者甚至先知有林語堂才知有中華文化，但在三、四十年代左派當道的中國文壇，林氏卻始終是少數派。他的英文論述與小說，暢銷一時，有幾部且長銷不斷，其紀錄迄今無人打破，但在大陸上，自郭沫若於抗戰期間批判林氏起，中共官方數十年來始終刻意貶抑林語堂。論者指出，中國大陸出版的幾十種中國現代文學史，率皆以「反動文人」、「幫閑文人」等寥寥幾筆，否定林語堂的傑出表現。（按：魯迅於《集外集拾遺》刊有〈幫忙文學與幫閑文學〉短文，成為左派扣人帽子的原廠）即使改革開放多年以後，林氏的著作重新被人重視，在讚美他的作品之前，還是照例要來一套共黨八股，總是要先指責林語堂敵視中國共產黨，脫離中國的社會現實與人民的苦痛，不能體會中國共產黨領導的革命鬥爭云云。然而，經過長期的考驗，能感動大陸青年知識份子的文學作品為何？直指人心的作家是誰？答案已很明顯，且絕不隨著政權的主觀意志而轉移，王丹的觀點就是一項無從忽視的指標。

意義更較重大的，可能是一九九一年九月十五日家書中提到的一項對比。王丹在這份家書中表示：

> 近百年來幾代知識份子，我覺得成就最高的是二、三〇年代那一批，胡適是代表人物。胡適與魯迅的不同道路比較，鮮明地折射出中國現代化道路歧變的軌跡，是個十分有意義的課題。

中共席捲大陸以後，不出幾年，曾經發動學術與藝文界，大事圍剿「胡適思想」，彙編成書的文集字數在七百萬字以上。尤其可怕的是，

中共政權所出版的書籍中，數十年來，只要一提到胡適，莫不封他為「資產階級右翼代表」，或稱他為「反動學者」，這種情形不僅見之於正文，連註釋中也一律不放過，近乎鋪天蓋地而來。共產黨深知「思想」之為用，因此對異己思想毫不寬待，非趕盡殺絕不可，造成慘絕人寰的悲劇。

王丹的學養自然還不能與余英時教授相比，余教授撰有遑遑大著，詳論胡適在中國近代史上的貢獻與地位。也無法如史學家唐德剛教授一樣，得有親炙胡適的機會，可以從近距離觀察他，而有《胡適雜憶》等作品問世。（其實，由於胡適是思想史上的關鍵性人物，又置身於歷史演變、政權更迭的洪流中，有關他的著述甚多，李敖的評傳、張忠棟的論述，皆有可觀）不過，王丹讚譽胡適的話，以及他之拿胡適來與中共將之神格化的魯迅相對照（附帶一提，魯迅如果活著，一定會對中共政權把他神格化大表反對），從而彰顯出胡適所代表的「現代化道路」，就一名自小生存於共產黨政權文化氛圍下的青年人而言，至少說明了「身在廬山仍想識其真面目」的一股企圖心，頗為可喜。同時，也使人不禁要進一步追問：王丹在家書中透露的訊息，會不會成為大陸青年學子的思想傾向？

思想不僅是監獄的圍牆所能控制的。王丹的獄中家書，不過是新增的一個例子而已。胡適、林語堂等的言行、著述與思想，正是中共政權處心積慮妄想消除打擊的對象。然而，即使他們的形體早已消逝，一生從來也沒有掌握過任何實質的政治權力，但他們的觀念與思想，卻給了能思敢想的中國青年以營養、以啟示。請國人平心靜氣地想一想：繼承中國之未來的，還會是共產主義嗎？

——《美中新聞》，一九九六年六月廿八日

哈利・波特旋風

美國女作家羅琳（Joanne Kathleen Rowling）所著少年小說集哈利・波特故事系列，近年來於美英出版界轟動一時，尤其七月八日第四集的推出，更是形成一股旋風，蔚為奇觀。

第一集*Harry Potter and the Sorcerer's Stone*，五點九九美元。
第二集*Harry Potter and the Chamber of Secrets*，十七點九五美元。
第三集*Harry Potter and the Prisoner of Azkaban*，十九點九五美元。
第四集*Harry Potter and the Goblet of Fire*，廿五點九五美元。

這四集故事，第一集書價僅六美元，一路攀升，到了第四集已經高達廿六美元，篇幅七百卅四頁。然而，銷路卻扶搖直上，而且第一集在一九九七年面世，為時不過四年，羅琳女士由一名離婚育有一女的貧困人物，一變而成為全球收入最高，最受矚目的作家，她竄升的過程本身便是一則當代傳奇。

依《今日美國報》八月三日的統計（該報不分小說與非小說），在全美暢銷書榜中，第四集名列第一，第一集居次，第二集為第三名，第三集居第五名（上週則列為四名），最暢銷的前五名中，羅琳的著作包辦了四項。《紐約時報書評週刊》，則分小說、非小說、童書三大類，依七月卅日該週刊的統計，最暢銷童書第四集居冠，第二集居次，第三集居三，第一集居四，全由一人包辦。但更值得重視的是：第一集列榜已有八十四星期，第二集五十九星期，第三集四十五星期。換句話說，過去兩年的英語童書市場，哈利・波特故事系列橫

掃千軍，萬書莫敵。

尤其第四集的出版作業，可以說是「打書」運作的範本。在這部書正式行銷前幾個月，出版商便故示神秘，把書中情節視同不可洩露之天機，臨近上市時，又故意將書名先透露出來，吊足了讀者的胃口，少年男女及其父母，於是望眼欲穿，使得書未上市已經聲勢逼人。該書的首次印刷數量，也是破紀錄。美國地區首印量為三百八十萬冊，英國地區一百五十萬冊，最大網路書店亞馬遜公司，在書上市前一週，已收到廿八萬預購訂單，美國版暢銷之至，出版商加印第二刷兩百萬本，已在熱賣之中。臺灣的皇冠出版社，取得該書中文翻譯權，頭版十萬冊也於短期內售畢，正趕印中。英文版第四集有聲書，首印數量亦達十八萬份。上述這些紀錄，當然還不足以讓羅琳成為有史以來最暢銷的作家，但哈利・波特第四集的印數和作業方式，則確實是破紀錄的。（名小說家John Grisham每有新書刊行，首印往往也達兩百五十萬本）

羅琳女士今年才卅四歲，曾經擔任過教師，但自評為平庸得很的老師，尤其不善管理文件和行政事務，零亂不堪。她到現在還不會開車，以羅琳的年紀來看，不會開汽車上路的女士恐怕是少之又少。她在寫作《哈利・波特》故事首集之前，曾創作兩部小說，均未完工。但她熱愛寫作則是不容置疑的。一九九五年完成首集的撰寫，由於太窮，沒錢把全書書稿影印一份，只好用打字機重打一次。這固然是迫不得已，但也多少顯示羅琳在寫作上的耐性。即使功成名就之後，她還是表示不寫作令其全身不舒服，若有一星期之長未寫片言隻語，混身便緊張兮兮。

在林林總總有關哈利・波特故事集及其作者的報導中，《新聞週刊》七月十日的專訪，依個人看，最是深入。（見該期頁五十六～六十，不僅有全頁的羅琳獨照，篇幅之長竟超過該刊一般對國家元首的

訪問）不論是心路歷程或今後計劃，甚至故事拍成電影或相關商品等，均有涉及。比較令人動容的乃是作者構思的靈光，出現於一九九〇年某日，她搭火車時，班車因故停頓在曼徹斯特與倫敦間的鐵軌上，這時她瞄著田裡的牛隻，突然之間，哈利・波特的形象躍入腦際。《新聞週刊》記者拿這個心路歷程問羅琳女士，她回答說：這的確是神奇的故事。我甚至在生理上也有反應，彷彿腎上腺素猛然一衝，如果你有生理反應，像是這種巨大衝擊，那就是你有了好靈感的跡象，這次經驗是我以前從來沒有過的。過去我有過自己也喜歡的構思，但從未如此強勁有力。哈利・波特，便是在這猛然一衝中誕生的。

談到寫作過程中是否心中設定什麼人為讀者對象，羅琳女士答道：沒有這回事，我從來沒有坐下來然後想說：小孩子會喜歡什麼？真的，我真是因為那個構思完全激發了我，因而認為寫起來一定非常有趣。有些人讀到這樣一個回答，或許會說作者如今名利雙收，不願沾染些許功利色彩。但羅琳對另外一個問題作答時，她所做的表示應可掃除這方面的疑惑。記者問她是否曾經從讀者中取得一些構想。羅琳說：沒有。年輕讀者們很大方，他們會寫信給我，告訴我一些他們創造的有趣字眼，問我能不能使用這些字眼？我回函覆稱，「不，我無法用這個字眼，因為這是你的東西，你來用它。」

哈利・波特小說集的成功，當然是文化界的一大景觀。但作家羅琳女士對本身寫作自述，則是亙古不滅的寫作精神的再次宣示：要感動讀者之前，必須先感動自己。文學創作乃是極端個人化的，他人的構思至多可以成為枝葉，自己的構思才是作品的骨幹。

—— 《美中新聞》，二〇〇〇年八月十一日

「包裝」的難題

　　上星期六（二〇〇〇年十月廿一日），《誰是新中國》的作者辛灝
年先生，在芝加哥舉行了一場可算成功的演講會。講演以後長達三小
時餘的討論，情況相當熱烈。個人甚感高興的是，與會者當中，來了
一些大陸人士，包括年事尚輕的青年人，誠如會中一位青年所說，這
部著作主要是為大陸朋友而撰述的。當然，主辦者也不無感慨，從事
前發出的各類通知包括電子郵件等，收到者出席的比率還是相當令人
失望的。這現象其實無需太過耿耿於懷，畢竟政治的醒覺者，或更好
聽地說即「先知先覺」，永遠屬於極少數；而且在中國大陸目前的現
實環境下，留居海外的人仍與國內保持著千絲萬縷的關係，期待海外
人士能夠大量挺身而出，或說得難聽點，要看到眾多的「烈士」出現，
不僅是奢望，並且不太合乎實際。但探查事實的真相與真理，維持一
些基本的是非標準，乃是人性的基本欲求，有了這份認知，則失望當
也可以轉為信心的根源。

　　辛先生口才絕佳，而又不時出於憤怒感，使得辭鋒夾帶強烈的感
情。習於冷靜的科學訓練者，或許因此視之為一大缺點，但研討社會
現象，則很難絕對否定感情在思想上的功用。法國大哲巴斯卡甚至這
麼說過：「感情知道理性所不知道的真理。」演講會中談了很多問題，
本地媒體當已有概括報導。其中有一項小問題，即大陸文史著作的
「包裝」情形，則是此地擬加以進一步申說的。

　　在《誰是新中國》一書的後記，作者寫道：

　　　我特別應該提出的是，來到海外之後，我確乎愈來愈痛切地認

識到:「千萬要尊重中國大陸專業和非專業的歷史學工作者們,
尤其要精讀和細讀它們在無奈的包裝之下,所已經出版的研究
著作和紀實文學著作,更應對近年來已經敢掙斷〈腳鐐手銬〉,
而公然呼籲要〈糾正歷史〉的史家們、作家們、記者們,特別
是軍隊中的一大批中青年知識份子深懷敬重之心。」

(見該書頁六七○)

這當然是入乎其中而又已出乎其外者的見道證言,作者的心靈脈動與
之同步,感激之情應可想見,因此特別在海外予以表揚。不過,對於
全然沒有中國大陸生活體驗的人來講,卻成了某種障礙。討論會中,
有位於知名大學任教者便直率地表示,在美國學術界工作,論文如需
「包裝」,極可能通不過審查而發表不出來。即使就普通讀者而言,海
外的人(不是來自大陸者),如何分辨什麼是「包裝」?什麼是「包裝」
之下或之外的真義?便成了除了理解文本內容,又另外多出的負擔。
何況分寸拿捏不易把握,若因此而產生誤解反為不美。當然,大家都
理解,在法網嚴密的大陸,文史著作如非經過某種包裝,極可能不祇
無從發表,甚至危及人身,目前情況或已大有改善。海外的人自應理
解和尊重,但困難還是存在。

　　個人的閱讀經驗,便不乏類似的挫折與不快。年前細讀陸鍵東先
生的名著《陳寅恪的最後二十年》,全書闡揚歷史學家陳寅恪先生「自
由的意志和獨立的精神」,作者的學術良知令人感佩。但書一開頭卻
用了相當篇幅說明渠不去臺灣留在大陸的「愛國」抉擇。以史學家對
時代變動的敏感,陳寅恪一九五六年六十七歲生日寫給夫人的詩,卻
明言「平生所學供埋骨,晚歲為詩欠斫(陳夫人手寫原詩用此字)頭。」
書末說一九八○年代海外學人研究陳寅恪多從「政治的角度生發開
去」,次頁卻又表示客觀地說,余英時或許可算陳寅恪「後世相知」

者。其間推理便有所矛盾。月前翻閱浙江文藝出版社《張愛玲散文全編》，該書序言相當精到，但文中提及張愛玲「寫過歪曲現實的《秧歌》，想她現今也會自省。」但書內收錄張晚年的憶述文字，她何曾為寫過批評中共的小說而有絲毫悔意？張愛玲《紅樓夢魘·自序》云：「集體創作只寫得出中共的劇本」，編者即在附註中解釋這句話指的是「文革」中受「四人幫」及其爪牙控制的文壇狀況。真是強作解人。

　　前面引述《誰是新中國》後記的一段話，個人尤其重視作者提到的軍中知識分子。一般人老有個誤解，提到軍人總是自然而然地視之為保守勢力。然而，回顧第二次世界大戰後，非洲、亞洲新興國家的建國過程（nation-building）這個名詞，最近因美國總統選舉辯論，又流行起來，布希反對以此為由出兵海外，軍人充分發揮現代化的功能，因為軍人接觸的科技與管理，比整體社會的平均水平為高。中國大陸的情形，或亦非屬例外。辛灝年書中提到，中共在奪權過程中解放東北長春市的殘酷暴行，幾年前由《雪白血紅》一書加以揭露，這部作品就是中國人民解放軍軍內作家纂寫的。把軍隊視為專制極權政府的死忠支柱，未必是完全正確的估計，因為軍人不會僅只是工具罷了，他們甚至可能比普通人更具備現代精神，在思考中國大陸的明日時，宜考慮到這點。此係餘論，一併附此。

　　　　　　　　　　——《美中新聞》，二〇〇〇年十月廿七日

語文的糾纏

目前使得美國與中共關係對峙的偵察機和戰鬥機相撞事件，如果純粹就語文運用的角度來看，真會誤以為兩國之間的歧異無非是語文之爭。基本上，所爭者主要有兩點：一是「道歉（apology）」與「遺憾（regret）」；二是「人質（hostage）與「拘留（detainee）」。

就後者而言，留置於海南島陵水基地的美方機員廿四人，究竟只是暫時被拘留當地，以備調查呢？還是完全違反他們的意願，無法自由離境，不折不扣地成了「人質」呢？站在美國的立場，這批機員的行動自由已然被侵犯，而拘留期間業已超過一星期以上，固然中共把全部責任推到美國飛機及機員身上，但美方的理解則是中共飛行員實有挑釁舉止，且依國際航空慣例，速度快的飛行器有責任避開速度慢的機體，不論中共飛行員飛得太近或反應不夠敏捷，難謂責任屬於美方，美國國會眾議院國際關係委員會主席海德，已經公開聲稱這批被拘留的機員為「人質」，這當然是一種政治施壓，不僅針對布希政府，也針對北京當局。站在中共立場，則是認為美方非法侵入領空，且肇禍令中共損失戰機和機員，理應深入調查，但中共絕對不願承認其為「人質」，若視之為「人質」，不啻把自己列入「恐怖國家」之林，對北京日趨艱難的國際公共關係工作來說，未免是太大的敗筆。然而，留置太久，卻又很難杜絕悠悠眾口。

當然，真正具有關鍵性的乃是「道歉」與「遺憾」。北京外交部的正式聲明，要求美國公開道歉，當作解決爭端的重要前提：華盛頓則認為己方並無犯錯，何需道歉！事實上，撞機事件一發生，美國駐北京大使便已對中方損失一架飛機及飛行員失蹤表示遺憾，隨後幾

天，國務卿和總統本人也曾藉機會不只一次地表達遺憾，但中共官方控制的媒體，似乎先則刻意壓制新聞，不讓美方的遺憾之意廣為傳播，繼則全力強調本身單方面的觀點，使民眾一面倒地以為美國太「霸道」，醞釀製造所謂的民氣，拿來作為談判的本錢，此所以大陸上的新聞訪問，無論是飛行員還是一般民眾，其觀點完全遵照官方，連措詞都全然與官方版本相同。新聞管制之為用，真是偉大極了。

雙方就「道歉」與「遺憾」堅持不下，其實也是思維方式不同所致。美國人一遇到爭論，基本的反應乃是律師式的思考，亦即本身有無責任？如證據不明確，應如何脫開責任？如可能有責任，應如何使己方責任減至最小？中國人則往往從面子與人情來思考，在人情上損失飛機和人命的是己方，難道錯還會在於我方？美國連如此明顯的錯誤都不肯道歉，中方的面子往哪裡擺，這不是太「霸道」了嗎？於是撞機事件自然而然地扯上「國家尊嚴」的因素，中共駐美大使鄒居駕車囂張的比喻，江澤民主席在南方訪問時所說，遭逢意外事故說一句excuse me，這兩個比喻均不出人情思考的範疇。江主席的比喻甚至有不夠周全之處，文明社會涉及意外的雙方，大概彼此都會道聲「對不起」，中共到目前為止，何曾說過這麼簡短的一句話！

其次，則是有關語意的問題。在美方看，正式道歉等於承認犯錯，需負某些法律責任，遺憾則屬於人道的關切，對方既有所損失，即使錯不在我，表達遺憾是應該的，但遺憾並不是己方有所錯或有法律責任。中方則話先說滿，視正式道歉為解決前提，如有退讓很可能被指責為喪權辱國，若再添上保守派與改革派的政治角逐，事情更加複雜。於是，美國一群關切美中關係的各界人士，遂想解決一個語意上的難題，即找出一種措詞——在中文含有道歉的意思，但英文則無法律性正式道歉的意義，中文字詞的組合較具彈性，「歉憾」（中文本歉在前）與「憾歉」（英文本歉在後）或許近之。個人限於學養，並無

295

能力找出適當的英文修辭,但有個建議,不妨登門請教剛下任的柯林頓總統,既可顯示悔過而又不會造成法律責任,他擅長此道,具有實際經驗如陸文斯基緋聞案,並能全身而退。

語文的糾纏,更具體的實例是中共駐美大使楊潔篪與公共電視全國新聞主播吉姆・雷若的一段談話:

雷:這廿四位美國機員,基本上,今晚乃是中國政府所關的囚犯,不是嗎?

楊:不是的,他們之所以在中國,是因為調查正在進行,他們在飛機上,而這架飛機造成相撞,所以我方有權調查本案,這是何以他們在中國的原因。

雷:但他們能夠自由離境嗎?

楊:此時此刻,我認為中國正在調查,有問題要問。

雷:我的意思是他們不能自由離境?

楊:他們在中國。

雷:那他們便是囚犯,可不是嗎?

楊:他們不是囚犯,他們在中國因為美國飛機造成意外事件,有人喪生,一名中國人的生命犧牲了。這位年輕駕駛員有父母,有妻兒,如果喪命的是一名美國人,我想美國也會做出同樣的反應。

雷:我得確定我瞭解這點,這些美國人將為中國所拘留,直到美國政府的道歉方式令中國政府滿意,這樣說對吧?

楊:我所說的只是現在調查正在進行,所以有些問題得提出來,這是他們何以在中國的原因。

雷:他們曾經被控以任何罪行嗎?他們有可能被控以罪行嗎?

楊:我仍將堅持我的說法,有些事情得調查清楚,還有問題得問。

（原文見《芝加哥論壇報》第一部分,四月六日,頁廿一）

　　坦白講，語文糾纏的現象，絕不只限於政治外交。美國的投資公司和股票經紀公司，年初發給顧客的信函上，不都大言不慚地寫道：本公司去年替你的投資賺取了負百分之卅七的利潤（generated a profit of -37％）。歷史正在重演，「虧損」就像古代中國皇帝的名諱一樣，提不得的。國民黨軍隊打敗戰撤退叫「轉進」，轉個方向，扭頭向前挺進，頗合邏輯。美國當今的社會學研究論文，絕少「窮人」這個字眼，他們只是「對資本市場的管道受到侷限」。如果有那麼一天，讀到《運動新聞》報導稱：昨天公牛隊對湖人隊一役，公牛贏了負十二分。大家或許只能自歎：連報紙都看不懂了！（四月十一日，美國方面正式致函中方，函中用了兩次very sorry，但並未承認錯誤，此函被中方接受，機員遂得返美，雙方對峙終告紓解。）

　　　　　　　　　　　——《美中新聞》，二○○一年四月十三日

隨想巴金

　　中國大陸知名小說家、文人巴金，晚年於四人幫垮臺後重新握筆，最重要的作品毫無疑問的應係《隨想錄》五集。

　　最近，巴金又上了新聞。今年（二〇〇二）十一月廿五日，巴金在上海醫院病床上度過九十九歲生日，中共黨政要員，中國作家協會，以及不少文藝界的後輩，紛紛祝賀，甚至派人到他病榻旁致意。然而，美國《世界日報》十一月卅日社論〈為巴金祝壽——別忘了文革紀念館〉，卻鏗鏘有力的表示：形式上的熱鬧隆重，實在不足以安慰老人的心。早些年巴金一再呼籲，要從事寫作的人必須「說真話」，對文化大革命那樣的浩劫，不能隱瞞，更不應忘記。巴金具體建議設立「文革紀念館」，官方卻始終諱莫如深，六四血案以後忌諱更多，迄無下文。建造文革紀念館，已不容再拖。中共領導班子應尊重這位百歲大師的誠摯建議，這才是替他祝壽的最佳方式；對中國，對中國人，都有好處。

　　個人初讀巴金祝壽活動的新聞報導，立即的反應則是回想起散文大家吳魯芹的一篇文章。魯芹先生在朋輩眼中，素來帶著「輕裘緩帶」的景象，加上一種「說不出來的從容坦蕩的意趣。」（見《師友文章》一書，彭歌〈跋〉）但他也有動怒的時候。一九八三年吳先生心臟病猝發去世，至交齊邦媛教授編選他的代表作，以資紀念，成《吳魯芹散文選》一書。在前言中，齊女士指出：隔海讀報，他對自己同胞的俗，簡直劍拔弩張地「生起氣來了」。所論者正是標題醒目的〈不受干擾權的防禦戰〉一文。

　　此文原收入吳魯芹《餘年集》。談的是名畫家席德進去世前，已

經病體支離，瘦得不成人形，某教育文化首長到臺大醫院探視，並以「藝術超群」匾額頒贈席先生，文中引席德進學生的文章，敘述贈額時病房滿屋子人，人聲喧嘩，閃光燈閃來閃去……病床都歪了一邊。吳魯芹對擠得病床都歪掉，尤表憤憤然。因此，作者想到一個人應該享有「不受干擾」的權利，視之為基本人權之一。探病探到病床擠歪，哪裡是文明人探病的模樣？混戰一場，病房竟成戰場。「不受干擾」的權利，實在應該發揚，應該防禦。到了萬不得已時，不惜翻臉來捍衛之，才是正道。

巴金病房祝壽的報導，沒有詳細描寫實況，無從得知是否惡劣到連床都給擠歪了，但人多嘈雜大概是免不了的。何況，更早些也曾見諸報章，巴金本人因罹患帕金森氏病，且年歲甚高各種病痛纏身，以醫院為家已有一段時日，曾經正式慨歎「長壽對我是一種懲罰」，從而多次向家人要求「安樂死」。前面提到的社論質疑：為什麼他會有生不如死的願望感？該報認為，纏綿病榻固屬原因之一，但無法實現文革紀念館，「有志難伸」可能是更大的原因。這只能說是「合理的推測」而已。本文更措意的則是：即使安樂死一途不合法，但巴金生命走向終點時「不受干擾」的權利，更應尊重並衛護。

或許是個人的偏見，更可能是出於無知，對像巴金一輩一九三〇年代即名滿天下的作家，個人的評價實在沒有這麼高，讀他們的作品，每多失望。呼喊口號勝過深層理解，制式反應流於淺薄。威斯康辛大學劉紹銘教授，研究中國現代文學功力深厚，博士論文以曹禺戲劇為對象，他論《雷雨》與《日出》的英文原文在美國發表後，曾就正於香港林以亮先生，林先生以為劉教授不該在曹禺身上花這麼大功夫，因其作品淺薄得不能入流派。劉同意林對曹禺的批評，但他表示：曹禺作品華而無實卻往往被對文學批評毫無修養的人瞎捧一陣──他才立意研究曹禺，以圖糾正一般人對曹禺言過其實的看法。

（參見劉紹銘《小說與戲劇》第二輯：戲劇部分，頁一〇一～二三三，全為研究曹禺的論文）而淺薄之例非僅某一作家而已。

　　巴金晚年的《隨想錄》（主要在香港出版，並未全數於大陸刊印，不過大陸近年出版的巴金文選，曾收進幾篇如〈懷念蕭珊〉等文），貫串一百五十篇的三個字就是：說真話。如此而已。在眾多大陸文化人當中，巴金已經是最勇於反省與自思的代言人了。在一九八二年刊行的《序跋集》一書頭一個序，巴金寫道：

> 在「十年動亂」中我不知寫過多少「思想匯報」和「交代」，想起它們，我今天還感到羞恥。在我信神最虔誠的時期中，我學會了編造假話辱罵自己。監督組規定：每天晚上不交出一份「交代」，不能回家。他們就是用謊言供奉神明的。我卻不敢用假話來報答讀者。

言之痛切。《隨想錄》第一集面世後，香港有幾位大學生評其忽略文學技巧、文法不通順，責備他在書中用了四十七處「四人幫」。第二集《探索集》出版，巴金借後記予以回應，行文火氣很大，其中提到：

> 在今後的「隨想」裡，我還要用更多的篇幅談「四人幫」。「四人幫」絕不止是「四個人」，它複雜得多。我也不是一開始就很清楚，甚至到今天我還在探索。但是，我的眼睛比十多年前亮多了。十年浩劫究竟是怎樣開始的？人又是怎樣變成「獸」的？我總會弄出點眉目來吧。……但在總結十年經驗的時候，我冷靜地想：不能把一切都推在「四人幫」身上，我承認過「四人幫」的權威，低頭屈膝，甘心任他們宰割，難道我就沒有責任！難道別的許多人就沒有責任！

這也未免太吞吞吐吐了罷！以巴金的明智和見識，用謊言所供奉的神明（筆者要添上「及其體制」），真的那麼難弄出眉目來嗎？拿巴金自己常常攻擊的「封建」，便足以涵蓋嗎？

梁實秋先生〈清秋瑣記〉一文末節記云：

> 馮芝生先生有一次在北碚演講時說：「我是永遠不會被人打倒的，因為我根本沒有站起來。」今讀其〈三松堂自序〉，方知此老不僅有理論，且能實踐。（按：馮芝生即名哲學家馮友蘭，《三松堂文集》為其晚年結集）。

絕大多數三十年代的文人學者，在毛澤東於天安門宣佈「中國人民站起來了」──中共建政以後，幾乎都再也沒有什麼像樣的創作與成果，這自然不能也不便苛責。但抽象的人民號稱站起來了，而長達卅年，多數文化人卻躺著站不起來，這是何其慘痛且殘酷的教訓啊！當今海內外的中國文化人，千萬千萬，請站起來吧！即使被打倒，也得想方設法站起來。

──《美中新聞》，二〇〇二年十二月廿日

生死皆有力

人生無常，慧命永在

——世間淨土不須全由我來耕，天下福田何妨留與他人種

五月六日，參加慈濟基金會芝加哥支會二週年慶，親身聽到〈大愛〉這首歌時，曾經略嚐世態人情的筆者，雖未掉淚，眼眶中可飽含淚水，心中充滿感動。

近十年，佛教在臺灣地區繁茂興盛，不僅達官貴人皈依者為數不少，更重要的是已普及到一般大眾。國人數十年來致力經濟發展，在達成舉世欣羨的物質成就以後，追求心靈的平安與歸屬，幾乎成為全民的企望。已在相當程度上和中華文化融合的佛教，對同胞心性的安頓，似乎尚無他種信仰足資取代。

運用現代的管理觀念與時新的傳播工具，使得佛教法務的推展如虎添翼。可貴的是在普及之餘，仍然維持相當的水準。曾在很普通的佛教音樂錄音帶中，讀到「定久不知誰喚醒，滿天霜月照幽林」這等文辭優美、境界高超的句子，雖然一時無暇查明是否出自前賢，但讀來已在似悟非悟中有某些清醒。類此情形，在星雲法師的隨機開悟、曉雲法師的澄澈散文、證嚴法師的《靜思語》、聖嚴法師的論佛說禪，甚至在不是出家人的作家林清玄、鄭石岩等人的暢銷著作中，均不乏其例。

花蓮慈濟功德會證嚴法師的一生志業，李總統登輝譽之為「臺灣經驗中最動人的一章」。僧衣芒鞋的法師，用輕柔的法語，平常的法例，調教眾生，竟締造了全臺灣最龐大的慈善組織，會員人數已超過中國國民黨，並且進一步擴展到國外。當年證嚴法師為了籌建醫院，

斷然拒絕了日本人的鉅額捐獻，到今天慈濟人的藍白制服穿梭全球各地，國人的形象已經因此而默默地提升，這可不就是最健康而感人的「民族主義」嗎？

證嚴長期師事印順老法師。記得中學時初讀印順的著作，最深刻的印象是：和尚竟然這麼有學問！少年輕狂，不足為訓，直到今天，印順的有些著作仍然看不太懂。證嚴以一位臺灣籍自修的出家人，卻拜自大陸避秦而來的外省和尚為師，把印順「為佛教為眾生」的理想充分加以實現（其實亦源自近代高僧太虛法師，為救度苦難的近代中國與同胞，而將佛理同現實兩相結合而成的悲願），豈不正是本省外省融合為生命共同體的最佳例證？臺灣的政治人物不論在朝在野，不乏有意鼓動省籍意識以贏得選舉者，這些人於禮讚證嚴法師和慈濟功德會之際，心頭可有稍許的悔悟？

在五月六日那天的活動中，欣喜地瞭解到芝加哥分會確實人才濟濟，更高興見到該會對芝加哥市南邊黑人社區伸出援手，一改國人在美國「身為少數族裔卻又強烈輕視其他少數族裔」的偏差，真正表現了「無緣大慈、同體大悲」的佛心。然而，也不無遺憾地發現，在宣說慈濟功德會的成就時，或許犯下誇大的口業，認為慈濟在東南亞、非洲和北美洲的救濟事業，乃是中國人有史以來濟助外國人的創舉，這種話就像臺灣的政治人物一樣，動輒自誇今天中華民國人民的生活水準是五千年來之最！其實自唐朝以還，我國高僧傳法域外濟助他國的事例早已有之。即以當今北美地區為例，在慈濟之前，佛光山的傳法活動已入北美洲，他如沈家楨居士、釋東初老和尚等，更是早就在紐約地區發願傳揚法務。在頌揚自身的業績時，似乎不必再起類似的「差別心」。世間淨土不須全由我來耕，天下福田何妨留與他人種。

此外筆者尤表憂心者，似乎慈濟功德會會員不無重行動輕佛理的傾向。重視實踐把握當下，自然無可厚非，鑽研佛法數十年，不能減

輕身心痛楚半分鐘，徒然令人覺得佛法無用。但這種見地過度推衍，必然產生強行把思與行截然劃分的現象，而忽視了佛理佛法內化後轉成行動的重大意義。其實，證嚴法師窮究佛學多年，造詣極深，隨時可以引據佛經，不但深入更能淺出，所以才能普渡天下有緣人。年輕時甚至仿傚古人以毛筆恭錄佛經，偶爾見到她以敬謹有力的工筆抄寫《蓮華經》，令人肅然起敬。雖然說唸經給佛聽，就好像對孔子背《論語》，有何用處！但問題在於唸經是為自己心中之佛，而不是給壇上的釋迦牟尼來唸的。印順老法師一生並未開創可觀的組織，但卻調教出證嚴這般的弟子，如果證嚴法師今後只全然專注於行動，顯然她手下很不容易再出一個證嚴！功德有別，當然並無高下之分，如能兼顧，豈不善哉。

人生無常，法師生滅。要教慧命永在，則不論是自力批評或他力刺激，均有其必要。就讓在下違犯「筆業」，若能因此而使蓮花更綻容顏，應請各方大德雅納。

附記：標題出自〈大愛〉歌詞。原文為「生命無常，慧命永在」。不太合乎平仄，大膽擅予更動為「人生無常，慧命永在」，似亦無損於原意。

——《美中新聞》，一九九五年五月十二日至十八日

冷與文化

　　一九九九年開年伊始，芝加哥地區便於元月二、三日下了一場嚴重的暴風雪，緊接著酷寒的氣流籠罩大地，長達一星期有餘，這個位居北國的著名風城，藉著大自然的威力，再次展現了它的特色。

　　不過，芝加哥冬天的特色，可未必人人都那麼喜歡。嚴寒的暴風雪，給日常生活帶來的危險和不便，才是大家心頭的關切。白茫茫的一片大地，何其幽靜純潔！雪地上動物或人留下的足跡，牽連到遠處消失於無形，勾起翩翩聯想！這些恐怕只有騷人墨客才會在心海閃現。甚至詩人雪萊的名句：「冬天來了，春天還會遠嗎？」都不免令人懷疑，他大概不是在雪花狂亂飄落的日子寫的吧？多數人或許跟筆者一樣，置身在暖氣開足的屋子內，望著窗外越積越厚的雪地，腦子想的是怎樣鏟雪，要花多少時間和精力？心裡掛慮的是小兒不聽勸告，在這種天氣下竟然開車出去訪友，夜已深，怎麼還不回家？路上會不會出問題？這些才是揮之不去的絲絲狐疑。

　　至於號稱以「為民服務」為職志的政治人物和行政首長，對於芝加哥的大雪，難免都有一種複雜的心情。因為雪的處理，乃是芝城的政治大事。一九七九年元月的那場著名暴風雪，竟讓當時的畢蘭迪克市長競選連任失利，而把市政府一級主管的珍‧伯恩女士送上市長寶座，她最有力的攻擊主題，便是指責現任市長無能，一場大雪便把整個芝加哥市癱瘓了。女市長上任以後，冬天照樣有大雪，這時她卻輕描淡寫地表示，長居芝城的人，從小便見慣冬天的飛雪，大家也在雪地上玩耍得不亦樂乎，她進而警告新聞媒體不要炒作大雪的消息，以免損及芝加哥的形象。這可的確應驗了「此一時也，彼一時也」的老

話。然而，經過一九七九年的教訓，本地的政客全都學到了經驗：大雪的降落，絕非僅是氣象報告而已！刻正競選連任的戴利市長，為了今年這場大雪，不是正遭受對手黑人國會議員魯緒的猛烈攻擊嗎？

正當本地區的民眾忙著跟積雪酷寒苦鬥之際，伊州皮奧瑞亞市的農業科學家們，彷彿為了鼓舞大家的士氣，卻公開說明：大雪與嚴寒對於土地有高度維護保持的作用，於植物和農作物的生長並非壞事。中國古諺云：「瑞雪兆豐年」，雖係經驗之談的意味多，但顯然也不是沒有科學上的根據。然而，冷氣候畢竟限制了北國冬天的蔬菜水果的供應，即使今天蔬果的配銷已經相當進步了，但芝加哥冬季超級市場所能選擇購買的蔬菜水果，比起洛杉磯來，還是遜色得多。不過一旦春回大地，此地的綠意，則又勝過比較溫暖的地方，倒也不容否認。

另一方面，冷與雪對人類的居住環境，具有相當程度的滌清作用，除了因為車輛行人的踐踏使得街道積雪化成污水令人厭惡外，白靜的積雪不僅看起來乾淨，事實上也是環境的清潔劑。哈佛大學經濟學教授大衛‧藍迪斯在去年出版一部名著《國家之貧富》，書中提到：熱帶國家，傳染病如瘧疾、十二指腸、肝炎等病菌，繁衍迅速，冷帶地區則受霜雪的牽制，不致猖獗過度。他說：「不管詩人怎麼說，冬天事實上是人類的益友：它是寧靜的白色殺手，昆蟲與寄生蟲的屠殺者，害蟲的清潔劑。」一般而言，寒帶地方的環境較為衛生，不能不說多少係受雪與寒所賜。

約在半世紀前，德國哲學家的尤瑟夫‧比柏發表了一篇著名論文〈閒暇乃是文化的基礎〉，頗受學界重視。（若譯成〈無所事事乃係文化之起源〉，或更傳神）這類的思路一開，當然難免會有人提出寒冷促致文明的說法，這種提法主要是根據人類具有適應及改變環境的智能，認為絕大多數由單純的社會與政治體制演進的高等文化，均產生於惡劣的環境，人為了在艱困的處境中求生存，只好想方設法動用腦

力，種種改造發明於焉萌芽。證諸目前殘存的原始部落社會，全都見之於熱帶或雨林地區，這一觀點似乎頗可成立。然而，埃及與中東美索不達米亞等遠古文明，卻誕生於又熱又乾燥的地理環境，他們迫於需要從而發展出極具智慧的灌溉技術，成為文明之源。以中國為例，先古大禹所治的是「水」，而不是「雪」，更是一項有力的反證。

在歷史上，代表寒冷的北方，經常侵奪並入主代表溫熱的南方，西方如此，中國也不例外。我國歷史上的改朝換代，除了孫中山建立中華民國及蔣中正的北伐外，較少見到從南出發向北一統神州的政權，政權南渡以後即使具有強烈的復國心理，也少有成功的例子，唯一勉強可算例外者，當是蔣委員長中正領導的國民政府向西南遷都重慶，經過艱苦抗戰，終能擊潰日本，馮友蘭撰西南聯大碑文稱「全勝之局，秦漢以來所未有也。」但這主要還是抵抗外侮。當然，若因此而認為北人優於南人，則顯然是一種不必要的偏見。何況隨著社會的進展，北半球的南北形勢正逐漸轉變中。美國立國以還，前兩百年的確是北方諸州主導，但今天南方各州的重要性，豈容輕視？而不僅美國如此，整個北半球也不乏此一傾向。

天寒地凍，在連鏟幾次大雪之餘，草寫本文，等於是身體力行在為「冷與文化」作一注腳。

——《美中新聞》，一九九九年元月十五日

死亡即成長

──讀《星期二與摩利談人生》有感

　　《底特律新聞》的知名運動專欄作家米契・歐兒本，在一九九七年九月出了一部小書《星期二與摩利談人生》（*Tuesdays with Morrie* by Mitch Albom）。這部書問世以後，極為暢銷，截至一九九九年十月廿四日為止，它在《紐約時報書評週刊》非小說類中，已列入暢銷書榜長達一百零五個星期，並且絕大部分時間名列前茅。在競爭激烈的出版界，這本書的成功委實令人刮目相看。最近兩年所出的英文新書中，個人置諸床頭不時重新翻閱的共有兩本，一是這部小書，另外一部則是已故芝加哥專欄作家麥可・羅逸科的精選集《再來一次》（*One More Time──The Best of Mike Royko*）。

　　《星期二與摩利談人生》之所以這樣風行，多少拜電子媒體之賜。一九九五年三月，美國廣播公司「夜線」新聞節目主持人泰德・卡波爾，隨著摩利病情的惡化，曾經連續訪問過他三次，於電視螢光幕上，把這位社會學教授如何面對死亡的智慧，呈現在廣大的觀眾面前，引起很大的迴響。也使得本書作者，在與恩師睽違十六年後，得有機緣重行相聚，在每星期二搭機去看他，談人生、世情、宗教、愛以及死亡，成為作者一生中最珍貴的功課。當然書中的內容乃是人人關切的話題，在淺顯而又如行雲流水般暢達的文筆敘述下，常常是既動人兼且引人深思，這更是本書成功的關鍵所在。

　　摩利・史瓦茲這位猶太裔學者，生前在波士頓的布朗黛斯大學講授社會心理學。米契・歐兒本在該校主修音樂，但曾師從這位出身芝加哥大學的教授，大四時在摩利指導下，寫了一篇研究論文，探討美

式足球何以在美國社會變成儀典式、宗教性的運動項目，幾乎成了群眾的鴉片。米契畢業後本以音樂維生，遊蕩數年後，最後反以運動記者、專欄作者成名，雖然他曾回到學校修得新聞碩士學位，但窮本溯源，摩利的教誨功不可沒。

應該說，摩利本身是一位特立獨行的人物。他愛游泳和跳舞，但在學生舞會中，竟然不帶舞伴，以一人而單跳探戈，完全違反英文俗諺It takes two to Tango，而其舞姿可也贏得青年學子的讚賞與掌聲。摩利的大學同事，突然心臟病發逝世，參加喪禮後他甚感悒鬱，理由是喪禮上大家對這名同事說了許多好話，可惜逝者再也聽不到了。於是他異想天開，替自己辦個「活喪」，邀來一小群知心好友和家人，每個人都對這位活著的死人說出心中的話，大家同哭同笑。過去對我們所愛的人沒有機會說出的心頭話，那天摩利傾巢而出。他的「活喪」非常成功。

患上不治的肌肉硬化症，摩利知道自己來日無多，生死概念最為敏感。當他躺在家中病床，「是的，我每天都望著窗外。我注意到樹的變化，風吹得多麼強勁。彷彿我可以看到時間正透過窗櫺而消逝。因為我知道我的時間到了，使我好像是頭一次看到大自然一樣地去看望它。」在他而言，「死亡」並非與「無用」同義。甚至多次提到，「知死即所以知生」。摩利接納佛家的「無常」和「解脫」觀念，並解釋道：「解脫不是意味你不讓經驗來透達你的全身，相反的，你是讓它充分透達。如此一來，你才能擺脫它。」

師生之間，曾經有過一段動人的談話：

「……你知道，逐漸老去不僅止於慢慢衰朽而已。它乃是成長。你將漸漸死亡，這不只是具有消極的意義，它也含有積極的一面，你知道你終將死去，因為它而使你過一個更好的生

311

命。」

「是的，」我說。「但老去如果這麼有價值，那為什麼大家總是說，『啊，但願我能再年輕一次』，你從來聽不到有人說，『但願我已六十五歲。』」

他笑著說，「你知道這反映了什麼嗎？不滿足的生命，不充實的生命。這些都是沒有找到意義的生命。如果你在生命中找到意義，你便不想回到過去，而是向前走去。你想要見得更多，做得更多，你迫不及待要成為六十五歲的老人。……如果你老是跟年華老去相對抗，你將永遠不快樂，因為無論如何該來的總是會來的。」

當然，摩利也明瞭，「老年人不去羨慕青年人，畢竟是不可能的。但問題在於接受你的本然而樂在其中。這是你當卅幾歲的人的時間，我已有過我的卅幾歲，但現在則是我當七十八歲的人的時間。你要在當下的生命裡找到善、真與美。往回看使你產生爭勝之心，而變老並不是爭勝問題。」

　　生命的意義當然最主要的是「愛」。摩利深信詩人奧登的名句，「互相友愛，否則便消逝。」他進而評道，「沒有愛，我們就是折翼的鳥兒。」「使你的生命取得意義的方法，便是矢志去愛他人，愛你周遭的環境，設法創造一些東西使你有個目標和意義。」米契提到《聖經》上有名的故事，上帝為了測試約伯的信心，使他受苦，拿走他的屋子、財富和家庭的一切一切，讓他疾病纏身，他問摩利對此有何觀感？摩利微笑回答說：「我想上帝做得太過分了。」

　　越是接近死亡，摩利越是把自己的身體視為一具皮囊，裝著人底靈魂的容器。他與夫人商量好決定死後遺體火化，請他大學好友猶太教士主持葬禮，他對這位好友幽默一番，「務必請他們切莫把我燒過

頭了（overcooked）。」在他看來，死亡不會傳染，生和死兩皆自自然然。最後，摩利講了一則寓言：

> 大海上有一個小小的波浪，眼看自己就要沖抵岸邊而被瓦解，這時第二個小波浪到了見到頭一個浪一臉嚴肅，問道：你為什麼看來這麼悲傷？第一個波浪說：你不瞭解，我們全都要完了！我們這些浪全部將變成什麼都不是！第二個波浪說：你才不瞭解呢，你不是一個波浪，你是大海的一部分。

──《美中新聞》，一九九九年元月五日

人類的探索精神不死

　　美國時間農曆新年初一晨，哥倫比亞號太空梭經過十六天太空研究飛行後，於高速穿越大氣層返回地面之際，在加州上空與休士頓詹森太空控制中心完全失去聯繫，隨即可能因高溫而爆炸解體，碎片殘骸遍佈德州東部範圍頗廣的一片地區，惡耗傳來，舉國悲悼。這是一九八六年挑戰者太空梭起飛爆炸失事以來，最大一件太空探索悲劇。

　　綜合各方報導，執行這次任務的太空人共有七名，五男二女，男士中有一名黑人，還有一位以色列國籍的空戰英雄，女士中有位印度裔專家。正因為隊伍中有以色列軍官，安全措施更是特別予以加強。同時也可能有這一位以色列太空人的原故，使得新聞界注意到中東地區的反應，尤其是當美國與伊拉克戰鼓頻催的當下，不少媒體曾報導伊拉克民眾的反應。他們對太空梭失事表示高興，認為這是真主顯威，說明真主的神力大過美國，等於是對美國有意侵犯伊國的報復。像這類幸災樂禍的反應，當然不會沒有，但是否具備代表性還是值得存疑的，無需太重視。

　　一九九○年代初，冷戰結束以後，太空研究活動的跨國合作愈來愈多，過去的宿敵美國與俄國，在這方面業已相當程度地化敵為友，並且合作範圍也不僅以美俄為限，換句話說，太空的國際性日漸被大家承認，從具體的形象來看，自外太空看地球畢竟是一體，地球村的概念油然而生。而從另一個角度言，在美國國內政治上，太空探索與研究向來很少成為政治爭論主題，民主與共和兩大黨似乎也未在這方面交鋒過。對太空總署的批評自然不免，但多屬管理與技術層次的檢討，牽涉政治理念者不多。

　　哥倫比亞號太空梭失事後，各界對失事原因的探討最稱熱門，是否因升空初期防熱片脫散撞擊機翼造成回航機身過熱而解體，機齡是否過老造成金屬疲憊，航次有無安全次數，甚至日後應否淘汰太空梭改以太空站為主，都被提起，另外對機體安全與太空人逃生方法及設備等話題，也不時為人道及。筆者在這方面全無專業知識，只能聽不能談，實無置喙餘地。不過，鑒於太空活動非完全只有科學技術的價值與意義，換個角度來思量，以追念這次不幸事故，似無不妥之處。

　　平心而論，在失事消息初傳時，恐怕不少人心頭立刻有個反應，即這一事故會不會是恐怖組織及分子之所為？於前年紐約世貿大樓九一一災難以後，大家內心的這種陰影揮之不去。但只需稍加思索，憑常識判斷，應該很容易排除其可能性，以太空梭的高度及飛行速度，似非任何恐怖組織的技術能力所可及，而具有此種水準的組織，在一般情況下，大概也不會淪為恐怖組織，雖則這類組織亟想充實本身的科技作為手段。也就是說，在當前多數民眾厭惡或擔心恐怖暴行再次攻擊的心理下，無需庸人自擾地擴大眾人心頭的陰影。

　　失事以後，美國太空總署本身立即進行內部檢討，當然要達致具體可信的科學結論，最少得花幾個月的時間，因為這類調查絕非趕時間便可為功，倉促遽下定論，反多害事且誤導。但更重要的，則是次日即成立了一個獨立的「太空梭失事跨機構調查委員會」，由一位退休海軍上將主持。這當然是美國政治運作的常規，雖然有時令人覺得費時費事費錢，但這種作法可以脫開官僚機構本位主義的侷限，也是民主政治的原則適用到科學研究體制的一個實例，自我檢討當然必要，但不足之處一定難免，另行設立獨立的委員會來全面檢討和補強，實屬必要。

　　另外一個話題則是：載人太空梭一旦失事，以美國人對人命的重視，許多人總要想到，是否應該改成無人駕駛的機體來進行研究？科

學界對這個問題反而沒有那麼熱衷，主要是因為人本身始終還是科學研究不可或缺的主體，機械設備再怎麼先進，甚至具有高程度的「人工智慧」，事實上還是很難取代科學研究者這個人。實施太空計劃卅餘年以來，美蘇太空人犧牲者約達廿一人，這些人多係人中龍鳳，科技界的佼佼者，不過科技界依然保持平衡的體認，多半認為太空探索本來有它的危險性和人命成本，而這些喪失寶貴生命的英雄，對人類知識的拓展做出了貢獻。

當然，也有人從成本效益、投資報酬的立場，質疑太空計劃耗用大量預算是否值得。在民主社會，任何行政機構的績效均得受立法機構和民意的監督，經費運用是否適當而有績效，更是重點。不過，學術與科學研究的成果，在事實上和邏輯上皆無從預測它未來會產生何等影響。最先發現鈾的科學家，認為這是一個有趣但大概沒什麼用處的東西，豈知過了數十年後竟成為製造核彈與核能發電的主力！數學家納許（即電影《美麗心靈》精神異常的故事主人翁），青年時代提出博奕學說的均衡論，卅多年後竟因此獲得諾貝爾經濟學獎，最近自承他哪能知道這個均衡論會對經濟學發生這麼大的影響力！

二月四日收看這次哥倫比亞太空梭遇難者的追悼會，布希總統和太空總署同僚代表追念這七位太空人時，最令觀眾動容的全是這七位的「人性」面，科學家或專家都是人，這點絕對不容或忘。人類對未知領域的好奇與探求，目前以太空為重點之一，而這是出於人心的自然需求，在進行途程中有人犧牲了，但人的探索精神不死！

——《美中新聞》，二〇〇三年二月七日

生命的強韌

少年時代讀美國小說家歐文的短篇小說《李伯大夢》（*Rip Van Winkle* by Washington Irving），深為作者的想像力豐富所感動。這篇故事首次於一八一九年刊出，很早便有中文譯本。故事主人翁是一位樂天派的荷蘭後裔，太太頗為嘮叨，住紐約州山區。某天他外出打獵，遇到一群鬼氣森森的荷蘭水手，喝了他們的酒之後，沉睡廿年，醒來後已是美國革命成功，太太去世，女兒結婚，滄海桑田，人事全非。（筆者後來才知道，這篇故事源於民間傳說，並非純出作者的想像）而且聯想到當時讀過不久的陶淵明〈桃花源記〉名文。

豈知最近發生的一件真事，居然相似於《李伯大夢》的情節。六月間的某一天，先是在開車時從收音機聽到這則消息，隨後才留心印刷媒體的文字報導，果不其然，《芝加哥論壇報》七月十三日，便以頭版轉內頁的方式登載頗為詳細的一篇記述，比起廣播的簡略，更加生動多了，不妨據以一談。

今年（二〇〇三）六月十一日，阿肯色州人煙稀少的山景鄉內一間復健療養院，一名護士助理巡查病房時，照例向長年處於植物人狀態的病人問道，「這位女士是誰？」手指著坐在床邊的病人母親，病人竟然開口說道：「媽媽」。這真是令人大吃一驚的表現，依這位母親的回憶，「我們全都吃驚極了，甚至泰瑞自己也大表驚訝，他的眼睛睜得大大的。」

這位病人泰瑞・華理斯，本是身高體健的一位青年，高中未畢業即離校成婚。他善於修理汽車，尤其愛開快車。一九八四年七月十三日，泰瑞與兩名友人開著一部小貨車，不慎撞上公路圍欄，車子倒翻

317

跌進廿五英尺下的乾河床，其中一人毫髮無傷，另一位鄰居車禍八天
後去世，駕車的泰瑞則昏迷三個月，腦部主血管毀損。後來輾轉就醫
於醫院、療養院，當他最後轉至山景鄉時，醫生視之為植物狀態的病
患。倒是他的父母始終抱有一絲希望，從外觀上他受傷痕跡不太重，
且睜開眼睛已經多年，父母認為他絕非全無知覺。主治醫生之一也
說，他從毫無反應慢慢地變成略有反應。

　　除了父母無條件的愛與希望之外，或許在治療上甚具關鍵的乃是
服用鎮靜劑。大約兩年前，護士瑪麗喬・潘寧頓向主治醫師大衛・柏
納德建議，病人可能深感沮喪，何不開鎮靜劑讓他試著服用看看。柏
納德表示，兩個月後，他便注意到病人頗有進步，開始會笑，也會隨
著人的走動尤其是護士而轉移目光，此時主治醫師明白他們成功了。

　　華理斯開口說的第一句話是「媽媽」，跟著是「百事可樂」——
這是他最愛喝的飲料，然後是「爸爸」，他喜歡開的「福特」牌汽車
等，後來隨著反應能力的進展，越來越多話，連他母親也開玩笑似地
說：「有十九年之久你不說話，現在卻講個不停。」但醫生和家人都認
為，不宜讓他太受刺激，寧可讓他慢慢地照他的步調逐漸復原。撞車
事件發生時，華理斯的女兒才六個月大，現在則是亭亭玉立的青年
了。開腔後不久，人家問他美國總統是誰，華理斯答稱：雷根。渾然
不知有老布希、柯林頓、現任布希。（彷彿〈桃花源記〉中不知外面
世界變化的情節）數星期後，他又承認他實在不知道總統是誰，家人
認為這是他可能已經多少把握住現實狀況的徵象。

　　這整件復原的戲劇性經過，當然可能產生不同的解讀。對家人和
醫療單位言，令人鼓舞的較佳收場，自係好事一椿。家屬的愛與希望
（筆者還要添上宗教信仰），恐怕永遠是病人得以康復的最主要精神源
泉，對任何病症皆然，同時或亦多少證明，病人的恢復健康不純粹是
生理和物理的因素，心理與精神方面的能量有其助力。至於針對植物

狀態的病人，服用鎮靜劑是否為治療開了另一途徑，單一案例欠缺統計上的價值，但若對病人無害或不至於惡化病情，又何妨一試。倒是華理斯的恢復意識，說明了即使陷入植物狀態的人，很可能還有產生沮喪、抑鬱心情的現象，值得注意。

對反對「安樂死」的團體而言，泰瑞·華理斯的案情，不啻是多了一項具體實例。然而，從另一個角度看，長年照顧處於植物狀態者的家庭，各方面的負擔何其沉重，豈容忽視！前臺北第一女中儀隊隊長王曉民昏迷廿年，最後並無奇蹟出現，對她的父母家人，照顧她確實成了難以承受的重荷，真叫世人於心不忍。現代人強調死的尊嚴，罹患目前醫學技術無法治癒的絕症，更不用說長期昏迷，拖得越久可能越失去死的尊嚴，從這個角度看，全無知覺而僅係生理上「活著」，其維持有無必要，誠乃不可一概而論，這方面的爭辯還會繼續下去，難有定論。

前述當代版的《李伯大夢》，給筆者的啟示，則是人的生命是多麼的強韌，未到絕望關頭，真的不宜輕易放棄。更重要的，整個社會體制，以及一般人的習常心態，均應尊重生命，包括對身體殘障的生命加以尊重，否則，不要說植物人沒有恢復意識的機會，連一些遠較健康的生命也可能被犧牲掉，這才是世間的憾事。

——《美中新聞》，二〇〇三年七月十八日

文化生活叢書・藝文采風・廖中和作品集 1306A03

辣手篇章照初心續編

作　　者	廖中和	
責任編輯	張宗斌	
特約校稿	林秋芬	

發 行 人　林慶彰

總 經 理　梁錦興

總 編 輯　張晏瑞

編 輯 所　萬卷樓圖書股份有限公司

　　　　臺北市羅斯福路二段 41 號 6 樓之 3

　　　　電話 (02)23216565

　　　　傳真 (02)23218698

發　　行　萬卷樓圖書股份有限公司

　　　　臺北市羅斯福路二段 41 號 6 樓之 3

　　　　電話 (02)23216565

　　　　傳真 (02)23218698

　　　　電郵 SERVICE@WANJUAN.COM.TW

香港經銷　香港聯合書刊物流有限公司

　　　　電話 (852)21502100

　　　　傳真 (852)23560735

ISBN 978-986-478-826-2

2023 年 6 月初版

定價：新臺幣 480 元

如何購買本書：

1. 劃撥購書，請透過以下郵政劃撥帳號：

　帳號：15624015

　戶名：萬卷樓圖書股份有限公司

2. 轉帳購書，請透過以下帳戶

　合作金庫銀行 古亭分行

　戶名：萬卷樓圖書股份有限公司

　帳號：0877717092596

3. 網路購書，請透過萬卷樓網站

　網址 WWW.WANJUAN.COM.TW

大量購書，請直接聯繫我們，將有專人為

您服務。客服：(02)23216565 分機 610

如有缺頁、破損或裝訂錯誤，請寄回更換

版權所有・翻印必究

Copyright©2023 by WanJuanLou Books CO., Ltd.

All Rights Reserved　　　　**Printed in Taiwan**

國家圖書館出版品預行編目資料

辣手篇章照初心續編/廖中和著. -- 初版. -- 臺
北市 ：萬卷樓圖書股份有限公司, 2023.06

　　面 ；　公分. -- (文化生活叢書. 藝文采風)

ISBN 978-986-478-826-2(平裝)

1.CST: 時事評論 2.CST: 言論集

078　　　　　　　　　　　　　112005014